OLHAR SOBRE O PASSADO

COLEÇÃO a

Teorias da arte moderna — H. B. Chipp
Intuição e intelecto na arte — R. Arnheim
Escultura — R. Wittkower
Conceitos fundamentais da história da arte — H. Wölfflin
História da história da arte — G. Bazin
Saber ver a arquitetura — Bruno Zevi
Pedagogia da Bauhaus — R. Wick
Diários — P. Klee
Pintura e sociedade — P. Francastel
A arte antiga — E. Faure
A arte medieval — E. Faure
A arte clássica — H. Wölfflin
Norma e forma — E. H. Gombrich
A arte renascentista — E. Faure
Do espiritual na arte — Kandinsky
Olhar sobre o passado — Kandinsky

Próximos lançamentos

A arte moderna — E. Faure
A arte italiana — A. Chastel
Sintaxe da linguagem visual — D. A. Donis
História do impressionismo — J. Rewald

OLHAR SOBRE O PASSADO

KANDINSKY

TRADUÇÃO
Antonio de Pádua Danesi

Martins Fontes

Título original:
REGARDS SUR LE PASSÉ ET AUTRES TEXTES 1912-1922
A edição original foi publicada na França com esse título por
HERMANN, Editeurs des Sciences et des arts, Paris
Copyright © by HERMANN, 1979
Copyright © Livraria Martins Fontes Editora para esta edição

1.ª edição brasileira: março de 1991

Tradução:
Antonio de Pádua Danesi
Revisão da tradução:
Luis Eduardo Brandão
Revisão tipográfica:
Silvana Cobucci Leite

Produção gráfica:
Geraldo Alves
Composição:
Marcos de Oliveira Martins

Capa — Projeto:
Alexandre Martins Fontes
Ilustração:
W. Kandinsky, *Light* (detalhe), 1930

Todos os direitos para o Brasil reservados à
LIVRARIA MARTINS FONTES EDITORA LTDA.
Rua Conselheiro Ramalho, 330/340 — Tel.: 239-3677
01325 — São Paulo — SP — Brasil

Para Elisabeth

ÍNDICE

Introdução 1
  História 3
  Escrita 31
  Sociedade 47
Biografia 57
OLHAR SOBRE O PASSADO 65
  A Kandinsky 67
  Olhar sobre o passado 69
  Comentários de quadros 107
    Composição IV 107
    Composição VI 108
    Quadro com orla branca 112
DER BLAUE REITER 115
  Sobre a questão da forma 117
  Da composição cênica 137
  A sonoridade amarela 145
APÊNDICE 153
  Poemas 155
  Cartas 165
  Entrevista por C. A. Julien (1921) 175
NOTAS 179
BIBLIOGRAFIA 221
  Textos publicados neste volume 221
  Textos críticos 231
  Obras gerais e diversas 239

INTRODUÇÃO

1912-1922

Dez anos ao longo dos quais a arte conheceu mutações maiores que ao longo de séculos que os precederam. Uma guerra, uma revolução. Revoluções: das idéias, das formas, dos textos, das sociedades. Período eminentemente "crítico" da arte contemporânea e que hoje não cessa de ser novamente interrogado. Kandinsky, testemunha privilegiada do *front* da arte: das vanguardas muniquense e berlinense à tumultuosa vanguarda moscovita... No centro, um livro excepcional, seu segundo livro, que mergulha desta feita no tempo, na duração, na realidade da vida, de sua vida e do mundo que o cerca: *Olhar sobre o passado*. Um livro? Melhor diríamos dois livros, porque duas versões situadas em pontos críticos — Munique e Berlim em 1913, Moscou em 1918 — que inscrevem em suas variantes as variações de um mundo, com as quais se defrontam um mesmo homem e uma mesma arte, mais exatamente: um certo tipo de homem, uma certa prática de arte. Entre essas duas máscaras que conferem a um mesmo rosto os impulsos místicos de *Do espiritual na arte* (1910-1912) e o esforço teórico de *Ponto — linha — plano* (1923-1926) — os outros dois livros de Kandinsky —, *Olhar* busca retomar contato com o real através das difíceis barreiras da linguagem, da escrita, do desejo. É aí, no âmago desses dez anos, que cumpre de início procurar Kandinsky, e onde quisemos deliberadamente situar-nos. Sua obra essencial, pois — na própria confissão de seus defeitos, de seus limites —, não obstante a mais desconhecida, a menos estudada, em torno da qual gravitam como constelações a pulverização dos esboços, das renovações, das repetições, o laborioso esforço dos esclarecimentos, das justificações, menos voltada para os outros, contudo, do que em busca de si mesma, como, em *Olhar*, em busca do tempo perdido.

História

BERLIM — MUNIQUE 1913

A edição alemã de *Olhar*

No final de outubro de 1913 é publicado em Berlim, nas edições "Der Sturm" (a tempestade, a borrasca), um álbum que traz por título simplesmente *Kandinsky 1901-1913*. No interior, um poema, sessenta fotos de quadros e um texto, seguido de três comentários de quadros: é o *Rückblicke* (Olhar sobre o passado), e seu autor é o pintor a quem o álbum é dedicado: Kandinsky.

Que vem a ser o *Sturm* e por que esse álbum?

Der Sturm é, em primeiro lugar, um homem, o diretor de uma revista, de uma galeria e da editora que levam esse nome, uma personalidade excepcional cujo papel na Alemanha foi, nessa época, considerável: Herwarth Walden[1].

Walden, cujo nome verdadeiro era Georg Lewin[2], nasceu em Berlim em 1878: músico, escritor, poeta (era casado com a poeta

---

1. "Há contemporâneos que consideram o 'Sturm' uma associação de artistas, outros uma associação de bolcheviques, outros um Konzern capitalista, outros uma trapaça organizada em sociedade anônima que explora através da Europa artistas pobres e célebres, outros uma súcia de judeus que trai a consciência do verdadeiro espírito popular, outros, enfim, um clube de dança dado ao gênero artístico [...] Que é o Sturm? O Sturm é Herwarth Walden" (Lothar Schreyer, em H. Walden, *Einblick in die Kunst*, Berlim, 1924, p. 168, citado por Michel Hoog, *Histoire de l'Art*, Encyclopédie de la Pléiade, tomo 4, Paris, 1969, p. 586). Deve-se levar em conta, porém, para explicar os termos desse julgamento, o lugar e a data em que ele foi escrito (a Berlim dos anos 20) e a evolução posterior de Walden (cf. nota 4).

2. Cf. Nell Walden, *Herwarth Walden*, Mogúncia, 1963. Ver também os livros do próprio Walden: *Expressionismus: Die Kunstwende*, 1918, *Die neue Malerei*, 1919, *Einblick in die Kunst*, 1924, todos nas edições Der Sturm em Berlim.

expressionista Else Lasker-Schüler[3]), em 1903 ele animara um movimento artístico berlinense, o *União pela arte*, do qual participaram personalidades artísticas tão importantes quanto Frank Wedekind, Richard Dehmel, Alfred Mombert, Van de Velde, Alfred Döblin. Em 1908-1909, editou várias revistas efêmeras que o levaram a entrar em contato com Julius Meier-Graefe, Heinrich Mann, Max Brod... Finalmente, em março de 1910, lançou a revista *Der Sturm*, que logo haveria de desempenhar um papel de primeira linha na vida artística alemã[4].

Nessa época, com efeito, a capital começa a suplantar Munique no plano cultural e artístico: uma centena de jornais, sessenta teatros, galerias ativas (como a de Paul Cassirer, que acaba de deixar a demasiado conservadora *Secessão* para proteger o jovem Kokoschka), clubes, como esse cabaré neopatético onde se toca a música de Walden exatamente ao lado da de Schönberg, animam uma vida intelectual intensa. Os principais representantes da vanguarda convergem agora para Berlim: os pintores de *Die Brücke* abandonam Dresden para ali se instalar em 1911, Schönberg troca Viena por Berlim-Zehlendorf durante o verão de 1911.

Em meio a essa agitação, *Der Sturm*, que, no entanto, não é a única revista de vanguarda[5], não tarda a ser chamada a ocupar um lugar central, em razão sobretudo da personalidade de seu dire-

---

3. Sua ruptura com ela, em 1911-1912 precisamente, supera o simples evento de caráter privado: marca a separação entre o expressionismo "humano" de *Die Brücke* ou de Kokoschka e o expressionismo "abstrato" de Lothar Schreyer ou August Stramm, que Kandinsky também podia passar por representar (cf. Camille Demange, *Les oeuvres dramatiques en Allemagne et en Autriche*, em *L'année 1913*, Paris, 1971, pp. 732-733). Em 1912, E. Lasker-Schüler esteve ligada a Gottfried Benn, a quem dedicou um ciclo de poemas (cf. J. C. Lombard, *G. Benn*, Paris, 1965, p. 25, que a considera "uma das aparições mais curiosas da vida berlinense anterior à guerra de 1914"). Walden se casa então com a musicista Nelly Roslund.
4. A revista *Der Sturm* foi publicada até 1932. Após a guerra Walden continuou a organizar exposições e a interessar-se pelas novas vanguardas: o construtivismo, Schwitters, Eisenstein... Um engajamento político cada vez mais acentuado e sua adesão ao comunismo após 1919 iriam resultar na interrupção de suas atividades em 1933. Refugiou-se então na URSS, onde faleceu em 1941.
5. Cf. para as revistas literárias Fritz Schlawe, *Literarische Zeitschriften*, 2.ª parte 1910-1933, Stuttgart, 1962, e o repertório de Paul Raabe: *Die Zeitschriften und Sammlungen des literarischen Expressionismus*, Stuttgart, 1964, assim como o apanhado de André Banuls, *Présentation des revues littéraires de langue allemande en 1913*, em *L'année 1913*, Paris, 1971, pp. 951-958 (sem que isso seja suficientemente assinalado aqui, várias dessas revistas concedem um bom espaço às artes plásticas). A única que teria podido rivalizar com *Der Sturm* é *Die Aktion*, dirigida por Franz Pfemfert (que em setembro de 1916, por exemplo, publicou o primeiro conjunto de textos importantes sobre o pintor Egon Schiele).

tor, que se interessa por tudo o que é inovador, na Alemanha como no estrangeiro. A esse respeito, a lista das colaborações que ele obtém e das exposições que organiza ininterruptamente é impresssionante, a ponto de ser lícito perguntar se existe então na Europa um centro no qual todas as tendências contemporâneas estejam tão bem representadas[6]. Entre os autores publicados, e apenas no domínio das artes plásticas: Apollinaire, Hans Arp, Boccioni, David Bourliouk, Cendrars, Delaunay, Fernand Léger, Franz Marc, Marinetti e, como já se sabe, Kandinsky. Trata-se quase sempre de inéditos, mesmo quando os autores são estrangeiros: é o caso, por exemplo, da célebre polêmica entre Boccioni e Delaunay em dezembro de 1913 e janeiro de 1914, ou, ainda mais revelador, do texto de Delaunay sobre a luz, publicado numa tradução de Paul Klee em fevereiro de 1913[7]. Tudo isso se acompanha, na revista, da publicação de gravuras e desenhos nos quais se encontram os nomes de Boccioni, Kirchner, Kokoschka, Franz Marc, Picasso e Kandinsky... mas também de outros, hoje menos conhecidos, que resistem amiúde à comparação, nessas obras, com os precedentes: Hans Bolz, Arthur Segal, Wilhelm Morgner... Quanto às exposições, elas vêem suceder-se sem interrupção as diversas vanguardas alemãs, os futuristas italianos ou ainda aqueles que é característico vermos chamados de "expressionistas franceses": Braque, Derain, Friesz, Herbin, Marie Laurencin, Vlaminck[8]...

---

6. Cf. Nell Walden e Lothar Schrever, *Der Sturm: ein Erinnerungsbuch an Herwarth Walden und die Künstler aus dem Sturm-Kreis*, Baden-Baden, 1954. *Der Sturm* foi reeditada em 1970 por Klaus Reprint, Lichtenstein. Um apanhado muito rápido e fragmentário foi fornecido, para o ano de 1913, por Franck Popper, *Der Sturm et Die Aktion*, em *L'année 1913*, Paris, 1971, pp. 975-978.
7. Boccioni: *Simultanéité futuriste* (n.º 190-191, dezembro de 1913), resposta de Delaunay no n.º 194-195 (janeiro de 1914). A polêmica referia-se à prioridade da "simultaneidade" na pintura e na escultura. *La lumière*, artigo de Delaunay escrito no verão de 1912 e publicado no n.º 144-145 (fevereiro de 1913). No mês anterior, *Der Sturm* publicara outro inédito de Apollinaire, relativo a Delaunay, *Réalité, peinture pure* (n.º 138-139, dezembro de 1912). É oportuno lembrar mais uma vez a importância das relações entre Kandinsky e Delaunay, também no plano dos escritos "teóricos". Essa questão foi levantada por P. Francastel em sua edição dos escritos inéditos de Delaunay, *Du Cubisme à l'art abstrait*, Paris, 1957, onde se encontrarão algumas indicações sobre a publicação desses textos, assim como a tradução de outro artigo de Apollinaire, publicado em *Der Sturm*, n.º 148-149 (fevereiro de 1913): *La peinture moderne* (pp. 162-166).
8. Em agosto de 1912. As exposições eram realizadas nos locais da Königin Auguststrasse e, após julho de 1913, na Postdamerstrasse. Viam-se ali igualmente os nomes de Chagall, Delaunay, Gleizes, Léger, Matisse, Picasso... Pode-se também notar a presença de movimentos menos conhecidos fora de seu país de origem, como o grupo tcheco Skupina, em outubro de 1913.

Nestas condições, é ainda mais revelador ver Kandinsky e o grupo do *Blaue Reiter*, do qual é ele o principal animador, ocupar um lugar central nas atividades de Walden. É esse movimento jovem, fundado no fim de 1911, que ele escolhe para a inauguração de sua galeria, em março de 1912, trazendo e completando a segunda exposição do grupo, que acabava de realizar-se em Munique no mês de fevereiro. No fim desse mesmo ano, é ele quem organiza a primeira retrospectiva dedicada inteiramente a Kandinsky, que depois só foi reprisada pelo livreiro Goltz em Munique: ela marca o verdadeiro começo da carreira do pintor[9].

Kandinsky tem, evidentemente, o apoio total da revista e Walden rivaliza a partir de então com seu editor precedente em Munique, Reinhard Piper, que por sua vez reedita duas vezes *Do espiritual na arte*, em 1912, e ainda publica o *Almanaque do Cavaleiro Azul*, em maio, e posteriormente as poesias de Kandinsky, *Klänge* (Sonoridades), em 1913[10]. Em 1912-1913, é o nome deste último que aparece com mais freqüência em *Der Sturm* e ocupa ali o lugar mais proeminente: em abril de 1912, é publicado *Linguagem das formas e das cores*, capítulo extraído de *Do espiritual*, que acabava de ser lançado em Munique; em outubro, *Da compreensão da arte*; em setembro de 1913, *A pintura enquanto arte pura*. Ao que se devem acrescentar as publicações de desenhos e os textos críticos dedicados ao pintor: desenho em outubro de 1912, por exemplo, e depois, com freqüência, nos meses subseqüentes, breve artigo do próprio Walden ainda em outubro, em seguida estudo de Rudolf Leonhard em novembro e enfim, para coroar tudo isso, o "caso Kandinsky", que explode em março de 1913 e ao qual voltaremos mais adiante, mobilizando o jornal ao longo de vários números em torno da defe-

---

9. A exposição é anunciada sob o título "Wassily Kandinsky, primeira exposição coletiva com pinturas de 1901 a 1912", no número 132 de *Der Sturm* (outubro de 1912), onde Herwarth Walden publica também um breve estudo sobre o pintor. Foi inaugurada em 2 de outubro. Sobre o livreiro e *marchand* Hans Goltz, que promoveu a segunda exposição do *Blaue Reiter*, em fevereiro de 1912, cf. o *Diário* de Paul Klee, trad. fr., Paris, 1959, p. 254: "Esse *marchand* foi o primeiro a arriscar-se e a expor em sua vitrina pinturas cubistas..." Cf. também Grohmann, *Kandinsky*, trad. fr., Paris, 1958 (que doravante citaremos sob a menção "Grohmann 1958"), p. 69. Esse primeiro catálogo de exposição pessoal incluía uma notícia autobiográfica que se antecipa ao texto de *Olhar* e que se encontrará citado aqui na nota 34 desse texto.

10. O catálogo do editor dá 1912 como ano de publicação (Grohmann 1958, p. 100).

sa do pintor, com a publicação de petição, cartas de apoio, comentários. O "caso" assegura a Kandinsky uma celebridade que ele ainda não conhecera[11].

A publicação de *Olhar* surge assim como a terceira etapa de uma política sistemática de apoio e defesa de Kandinsky por Walden: após a exposição do final de 1912, os diversos artigos e a polêmica da primavera de 1913, chega-se logicamente à publicação de um *Álbum* que será uma espécie de complemento a *Do espiritual*, publicado em Munique por Piper quase dois anos antes. Esse álbum é anunciado em *Der Sturm* em outubro de 1913, vale dizer, no exato momento em que Walden organiza uma exposição que será um dos pontos altos de sua carreira, o Primeiro Salão de Outono Alemão (Deutscher Herbstsalon), que é, sem dúvida, a mais importante manifestação consagrada na Alemanha à jovem pintura contemporânea: perto de 400 pinturas e esculturas, uma centena de artistas (entre os quais, obviamente, Kandinsky). No mesmo número em que um certo Fritz Stahl escreve que "Kandinsky ist ein Genie der Farbe" (é um gênio da cor), anuncia-se para o fim de outubro a publicação de uma monografia contendo 60 pranchas em página inteira com um título lapidar que retoma, sem dúvida intencionalmente, o da exposição de 1912: *Kandinsky 1901-1913*[12]. Trata-se, pois, de um complemento, do coroamento do trabalho de informação e apresentação realizado por Walden nos últimos dois anos. É característico que, a princípio, a ênfase não seja colocada no importante texto autobiográfico que o volume contém, mas na fonte documentária que ele constitui e que é efetivamente obra das edições *Der Sturm*. Só tardiamente, em 1915, é que o livro será apresentado em primeiro lugar como uma obra pessoal do pintor[13]. Nesse mesmo momen-

---

11. O caso Kandinsky ocupa três números sucessivos de março: n.º 150-151, 152-153 e 154-155. Eis as outras referências: *Linguagem das formas e das cores*, n.º 106, pp. 11 a 13; *Da compreensão da arte*, n.º 129, pp. 147-148; *A pintura enquanto arte pura*, n.º 178-179, pp. 98-99; artigo de Walden, n.º 132, p. 182; estudo de Rudolf Leonhard, n.º 134-135, pp. 204-205.

12. N.º 182-183, p. 120: "A sair no fim de outubro: Kandinsky 1901-1913, monografia com sessenta reproduções em página inteira, 10 marcos, edição *Der Sturm*".

13. Em dezembro de 1913 (n.º 188-189) o anúncio é ligeiramente modificado: "... reprodução em página inteira e texto de Kandinsky...". Finalmente, em setembro de 1915 (n.º 11-12): "Álbum Kandinsky. Escrito do artista sobre ele mesmo, com sessenta reproduções em página inteira de suas obras de 1901 a 1913". O anúncio do livro desaparece em agosto de 1916, no momento em que se anuncia a 44.ª exposição de *Der Sturm*, dedicada precisamente a Kandinsky, e a publicação do primeiro "cartão heliográfico" (lichtbildkarte) dedicado à sua obra. Para a apresentação do Álbum de 1913 e a lista das reproduções, cf. de a primeira parte da seção bibliográfica.

to, aliás, Walden acrescenta à coleção de cartões postais oferecidos por seus escritórios a *Composição 6* de Kandinsky, de quem é a primeira obra assim reproduzida, após as de Franz Marc, Delaunay, Kokoschka e mesmo dos futuristas italianos: a escolha não é inocente, pois corresponde ao comentário desse quadro que vai aparecer no *Álbum* no final de outubro[14].

A publicação de *Olhar* é pois, antes de tudo, Walden, *Der Sturm* e uma certa situação da arte moderna em Berlim nos anos 1912-1913. Assim, o fato de essa conjuntura favorável corresponder precisamente ao "momento crítico" da evolução "interior" de Kandinsky não resulta tanto da ação das coincidências, devendo, antes, levar-nos a indagar das estreitas relações existentes entre a evolução de um estilo, o aprofundamento das "reflexões" aparentemente pessoais e as condições, desta feita exteriores, de sua manifestação pública.

1912-1913 é efetivamente, como se sabe, um dos momentos-chave da evolução de Kandinsky, tanto para a situação social do pintor como para a orientação daí em diante resoluta de sua pintura na via da "abstração" — dois fenômenos que não podem ser separados. Publicado em Munique no princípio de 1912, *Do espiritual na arte* na verdade não reflete essa reviravolta decisiva. O texto é antigo e constitui a súmula das reflexões anteriores, como Kandinsky indica em seus dois prefácios sucessivos para lembrá-lo novamente em *Olhar*[15]. Sem embargo da importância da obra e de sua celebridade, é fácil ver que ela não se volta para o futuro, que só explica de maneira bastante imperfeita a pintura de Kandinsky na data de seu aparecimento[16], o que somente as condições de sua redação e de sua publicação, sobre as quais costuma-se fazer silên-

---

14. As edições *Der Sturm* já publicavam estampas de Kandinsky a 30 marcos o exemplar; os cartões postais eram vendidos a 20 pfennigs.

15. "As idéias que desenvolvo aqui são o resultado de observações e experiências interiores gradualmente acumuladas ao longo dos últimos cinco ou seis anos" (prefácio de a primeira edição). "Este livrinho foi escrito em 1910. Antes da primeira edição aparecer [janeiro de 1912], introduzi o resultado das experiências que fiz nesse meio tempo" (prefácio da segunda edição). Mas *Olhar* traz precisões importantes: "Essas experiências serviram, depois, de ponto de partida para as idéias de que tomei consciência há dez ou doze anos e que começaram então a juntar-se para resultar no livro *Do espiritual na arte*. Esse livro se fez muito mais por si mesmo do que o escrevi..." etc. (p. 93, cf. também pp. 103-4).

16. Ver por exemplo, no fim do capítulo VII, a evocação dos "perigos" do "emprego inteiramente abstrato, totalmente emancipado, da cor numa forma 'geométrica' ", para além do qual ainda se encontra "a abstração pura (isto é, uma abstração ainda mais acentuada do que a das formas geométricas)".

cio, podem explicar[17]. Sendo de certo modo um "olhar sobre o passado" que não tem consciência de si mesmo, falta-lhe o recuo crítico que proporcionará precisamente *Rückblicke*, cujo título encontra aqui sua inteira força e justificação[18].

Se há um momento crítico tanto na reflexão teórica quanto na obra de Kandinsky, não é decerto por ocasião do aparecimento (e muito menos da redação) de *Do espiritual* (começo de 1912) que vamos encontrá-lo, mas no instante da publicação de *Olhar*, no final de 1913. Kandinsky separa-se então do grupo social do *Blaue Reiter* (a publicação de um segundo Almanaque, cogitada por um momento, não dá certo) [19] e, ao mesmo tempo, dos derradeiros vestígios da figuração. Que esses dois fatos se acham estreitamente ligados é o que *Olhar* demonstra à saciedade — as circunstâncias de sua publicação o explicam por um lado, a situação da pintura de Kandinsky na Alemanha de 1912-1913 por outro.

Kandinsky na Alemanha de 1912-1913

Hesita-se freqüentemente em definir a situação real da vida artística em Munique ao longo dos primeiros dez anos do século: uns insistem em seus aspectos retardatários, na descoberta tardia que ali se faz das demais vanguardas européias, no peso da tradição e de um certo "gosto" ou "mau gosto" tipicamente local. Outros, ao contrário, sublinham a animação dessa vida artística, sua originalidade, sua intensidade relativamente à das outras cidades da Alemanha, antes que Berlim venha suplantá-la pouco a pouco nesse terreno. É o que Kandinsky constata no momento de sua chegada, em 1896: "... sentia-me numa cidade artística, o que era para mim como uma cidade de conto de fadas"[20], e as alusões que ele faz à intensa vida do bairro dos artistas, Schwabing, orientam-se nesse sen-

---

17. Kandinsky procurou em vão um editor, como dá a entender pela primeira vez numa nota de *Olhar*: "Depois de terminado, *Do espiritual* ficou alguns anos guardado em minha gaveta. As possibilidades de publicar o *Cavaleiro Azul* não chegaram a bom termo. Franz Marc aplanou as dificuldades práticas para o primeiro livro..." (p. 104).
18. Notar-se-á precisamente que *Olhar* começa por referir-se diversas vezes e com insistência ao livro precedente, *Do espiritual* (cf. as notas anteriores).
19. Cf. Klaus Lankheit, *Die Geschichte des Almanachs*, na reedição do Almanaque, Munique, Piper, 1965, em particular, pp. 276-284.
20. *Olhar*, p. 71.

tido²¹. Seu testemunho coincide, nesse ponto, com o de G. Münter, que chega a Munique em 1901 e constata "um grande período de renovação artística"²². Kirchner, por sua vez, não descobre a existência da pintura de vanguarda quando de sua viagem a Munique²³ em 1903?

Mas tudo é relativo, e é a própria natureza dessa vida artística, efetivamente intensa e sustentada por várias revistas e galerias, que deve ser estudada. O que então domina na Alemanha são as "Secessões", a de Munique e a de Berlim, vale dizer, movimentos constituídos, um em 1892, outro pouco depois, em reação contra as tendências acadêmicas do século XIX. Seu ponto de apoio é a pintura francesa, de Manet a Van Gogh, passando, bem entendido, pelos impressionistas, que emprestam seu nome aos "impressionistas" alemães, ativos cerca de trinta anos depois do começo dos primeiros: Liebermann, Corinth, Slevogt²⁴. Esses dez ou quinze anos de vanguarda com que Kandinsky convive (1896-1910) são, pois, os de uma vanguarda defasada em relação aos demais centros da pintura européia, especialmente em relação a Paris. Expõe-se muito, descobre-se igualmente muito, mas numa ordem algo surpreendente, praticando-se estranhos amálgamas aos quais ainda se pode aplicar o que o crítico Julius Meier-Graefe escrevia a propósito dos anos 1890: "O que tínhamos na cabeça em 1890 assemelhava-se a uma estação ferroviária provisória em tempos de guerra. Nossa rede de comunicações mentais era cortada, interceptada a um ponto que já não é possível conceber [...] Conheci Bonnard antes de conhecer Manet, Manet antes de Delacroix. Esse estado de confusão explica muitos dos erros que nossa geração cometeu em seguida..."²⁵ Essa vanguarda "de transição" não podia resistir à aceleração do movimen-

---

21. Cf. seu importante testemunho *Der Blaue Reiter: Rückblick* em *Das Kunstblatt*, n.º 14, fevereiro de 1930, pp. 57-60, novamente reproduzido em H. K. Röthel, *Der Blaue Reiter*, Munique, 1966, pp. 138-142, e traduzido aqui, no que concerne a Schwabing, na nota 56. Cf. também nota 12.

22. G. Münter, *Bekenntnisse und Erinnerungen Menschenbilder in Zeichnungen*, Berlim, 1952, citado por Frank Whitford, *Some Notes on Kandinsky's Development Towards Non Figurative Art*, em *Studio*, tomo 173, 1967, p. 17, nota 12.

23. Cf. Bernard Myers, *Les expressionnistes allemands, une génération en révolte*, 1957, trad. fr., Paris, 1967, p. 99, livro que se poderá consultar, em francês, para a descrição de todo o plano de fundo artístico na Alemanha (bibliografia bastante completa), e M. Hoog, *op. cit.*, p. 584.

24. Sobre Slevogt e o impressionismo alemão, cf. nossa resenha da importante retrospectiva Slevogt, Basiléia, 1968, em *Revue de l'Art*, n.º 5, 1969, pp. 96-97 (com bibliografia).

25. Citado em John Willet, *L'Expressionnisme dans les arts*, trad. fr., Paris, 1970, p. 12.

to artístico em torno de 1910; ela deveria ceder sob os golpes de personalidades mais esclarecidas, como o *marchand* Paul Cassirer ou o diretor do Museu de Berlim, Von Tschudi, que, fato significativo, tinham sido os sustentáculos mais ativos da *Secessão*. Deveria ceder igualmente sob os golpes dos próprios artistas, em primeiro lugar de Kandinsky.

Em Berlim, a criação de uma "Nova Secessão" sobreveio em 1910, quando a "antiga" exibiu como porta-estandarte a *Execução do imperador Maximiliano* de Manet (pintada em 1867!), enquanto recusava as obras de 27 jovens artistas[26]. Paul Cassirer deixou a *Secessão* em 1909 e abriu naquele ano sua galeria a Kokoschka, para sua primeira exposição individual.

Em Munique, a situação não é diferente: a Secessão expõe Cézanne, Gauguin, Van Gogh, e é a obra deste último (falecido em 1890) que encanta os jovens artistas[27], mesmo quando só conhecem seus quadros através de reproduções, fato altamente significativo de um atraso que é menos dos meios de conhecimento e de informação que das "modas de pensamento". É essa coesão de um sistema que funciona admiravelmente, mas dentro de limites estreitos, de um sistema "bloqueado" pela própria vitalidade que põe em sua reprodução, que a introdução de um elemento "estranho" — Kandinsky — vai contribuir para fazer explodir.

Da vida de Kandinsky até sua chegada a Munique, em 1896, quase nada sabemos do que ele próprio escreveu em *Olhar*. E cabe aqui sublinhar o que é também, em primeiro lugar, esse texto: um documento fundamental, que a maioria das obras biográficas sobre o pintor se esfalfam em parafrasear. O que impera mais particularmente em Munique durante a sua permanência é a *Scholle* (a gleba), grupo fundado em 1899 e que suplanta aqui os melhores representantes da *Secessão* (Liebermann, Corinth, Slevogt dominam sobretudo em Berlim): os Erler, Putz, Münzer, Feldbauer... Ao lado deles os mestres do Jugendstill, agrupados em torno da revista *Jugend*, fundada em 1896, e ligados estreitamente às correntes do art nouveau internacional, trazem uma aparência de liberdade. Enfim, algumas personalidades fortes, em primeiro lugar Franz von Stuck, cujos cursos serão seguidos por Kandinsky: de seu palácio que sobranceia o Isar, incensado, adulado, ele domina com muita ostentação a vida artística muniquense, que vive ao ritmo do incrível agregado de suas mitologias pesadamente humorísticas ou de suas cenas

---

26. B. Myers, *op. cit.*, p. 37.
27. *Ibid.*, p. 93.

religiosas teatralmente patéticas[28]. Essa vida artística, cumpre sublinhá-lo, mantém-se em suas linhas gerais até o advento da guerra, com um conservantismo nitidamente superior ao dos meios berlinenses. Klee fornece um bom esboço dela no seu *Diário*: ele só consegue ter algumas gravuras aceitas na Secessão de 1906 apresentando-se como aluno de Stuck[29]; o que tem o ensejo de admirar em Munique antes de conhecer Kandinsky é Manet, Monet e Courbet, em 1907, na galeria de Heinemann, Hans von Marées e, depois, Cézanne na Secessão de 1909... Mas Brakl, proprietário de uma importante galeria, se recusa a expor suas gravuras em 1910 e responde-lhe significativamente: "Nessas composições... reside algo extraordinariamente insólito, e é por isso que eu cometeria um pecado se expusesse tais pranchas em minha galeria, onde o que se procura, em geral, são quadros, especialmente as obras da honorável associação de artistas 'Scholle', e onde se tem muito pouco interesse pelos artistas gráficos da tendência mais moderna..."[30]

Tomemos um último exemplo. Em 1912, ano em que Kandinsky publica *Do espiritual na arte*, reeditado duas vezes, a exposição de inverno da Secessão apresenta Vladimir Hofmann ou Oto Friedrich, que representam formas retardatárias do Jugendstill; a da primavera, Julius Seyler ou Walter Klemm e o escultor francês Dalou, falecido em 1902; a de verão, Toni Stadler, Leo Samberger, Oskar Graf e Rudolf Nissl; a do Palácio de Vidro (Glasplast), Franz Simm, Otto Strützel, Julius Exter... Com exceção de Dalou, naturalmente, nenhum desses nomes foi conservado pela história: ora, eles são os principais, aqueles que detêm o estrelato nas grandes manifestações artísticas de Munique. Quanto às revistas, elas não preenchem de modo algum as lacunas evidentes que se constatam aqui, e a situação é muito menos favorável do que em Berlim: *Die Kunst*, uma das mais importantes, que se proclama orgulhosamente "pela arte livre e engajada", dedica seus principais artigos a Zuloaga, Hodler, Gustav Klimt, todos artistas importantes, mas que, nessa data, já não são precisamente modernos[31]... um russo, mas trata-se de Bo-

---

28. Cf. *Olhar*, p. 97 e nota 94.
29. P. Klee, *Journal*, trad. fr. P. Klossowski, Paris, 1959, p. 213.
30. *Ibid.*, p. 248.
31. *Die Kunst, Monathefte für freie und angewandte Kunst*, Munique, F. Bruckmann A. G. Eis a lista dos principais artigos para o ano de 1912: Hodler, Zuloaga, A. Brömse, F. Schmutzer, Otto Greiner, Chahine, Ingres, K. Stauffer-Bern, Klimt, Anglada Y Camorosa, F. Brangwyn, J. Maris, Albert Besnard, Dalou, B. Kustodiev. Notar-se-á que Brangwyn e Hodler são citados em *Do espiritual*: além do interesse pessoal que Kandinsky podia dedicar-lhes, pode-se ver aí o indício do importante lugar ocupado por esses artistas na vida artística de Munique.

ris Kustodiev; Kandinsky, que não obstante chamou a atenção por duas publicações importantes e várias exposições, não tem direito senão a algumas menções rápidas e reservadas[32].

Nesta atmosfera algo sufocante do "comércio da arte", Kandinsky trouxe elementos que lhe eram bem estranhos e que conseguirão, finalmente, não sem dificuldade, explodir o sistema: uma cultura bem diferente, uma formação, um ecletismo muito mais abertos, e também uma religiosidade e uma mística da arte que com demasiada freqüência se cometeu o erro de julgar por si mesmas e que, *aqui*, vão revelar-se de singular eficácia contra o materialismo opulento e satisfeito de um Von Stuck. Desde a sua chegada e enquanto Klee, que vem a Munique em 1898, luta no isolamento contra suas obsessões pessoais, Kandinsky afirma sua vontade de recusa e de resistência. O grupo *Phalanx*, que ele funda em 1901, é um fracasso. Torna-se necessário dissolvê-lo em 1904, mas ele expôs Monet e Pissarro, depois os neo-impressionistas[33] — foi pura e simplesmente ignorado.

Mas, então, por que Munique e não Paris? *Olhar* fornece a resposta: uma "cidade de conto de fadas", como o é também Rothenburg e, em geral, a Alemanha do Sul. Uma cidade que faz sonhar, que permite reencontrar em si mesmo não apenas a atmosfera lendária da infância na Rússia, mas também, à margem do "movimento", a fonte das forças de oposição e de renovação. Esse elemento psicológico é determinante: Kandinsky o diz claramente em *Olhar*. E cumpre constatar que ele não suportará prolongar sua estada perto de Paris, em Sèvres, em 1907. Apesar do fracasso de *Phalanx*, é em Munique que Kandinsky volta a fixar-se em 1908, depois de viajar por toda a Europa. "Kandinsky tenciona reunir uma nova comunidade de artistas. Ao conhecê-lo pessoalmente, fui tomado de uma simpatia mais profunda por ele. É uma personalidade, uma mente excepcionalmente bela, e lúcida [...] Durante o inverno, associei-me ao seu grupo do Cavaleiro Azul", anota Klee em seu *Diário*[34]. Assim começa a história do *Blaue Reiter*, cujos diferen-

---

32. Não foi por coincidência que o autor do artigo sobre Kustodiev, P. Ettinger, dirigiu posteriormente severas críticas a Kandinsky quando da publicação de *Olhar* na Rússia. Para este texto, assim como para um breve panorama da crítica alemã e russa relativa a Kandinsky de 1912 a 1918, cf. nota 61 de *Olhar*.
33. Grohmann 1958, p. 36, a quem remetemos de maneira mais geral para todo o relato biográfico.
34. *Journal*, p. 251.

tes episódios ainda não é hora de relatar aqui[35]. Constituiu-se um pequeno grupo. Kandinsky encontrou alguns apoios: a Galeria Thannhauser para a exposição de 1911, a do livreiro Goltz para a segunda, em fevereiro de 1912. No final de 1911, enfim, Reinhard Piper aceita editar *Do espiritual na arte*. Os anos 1911-1912 são, assim, não mais os do recolhimento, mas de um combate aberto e difícil em defesa de certa prática da arte, que se apóia desde então numa ideologia precisa, da qual falaremos mais adiante e para a qual são necessárias *agora* armas teóricas. Daí a decisão de redigir e finalmente terminar *Do espiritual*, assim como a série de artigos que o precedem e o seguem.

Como já ficou indicado, com efeito, essa primeira obra resulta de notas tomadas bem anteriormente. Enquanto livro publicado, enquanto manifesto teórico ela responde antes de tudo aos imperativos de uma situação exterior, muito mais que aos de uma "necessidade interior"; ou seja, a ideologia subjacente a toda prática encontra aí uma expressão teórica *determinada* pelas condições dessa prática, e não constituída "teologicamente", *ex nihilo*. Assim se explica, em particular, o preâmbulo "místico" que, com muita freqüência, se comete o erro de analisar por si mesmo, ou procurando nele "fontes de influência" de igual natureza, que então não se param de enumerar[36].

Olhar vai atender a uma situação diferente. Uma das razões de ser manifestas do livro é, com efeito, claramente indicada em seu próprio centro: trata-se de responder aos críticos, aos quais estaríamos errados em acreditar ser Kandinsky indiferente[37], malgrado suas afirmações. Nunca a crítica alemã foi mais violenta em sua hostilidade do que nos meses que antecedem a redação de *Olhar*, o que de resto explicaria, em parte, o abandono do projeto de um segundo Almanaque do Cavaleiro Azul[38].

Inversamente, Kandinsky nunca foi tão exposto quanto durante o ano de 1912: Munique, Berlim, Colônia, Zurique, Frankfurt,

---

35. Grohmann 1958, pp. 62-80.
36. Sobre esse ponto os autores posteriores, de um modo geral, limitaram-se a acrescentar notas a Grohmann (e ao próprio Kandinsky!), que já cita Maeterlinck, Bergson, Fichte, Schelling, Tolstói, Leskov, Steiner, Annie Besant, a seita Zen, Weizsäcker, Worringer, Fiedler, Wölfflin, etc. (pp. 83 ss.): o lado irrisório dessas enumerações ressalta mais nitidamente, na maioria dos críticos, a ausência de qualquer problemática verdadeira (e as insuficiências metodológicas).
37. *Olhar*, pp. 84-5. A insistência de Kandinsky em falar do "sangue-frio com que os artistas sensatos acolhem os artigos mais ferozes a seu respeito", o fato de ele voltar longamente a esse ponto numa importante adenda da versão russa, demonstra, *a contrario*, sua extrema sensibilidade — mais ou menos consciente — a tal respeito.
38. Cf. K. Lahkheit, *Die Geschichte des Almanachs*, op. cit., p. 280.

Moscou e Paris, a que se juntam pela primeira vez, em 1913, Amsterdam e Nova York, o que suscita novas polêmicas[39]. Portanto, após a publicação de *Do espiritual* e a segunda exposição do *Cavaleiro Azul* o combate muda ligeiramente de significado: Kandinsky aparece como um líder, é ele que os ataques visam mais particularmente. Estes culminam, no princípio de 1913, com um artigo muito violento e injurioso num jornal de Hamburgo[40]. Nessa ocasião, como vimos, Walden apóia firmemente Kandinsky, de quem fez um dos cavalos de batalha de sua galeria, de sua revista e de suas edições. Segue-se uma vigorosa campanha de defesa de Kandinsky, que se situa imediatamente *no plano europeu* e reúne personalidades tão diferentes quanto Apollinaire e Marinetti, Richard Dehmel e Blaise Cendrars, Fernand Léger e Arnold Schönberg, um diretor do Museu de Amsterdam e um professor de São Petersburgo... Não se pode subestimar a importância desse "caso Kandinsky", que Herwarth Walden conduz com muita habilidade para glória e benefício das edições *Der Sturm*[41]... Tudo quanto sabemos de Kandinsky nos inclina a pensar que ele deve ter-se mostrado extremamente sensível a essa polêmica. É lícito ver nela uma das causas essenciais da redação de *Olhar*, que constitui uma espécie de justificação ao mesmo tempo que uma tentativa de explicação[42]: renunciando aos apriorismos teóricos e às generalizações do *Do espiritual*, ele invoca agora tão-só o álibi de uma experiência pessoal fortemente matizada de subjetividade[43].

---

39. Cf. os textos citados na nota 61 de *Olhar*.
40. *Ibid*.
41. É interessante citar aqui o retrato que Paul Klee traça de Walden em seu *Diário*, no fim de 1912: "... podia-se observar o pequeno Herwarth Walden pendurando os futuristas [italianos] na Galeria Thannhauser. Ele parece viver só de cigarros, organiza, agita-se como um estrategista. Sem dúvida um personagem, mas falta-lhe não sei quê. Aliás, ele não gosta absolutamente dessas telas! Apenas fareja nelas alguma coisa, pois tem o faro seguro [...] 'Aqueles quadros são célebres a ponto de serem invendáveis', diz-me Herwarth. 'Essa gente não conseguiria pintar um número suficiente deles' ". Em compensação, Walden só aceita desenhos de Klee para *Der Sturm* porque "Franz Marc assim o exige": "sou muito número 2 para ele", acrescenta Klee (*op. cit.*, p. 262). Cf. também o célebre retrato feito por Kokoschka em 1910 (EUA, col. part.).
42. A versão alemã indica no fim a data: Munique, junho de 1913. A versão russa difere ligeiramente: Munique, junho-outubro de 1913. Os dois últimos comentários de quadros são datados de maio de 1913.
43. As últimas páginas de *Olhar* contêm a este respeito indicações características: "Meu livro *Do espiritual na arte*, a exemplo de *O Cavaleiro Azul*, tinha por finalidade sobretudo despertar essa capacidade [ter a experiência do Espiritual nas coisas materiais e, depois, nas abstratas] [...] Os dois livros foram e são freqüentemente mal compreendidos. Tomam-nos por 'manifestos' [...] Nada estava mais longe de mim do que apelar para a razão, para o cérebro..." (p. 104).

À convergência desses dois fatores históricos que leva à publicação de *Olhar*, resta acrescentar um terceiro e último elemento, que não é por certo o menos importante: a evolução da própria pintura de Kandinsky e o passo decisivo que ele dá, *numa evolução contínua, ao longo do ano de 1913 muito precisamente*, achamos nós, a despeito do que continua a afirmar-se aqui e ali.

Não é nossa intenção reanimar aqui a polêmica em torno da "primeira aquarela abstrata", assinada e datada de 1910. Qualquer que seja a data real de sua execução — e é lamentável ver passar em silêncio, na maioria dos catálogos de exposições ou dos prefácios, as discussões sérias às quais ela deu lugar[44] —, é quase certo que a obra deve ser referida à *Composição VII* de 1913, hoje na Galeria Tretiakov de Moscou[45], já que seu estilo, de resto, está muito próximo do estilo das aquarelas de 1913[46]... Como quer que seja, a questão é, de fato, bastante secundária. Melhor ainda, colocá-la *a priori* revela um grave equívoco em relação ao sentido da evolução de Kandinsky e à sua passagem *progressiva* para obras nas quais o objeto real se torna cada vez menos reconhecível[47]. Voltaremos ao assunto mais adiante. O certo, em todo o caso, é que em 1912, quando das três edições sucessivas de *Do espiritual*, que nos levam ao fim do ano, Kandinsky permanece extremamente reservado em relação à prática da "abstração pura", o que indica com clareza o

---

44. Ver, em particular, Kenneth Lidsay, resenha do livro de W. Grohmann, em *Art Bulletin*, Nova York, vol. 41, dez. 1959, pp. 348-350, Daniel Robbins, *V. Kandinsky, Abstraction and Image*, em *The Art Journal*, primavera de 1963, vol. 22, 3, pp. 145-147, e finalmente Paul Overy, *Kandinsky the Language of the Eye*, Londres, 1969, p. 35 (estes dois últimos textos resumem as conclusões precedentes). K. Lindsay, H. K. Röthel (que foi o primeiro a estabelecer a conexão entre a aquarela e *Composição VII*) e Peter Selz dão como data o ano de 1913. D. Robbins conclui, de maneira não convincente a nosso ver, por 1910-1911. Inclinamo-nos nitidamente por 1913 e não vemos, muito pelo contrário, em que isso poderia afetar a importância ou a qualidade da obra.

45. D. Robbins, *op. cit.*, teve a oportunidade de dedicar-se a um exame atento por ocasião da exposição das duas obras no Museu Guggenheim em 1963.

46. O próprio Kandinsky falou de uma passagem para o abstrato em 1911 a propósito de *Improvisação 20* (atualmente em Moscou), mas Overy, que torna a citar o texto (*op. cit.*, p. 35), observa justamente que não existe uma passagem tão precisa. Essa busca da "obra" decisiva nos parece vã e mascara os verdadeiros problemas.

47. Sobre esse ponto estamos de acordo com a maioria dos comentadores anglo-saxões de Kandinsky (por ex., D. Robbins, *op. cit.*, p. 147, que detecta na *Composição VII* uma "verdadeira iconografia"). Em compensação, a interpretação de P. Francastel, de um modo geral, porém mais particularmente em R. Delaunay, *Du cubisme à l'art abstrait*, Paris, 1957, p. 20, nos parece apressada e superficial ("em 1912, quando da brusca evolução de Kandinsky, abandonando a fórmula fauvista e expressionista do *Blaue Reiter* por um estilo geométrico e não-figurativo"...).

final do capítulo VII do livro⁴⁸. É possível que ele tenha feito então aquarelas (e não quadros) que podem ser simplesmente estudos preparatórios, isto é, a utilização das linhas e das massas coloridas, inteiramente abstratas (intencionalmente sem referência ao objeto) ou não, mas não se tratava, então, da corrente *principal* de sua pintura: muitas obras importantes, e desta feita acabadas, estão aí para nos provar o contrário⁴⁹. Após o fim de 1913, se nos ativermos a essa denominação muito discutível a nosso ver (assim como para Kandinsky, que desconfia do termo⁵⁰), as obras são "abstratas". Vemos sua etapa principal nessa passagem, que não constitui em nenhum caso uma ruptura, no texto de *Olhar*, como tentaremos mostrar adiante.

A edição alemã do texto aparece pois, historicamente falando, ao cabo de uma série complexa, mas cujos elementos não são totalmente estranhos uns aos outros e exigiriam agora uma análise comparativa: a política editorial de Walden e, de um modo mais geral, sua política artística, o que ela revela da Berlim de 1913, das relações que ali se estabeleciam entre as ideologias conservadoras e as de uma possível subversão; a mudança de lugar Munique/Berlim; a situação das vanguardas na Alemanha e, mais particularmente, a de Kandinsky, desde que um dos principais sistemas de "reconhecimento" (mais que de "representação") se vê abertamente questionado por uma prática coerente; e, enfim, a própria evolução de tal prática, as novas relações que ela inaugura entre o texto e a imagem, ou melhor, os diferentes "códigos", aos quais será preciso voltar daqui a pouco... A densidade desse feixe de convergências contribui, então, para fazer da obra de Kandinsky uma das mais ricas em "conteúdo"⁵¹.

Parar aí, porém, como se costuma fazer, equivale a esquecer um dos dois componentes da composição, que precisamente *Olhar* permite restabelecer. Aquela que faz com que a ambigüidade dos signos desapareça, com que o jogo dos equívocos seja desmascara-

---

48. Trad. fr., 1954, pp. 92-93, reed. 1971, pp. 162-163 (esta reedição, à qual nos referiremos doravante, está lastimavelmente eivada de erros tipográficos).
49. A começar por *Composição VI*, cujo comentário, datado de *maio de 1913*, vem logo depois de *Olhar* (cf. pp. 108 ss.).
50. Cf. nota 25.
51. A despeito da arriscada afirmação de Panofsky (que, é verdade, tem a prudência de não citar nenhum nome), segundo a qual "um quadro 'abstrato' apresenta o mínimo de conteúdo" (*A história da arte é uma disciplina humanista*, 1940, trad. fr. em *L'oeuvre d'art et ses significations*, Paris, 1969, p. 41).

do pelo questionamento dos elementos nos quais tais equívocos repousavam: a Rússia pré e pós-revolucionária, onde Kandinsky volta a residir de 1914 até o final de 1921.

MOSCOU 1918

Tal período ainda é mal conhecido, e a atividade de Kandinsky nessa época não está totalmente esclarecida[52]. Dispomos, contudo, de um número suficiente de informações para que não seja mais possível, como ainda o fazia Grohmann em 1958, falar aqui de um simples "interlúdio"[53]. Tudo tende a demonstrar, ao contrário, que se trata de um lugar decisivo, se não para novas experiências, ao menos para que as obras de Kandinsky assumam todo o seu sentido, acabem de "situar-se" definitivamente.

Por quê? Essencialmente porque, na Rússia, durante esse período, o debate teórico é muito mais intenso e também muito mais concentrado entre as duas cidades de Moscou e São Petersburgo: o ambiente da vanguarda é infinitamente mais estreito, suas lutas são mais acirradas tanto no exterior quanto entre seus principais representantes.

Enfim, e sobretudo, a evolução da vanguarda se faz segundo um processo lógico e impiedoso que os "relatos" anedóticos do período têm muita dificuldade em descobrir sob a aparente confusão dos fatos, mas que um exame atento revela com toda a clareza: ele corresponde estreitamente à profunda crise de uma sociedade e ao seu encaminhamento inevitável no sentido da mutação revolucio-

---

52. A obra global mais acessível, infelizmente muito insuficiente em virtude de seus numerosos erros e de sua confusão, continua sendo a de C. Gray, *The Great Experiment: Russian Art 1863-1922*, Londres, 1962, trad. fr., sem data, reeditada em 1971 sob o título *The Russian Experiment in Art 1863-1922* (com bibliografia). Ver também de Troels Andersen, cujos trabalhos têm autoridade, *Moderne Russisk Kunst 1910-1925*, Copenhague, 1967. Em francês, o resumo de R. Jean-Moulin no final da reedição da obra de Louis Réau, *L'art russe*, tomo 3, 1968. O livro de V. Marcadé, *Le renouveau de l'art pictural russe*, Paris, 1971, se detém sem justificação possível em 1913 (não obstante seu subtítulo mencione 1914). Ele é um pouco mais seguro do que o livro de C. Gray, mas muito fraco no nível das interpretações; seu principal mérito é o de proporcionar a tradução de documentos inéditos em francês.

53. Além da bibliografia usual (Grohmann 1958, pp. 161-170, é bastante completo considerando-se a data de sua redação), ver o breve resumo de K. Lindsay, *Kandinsky na Rússia*, no catálogo da exposição retrospectiva de 1963 (Nova York, Haia, Basiléia, Paris), e sobretudo o trabalho fundamental de Troels Andersen, que contém muito mais do que seu título anuncia: *Some Unpublished Letters by Kandinsky*, em *Artes*, II, 1966, Copenhague, pp. 90-110.

nária[54]. Nesse clima agitado, turbulento, dos meios artísticos, cuja imagem cativante nos foi conservada por diversos testemunhos[55], uma prática e uma teoria "falsas" não sobrevivem. E sua "veracidade" não pode ser apreciada mediante especulações estranhas à realidade que elas pretendem traduzir, mas mede-se à prova dos fatos, que são obstinados e progridem impiedosamente[56].

Situação de Kandinsky na Rússia pré e pós-revolucionária

Há dois "momentos" russos nesse período da vida de Kandinsky. O primeiro, que se começa exatamente a descobrir, é o dos anos 1910-1914. O segundo vai da instalação na Rússia, em dezembro de 1914, à partida definitiva, em dezembro de 1921. Entre os dois, um período ainda pouco estudado e que parece ser, no entanto, o de uma crise profunda: "1915, nenhum quadro", anota pela primeira vez Kandinsky em seu catálogo[57].

O primeiro momento está longe de ser o menos importante. Descobre-se pouco a pouco que Kandinsky não só não rompeu, então, seus laços com a Rússia, embora resida em Munique, como inclusive expõe, publica e trabalha lá, pelo menos tanto quanto na Alemanha. Em 1909 e 1910 são os dois "Salões Internacionais" organizados por Vladimir Izdebsky em Odessa (onde Kandinsky viveu

---

54. Tentamos pôr esse processo em evidência em *Le Cubisme et l'avant-garde russe (la "Révolution" cubiste)*, em *Le Cubisme, Actes du premier colloque d'Histoire de l'art contemporain*, Saint-Étienne, 1973, pp. 153-223.

55. Ver notadamente Benedikt Livchits, *L'archer à un oeil et demi*, 1933, trad. fr., Lausanne, 1971, e, por exemplo, os numerosos textos e documentos reunidos por Vladimir Markov, *Russian Futurism, a History*, Londres, 1969 (que trata essencialmente da literatura).

56. O que está em causa aqui não é tanto a revolução sob sua forma política de 1917 quanto o *processo revolucionário*, o que é sensivelmente diferente. O domínio ideológico, em particular o das artes plásticas a partir de 1910-1911, está em crise aberta, *segundo formas que lhe são específicas*. Para citar um único exemplo exterior a Kandinsky (ao menos parcialmente, pois Larionov pretendia participar de um segundo volume de *Cavaleiro Azul*), Larionov e Gontcharova deixam a Rússia em 1914-1915, no momento em que Kandinsky ali se instala: a agressividade instintiva e empírica das telas dos dois, de 1908-1911, verdadeiro desafio à vanguarda anterior, a dos pintores do *Mundo da Arte* e seus sucessores, não resistiu à tomada de consciência dos problemas formais que se manifesta claramente em 1911-1912; conversões brutais, uma sensibilidade demasiado predisposta à forte penetração das vanguardas estrangeiras (cubismo francês e, mais tarde, futurismo italiano) fizeram eclodir em suas obras uma verdadeira crise da forma e do tema, que resultou na derrocada de uma prática insuficientemente fundamentada.

57. Grohmann 1958, p. 333.

de 1871 a 1886): é a ocasião de um dos primeiros escritos teóricos do pintor, *O conteúdo e a forma*, onde já se encontra *in nucleo* o essencial dos textos posteriores[58]. Em 1910, são as cinco "Cartas de Munique" publicadas na revista *Apolo*[59]. Em dezembro de 1911, é a leitura no Congresso dos Artistas de São Petersburgo de uma versão resumida de *Do espiritual*, no mesmo momento em que o texto é impresso em Munique[60], conferência republicada no debate decisivo do *Valete de ouros* em fevereiro de 1912[61].

Inversamente, sabe-se dos convites feitos aos pintores residentes na Rússia para expor em Munique, com o *Cavaleiro Azul*: os irmãos Burliuk (David publica no Almanaque um texto importante sobre a situação na Rússia[62]), Larionov, Gontcharova, Malevitch, ou seja, todos os principais nomes da vanguarda que vai irromper durante o ano de 1912. E precisamente às dificuldades para publicar e expor na Alemanha, aos ataques *exteriores* da crítica, também à ajuda de Piper e, depois, de Herwarth Walden, respondem então na Rússia — onde Kandinsky passa longas temporadas para participar amplamente dos debates — polêmicas e discussões quase sempre dramáticas *no interior* da vanguarda[63].

---

58. Cf. nota 83 de *Olhar*.

59. Não podemos dar aqui os detalhes desses importantes textos críticos. Um resumo preciso deles no artigo de T. Andersen e algumas passagens traduzidas podem ser encontrados em V. Marcadé, *op. cit.*, pp. 149-151. O essencial das "teorias" de Kandinsky já se encontra formulado aí por ocasião de observações críticas sobre as obras de artistas como Manet, aqui qualificado de "não-objetivo" (passagem citada por T. Andersen). Pode-se medir a importância dessas notas pela conclusão desse último artigo, cujo tom já está próximo de *Do espiritual*, ou da última parte de *Olhar*: "De maneira lenta mas irrevogável, a consciência criadora desperta, e os elementos da composição futura, que digo!, que já começa a surgir, aparecem, numa composição que se torna completa, inteira e exclusivamente pictórica e que se funda numa lei recentemente descoberta da combinação do movimento, da consonância e da dissonância das formas — tanto para o desenho como para a cor" (*Apolo*, n? 11, outubro de 1910, p. 16, citado em T. Andersen).

60. V. Marcadé, *op. cit.*, p. 153.

61. Parece-nos porém significativo que, em suas memórias, Livchits declare "não se lembrar mais dos assuntos do relatório" de Kandinsky (*op. cit.*, p. 82): a explanação de David Burliuk, convertido então ao puro "formalismo", e sua oposição a Gontcharova, é que deviam constituir o essencial da reunião.

62. *Die "Wilden" Russlands* (Os "selvagens" da Rússia), reed. 1965, pp. 41-50. O artigo seria reimpresso no n? 123-124 de *Der Sturm* (agosto de 1912).

63. Kandinsky, por exemplo, está em Moscou de 27 de outubro a 13 de dezembro de 1912. A esta afirmação se poderá objetar com as dissensões sobrevindas no seio da *Neue Künstlervereinigung* (*N. K. V.*) em 1911. Mas não deixa de ser característico que todos os artistas da vanguarda concordem em apoiar Kandinsky por ocasião da polêmica da primavera de 1913 em face dos meios conservadores hostis. Na Rússia, em compensação, o público se mostra indiferente, desconcertado ou divertido (cf. o sucesso das manifestações de vanguarda): o essencial das lutas situa-se no interior do meio artístico.

Vê-se que o restabelecimento desse segundo componente é absolutamente fundamental para a compreensão do período crítico 1910-1912, aquele que conduz a *Olhar*. Digamos, para resumir as coisas de maneira um pouco brutal, que, ao contrário do que nos foi apresentado até aqui, durante esse período Kandinsky talvez deva ser considerado menos como o principal representante da ala "esquerda" do movimento na Alemanha do que, já, como o da ala "direita" da vanguarda na Rússia. Essas denominações, como se sabe, não são dadas *a posteriori*, mas correspondem às que são utilizadas correntemente então na própria Rússia[64]. O jogo Munique/Moscou lança assim uma luz muito diferente sobre a situação de Kandinsky durante esse período, sobretudo sobre os meses decisivos que se seguem à conferência do *Valete de ouros* em fevereiro de 1912 e levam à ruptura entre Burliuk e o grupo *O rabo de asno*, dirigido durante algum tempo por Larionov e Gontcharova, antes que estes se vejam obrigados a ceder o lugar a Malevitch e Tátlin. São esses meses eminentemente críticos que devem ser recolocados no plano de fundo de *Olhar*, para o qual se deve portanto acrescentar aos três fatores históricos *alemães* apresentados acima um fator *russo* igualmente importante e *que vale para a versão alemã do texto*: a tomada de posição em relação às diferentes correntes da vanguarda moscovita.

Ora, essa tomada de posição, vemo-la esboçar-se desde maio de 1913, quando Kandinsky denuncia vigorosamente a utilização que se fez, sem o seu consentimento, de seu nome e de suas obras na coletânea *Uma bofetada no gosto do público*[65]. Com efeito, quatro de seus poemas, que deviam ser publicados em Munique por Piper na coletânea *Klänge*, eram reproduzidos ao lado de textos de Maiakóvski, Burliuk (David e Nicolai), Livchits, Krutchonykh e Khlebnikov; e, ao lado das obras desses escritores de vanguarda, esses poemas adquirirão rapidamente, importa sublinhá-lo, uma feição muito menos "avançada", do ponto de vista da forma (porque sua

---

64. B. Livchits, *op. cit.*, *passim*.
65. Para esse novo "caso Kandinsky", cf. V. Markov, *op. cit.*, p. 148. Markov alude a uma carta de protesto de Kandinsky que ele não leu (*ibid.*, p. 392, n.º 26): T. Andersen publicara essa importante carta em seu artigo. Eis um trecho dela: "Eu estava profundamente interessado em qualquer tentativa de criação artística e até mesmo pronto para desculpar certa precipitação e certa falta de maturidade nos jovens autores — o tempo remediará tais defeitos, se o talento se desenvolver corretamente. Em nenhum caso, porém, aceitarei o tom no qual a apresentação foi escrita, e denuncio categoricamente esse tom, qualquer que seja o responsável por ele" (carta de 4 de maio de 1913). A apresentação é o manifesto "Uma bofetada no gosto do público", cujo título dá o tom e que foi redigido em novembro ou dezembro de 1912 por David Burliuk, Krutchonykh e Maiakóvski (Khlebnikov também deu sua assinatura, cf. V. Markov, *op. cit.*, pp. 45 ss.).

originalidade permanece inteira), do que na poesia alemã contemporânea[66]... Vemos esboçar-se aqui o jogo da dupla tonalidade, que valerá também para *Olhar* em 1918, ou o ensaio sobre a *Composição cênica*, traduzido em 1919. Quando Kandinsky desaprova assim o "tom" da publicação e seus métodos, é evidente que, além das diferenças de temperamento, há uma defasagem sobre a idéia que cada um faz do alcance social das obras: Kandinsky não é um revolucionário, mas os outros o são, nessa época, de maneira mais ou menos consciente. Enquanto seu engajamento irá crescendo, *Olhar* marcará nitidamente um recuo "para trás": a ideologia mística dos primeiros capítulos de *Do espiritual* tinha uma função revolucionária na Munique de 1912; seu eco nas últimas páginas de *Olhar* terá valor "reacionário", no final de 1913, em relação à situação russa.

Concebe-se, nessas condições, que a partida de Munique em abril de 1914 não se faça espontaneamente. Na verdade, ela abre uma crise grave na produção de Kandinsky. E é assim, a nosso ver, que se deve explicar essas lentidões, essa hesitação em voltar à Rússia, que, no entanto, e Kandinsky sabe disso, é desde então o principal centro da progressão da vanguarda, da pintura realmente moderna. Profético no final do capítulo VII de *Do espiritual*, publicado no início de 1912, Kandinsky corre agora o risco de ser "ultrapassado à sua esquerda" pelos artistas russos da Rússia, que, todos os testemunhos o confirmam, o discutiram com paixão e o assimilaram rapidamente, enquanto, na França, um Delaunay ainda está a procurar um tradutor, a discutir Seurat e Cézanne, a falar dos problemas da cor como coisas que "creio serem desconhecidas de todos", que para ele "ainda são embrionárias", como escreve *em 1912* a Kandinsky[67]! Daí essa passagem pela Suíça e pelos Bálcãs, a chegada a Moscou somente no fim de dezembro de 1914 e essa nova partida, em dezembro de 1915, para Estocolmo, onde permanece até março de 1916! Há a guerra, claro, e a crise pessoal que resulta

---

66. Para esse ponto importante, que não podemos desenvolver aqui, remetemos ao livro bastante preciso e completo de Markov, assim como, por exemplo, às obras de Khlebnikov atualmente disponíveis em francês: *Choix de poèmes*, Paris, 1967, *Le Pieu du futur*, Lausanne, 1970, *Ka*, Lyon, 1960. Os quatro poemas em prosa publicados eram: *Gaiola* (Klet'ka, em alemão Käfig), *Ver* (Videt', Sehen), *Fagote* (Fagot, Fagott) e *Por quê?* (potchemu, warun). *Ver* foi reproduzido em seguida no frontispício da versão russa de *Olhar*; *Fagote* e *Gaiola* fizeram parte dos três poemas lidos no sarau *Sturm* organizado por Hugo Ball em Zurique em 1917 (K. Lankheit, em reed. do *Blaue Reiter*, 1965, p. 299): trata-se portanto de obras particularmente importantes entre os 38 poemas publicados posteriormente em *Klänge* (Sonoridades, 1913). Encontrar-se-ão *Fagote* e *Ver* neste volume, pp. 155 e 163.

67. Essa importante carta foi publicada pela primeira vez por P. Francastel em R. Delaunay, *Du cubisme à l'art abstrait*, Paris, pp. 178-180.

na ruptura com Gabriele Münter. Mas não se pode tratar de "coincidências". 1915 é, pela primeira vez, um ano "sem quadro", e não é tampouco por acaso que o segundo é 1918, ano da publicação de *Olhar* em russo. Mais ainda, em 1916 assiste-se a um surpreendente retorno à figuração com uma obra como a gravura *Moça*[68]. A publicação de um único texto, que retoma sobretudo uma passagem de *Olhar*, também contrasta fortemente com a abundância dos escritos anteriores[69]: a supressão que aí se faz de tudo o que se relaciona com Gabriele Münter mostra tratar-se da mesma "escaramuça" com o real que veremos ocorrer em 1919-1920, após a publicação da versão russa de *Olhar*, quando Kandinsky será violentamente atacado; e antes de deixar a Rússia ele pintará aquelas duas vistas "objetivas" de Moscou, inteiramente conformes à visão "real" da cidade que lhe terá imposto o peso e a dureza de uma realidade que nada tem a ver com a "Moscou encantada" de que se fala em *Olhar*[70].

Depois de 1917, seu casamento com Nina Andreiévskaia e uma revolução que doravante, fora dele, paralelamente a ele, fez, parece-lhe, tábua rasa, Kandinsky volta a desenvolver uma atividade considerável: atividade oficial no Departamento de Belas-Artes, em primeiro lugar, para a reorganização dos museus, a renovação e o desenvolvimento do ensino artístico[71]. Esse verdadeiro renascimento é surpreendente: não podemos furtar-nos a ver aí uma "louca esperança", a assimilação desarrazoada e despropositada do período que se abre para a "terceira grande época" anunciada em *Do espiritual* e em *Olhar*. Porque tal atitude não corresponde a nenhuma análise séria da situação real, das razões objetivas dessa evolução, de seu futuro, do que ela deve acarretar necessariamente. É o império da

---

68. Grohmann 1958, p. 165.
69. *Om Konstnären*, em sueco, em Estocolmo, cf. nota 98.
70. *Em Moscou, vista da janela* (1920): duas versões da mesma vista, tomada do apartamento de Kandinsky em Moscou, uma com o Kremlin, outra sem o Kremlin; a segunda encontra-se em Moscou, a primeira no Museu de Haia (figurou recentemente na Exposição Kandinsky de Baden-Baden, 1970, catálogo n.º 46). Kandinsky não inclui essas obras "estranhas" em seu catálogo. Sem avançar muito, Grohmann indica o caminho de uma interpretação verossímil: "Tratar-se-ia, sem dúvida, de uma reação às numerosas catástrofes de que ele era testemunha forçada" (p. 166). Não podemos furtar-nos a pensar igualmente nas obras tonais de Schönberg logo após sua emigração para os Estados Unidos: *Suíte para cordas*, sem n.º de *opus*, 1934, *Kol Nidre*, op. 39 (1938)... (Cf. R. Leibowitz, *Schoenberg et son école*, Paris, 1947, pp. 127-129.)
71. Esse período é menos bem conhecido que o precedente: ver T. Andersen, *op. cit.*, pp. 99-108 (Grohmann, aqui, é ultrapassado).

utopia completa, em relação à qual, uma vez mais, Kandinsky se situa ideologicamente à direita da vanguarda, enquanto a utopia anarquizante de Malevitch se situaria no centro e o materialismo dialético de um Tátlin à esquerda, no sentido lógico do desenvolvimento revolucionário[72]. A melhor prova disso é fornecida pelo próprio Kandinsky, quando, durante esse breve período de liberdade total que tem a proteção do liberal Lunatcharsky, comissário da Instrução Pública[73], e no qual "tudo é permitido", ele trabalha, antes de tudo, na edição russa de *Olhar*, que lhe absorve todas as forças ao longo de vários meses[74]! O irrealismo e a "desatualização" não poderiam ser mais completos do que a propósito desse livro, escrito, como vimos, em condições e por razões totalmente distintas: Kandinsky age como se o episódio revolucionário não tivesse outras conseqüências, outras razões de ser senão devolver-lhe todas as suas chances para reafirmar as teses de 1912-1913. O que é confirmado pouco depois pela tradução russa da *Composição cênica*, publicada anteriormente no almanaque do *Cavaleiro Azul* em 1912, e que Kandinsky reedita no jornal *Iskusstvo*, órgão do departamento de teatro e de música, que ele dirige[75]. O mesmo sucede com os demais textos que ele publica.

Há nisso uma negação sistemática da história, da qual não se poderia, num outro plano, encontrar exemplo mais sintomático do que o projeto de reorganização dos museus (*Iskusstvo*, 1919, n° 2): abandono da ordem cronológica em favor da apresentação por categorias "formais"! Não se poderia trair melhor uma oposição fundamental — que é um sinal de cegueira — às leis do materialismo histórico e dialético! Esses fatos reveladores, cujos exemplos poderíamos multiplicar, demonstram com toda a evidência que a parti-

---

72. Cf., sobre esse ponto, nosso artigo citado na nota 54. Ver igualmente os excelentes artigos contidos no número especial da revista *VH 101*, n° 7-8, primavera-verão de 1972: *L'architecture et l'avant-garde artistique en URSS de 1917 à 1934*, em particular Francesco del Co, *Poétique de l'avant-garde et architecture dans les années 20 en Russie*, e Manfredo Tafuri, *URSS/Berlin 1922*.

73. Cf. Scheila Fitzpatrick, *The Commissariat of Enlightenment, Soviet Organization of Education and the Arts under Lunacharsky*, Cambridge, 1970.

74. T. Andersen, artigo citado na p. 99. Kandinsky nada publica então nos números de *Iskusstvo*, órgão do Departamento de Teatro e de Música do Narkompros (Comissariado para a Educação do Povo), do qual é diretor e onde em seguida publica, ao contrário, vários artigos (catalogados e resumidos por T. Andersen). Conforme indicamos, 1918 é o segundo ano em que ele anota em seu catálogo: "nenhum quadro" (Grohmann 1958, p. 334). *Olhar* é um dos primeiros livros publicados pelo Narkompros (sobre a acolhida da crítica, cf. nota 61, p. 169).

75. 1919, n° 1, pp. 39-49.

da de 1921, como a de Naum Gabo, não decorre de fatores históricos isolados ou de um endurecimento qualquer das posições, como continuam a afirmar os "relatos" históricos, mas antes de tudo da diferença fundamental, e bem anterior, das "mentalidades", das posições ideológicas.

Somente os equívocos do período é que permitem a Kandinsky ser escolhido como professor nos ateliês de arte livre de Moscou (Vkhutemas) em 1919. Ou, mais exatamente, pode ser também por causa do alcance real, prático, objetivo de sua pintura na época, fora das "intenções" que seus relatórios acrescentam ao seu "autor". Esse alcance é o das obras suprematistas contemporâneas de Malevitch: a designação de um novo mundo "a reconstruir", fora das normas do pensamento burguês do antigo regime. Mas basta essas obras serem referidas a seus autores para que a ilusão desapareça. Para Malevitch, textos cada vez mais insistentes, de uma mística religiosa e, mais tarde, de uma mística estranhamente pré-estruturalista[76] obliteram pouco a pouco o valor revolucionário das obras, primeiro impondo-lhes títulos que reintroduzem os velhos ídolos ("sensação", "sensação de espaço", "sensação mística"...), depois coagindo pouco a pouco o mundo autônomo das formas — primeiras reivindicações de Malevitch, não obstante — a submeter-se à sua "literatura"[77]. Para Kandinsky as coisas caminham muito mais depressa, na medida em que a ideologia é obrigada a reaparecer, a não mais se beneficiar das ambigüidades da obra "pura", destacada de seu "autor": é o famoso debate sobre o programa do *Inkhuk*, o Instituto de Pesquisas Artísticas, fundado em maio de 1920, onde se faz necessário fixar diretrizes concretas, expor um sistema que não mais manejará linhas e cores, mas homens e objetos, num mundo real. Kandinsky se vê colocado em minoria, e não serão os poucos sucessos posteriores que poderão modificar o curso das coisas[78]. É característico que, em 1921, Kandinsky tente editar *Do*

---

76. Kasimir Malevich, *Essays on art 1915-1933*, Copenhague, 1968, reed. 1971 (edição preparada e apresentada por T. Andersen). Para o "pré-estruturalismo" do último grupo de textos (*Le Nouvel Art*, 1928-1930) e sua significação, cf. nosso artigo citado na nota 54.

77. Os artigos e textos publicados anteriormente foram tornados caducos pelo excelente catálogo da Exposição Malevitch de 1970 no Stedelijk Museum de Amsterdam (por T. Andersen).

78. Para suas diferentes peripécias, cf. T. Andersen, artigo citado. O projeto de Kandinsky foi traduzido em inglês em *Wassily Kandinsky Memorial*, Nova York, 1945, pp. 75-87.

espiritual em russo: o projeto fracassa, como é de imaginar[79]! O manifesto produtivista de Tátlin e seus amigos era lançado no mesmo ano[80]; Kandinsky partia em dezembro de 1921[81].

A edição russa de *Olhar*

Compreende-se, nestas condições, a importância da versão russa de *Olhar*: semelhante em seu projeto, em sua intenção, em seu sentido geral, entretanto profundamente modificada nos detalhes de sua realização, numa impossível tentativa de "adaptação" onde se lêem a cada instante as contradições da utopia[82].

Poucos historiadores, finalmente, parecem conhecer essa segunda versão. Fala-se às vezes de ligeiras modificações. Grohmann as-

---

79. Nessa ocasião, Kandinsky escreve uma carta a Alexandre Benois (a ovelha negra de toda a vanguarda) cujo tom sensato se poderá comparar ao de uma carta de Malevitch escrita em maio de 1916 a propósito de uma resenha desfavorável à exposição (as duas cartas foram publicadas por T. Andersen, a de Kandinsky no artigo citado na nota 53, a de Malevitch na coletânea citada na nota 76). Kandinsky anunciara que o livro estava no prelo num breve artigo autobiográfico publicado em alemão em *Das Kunstblatt*, 1919, n? 6.
80. Reproduzido em *Naum Gabo*, Londres, 1957, trad. fr. Neuchâtel, 1961, pp. 155-156. Começa assim: "O grupo construtivista tem por objetivo a expressão comunista de uma obra materialista construtiva."
81. Cf. a carta endereçada a Klee de Berlim, 27 de dezembro, reproduzida aqui, 172-3. Para essa partida, cf. também o relatório sobre a atividade do Inkhuk publicado em 1923: "[Durante o verão de 1921] notou-se claramente uma reviravolta decisiva que impunha não só uma plataforma ideológica como também métodos novos [...] O construtivismo representou o elo de transição para a idéia de uma arte produtivista. O inverno de 1921-1922 foi consagrado precisamente à elaboração da ideologia da arte produtivista e de uma estética marxista..." (citado por F. dal Co, art. cit., p. 33). Ver igualmente os virulentos ataques de Lissitzky em 1922, cuja incompreensão perfeitamente consciente é bem característica: "Kandinsky... introduziu as fórmulas da metafísica alemã contemporânea e por isso continuou sendo, na Rússia, um fenômeno totalmente episódico"..., etc. (*A nova arte russa*, conferência realizada em 1922, reproduzida em *El Lissitzky, Maler, Architeckt, Typograf, Fotograf*, Dresden, 1967, trad. ingl. 1968, pp. 330-340).
82. A versão russa é inédita em francês. Uma tradução inglesa (muito aproximada) foi dada no *Wassily Kandinsky Memorial*, Nova York, 1945. Paradoxalmente, um especialista tão bem informado sobre as questões da arte russa e soviética como A. B. Nakov parece ignorar que o texto foi publicado inicialmente em alemão (artigo Kandinsky da *Encyclopaedia Universalis*, Paris, 1971: "Consciente da reviravolta decisiva então consumada, Kandinsky redige as notas de uma pequena autobiografia pictórica que só vem a publicar em Moscou em 1918: *Rückblicke*").

sinala "algumas adjunções"[83]. Ora, o que impressiona antes de tudo são as supressões, os cortes, que decorrem, em primeiro lugar, de uma preocupação ao mesmo tempo "realista" e um pouco ingênua de "apagar" o que parece demasiado "antigo regime", o que pode chocar pela ostentação de alguns sinais de riqueza "material", enquanto a riqueza "espiritual", longe de ser questionada, se vê aumentada com o peso de acréscimos consideráveis.

É notável ver desaparecer assim o que uma censura algo severa de fato talvez não tivesse tolerado, enquanto o alcance ideológico do conjunto evidentemente lhe escapou. E aqui não podemos impedir-nos de pensar nas condições algo rocambolescas de publicação e divulgação do "manifesto realista" de Gabo, dois anos depois, num momento, é verdade, muito mais dramático[84].

A família Kandinsky, assim, empobreceu singularmente: cocheiro e babá desaparecem (p. 69), o pai de Kandinsky passa a ajudá-lo, "apesar de seus meios bastante modestos" (p. 80). Quando este é estudante de direito, já não é pelas questões "de salário" que ele se interessa, mas pelas questões "operárias" (pp. 76-7). Um dito picante contra os funcionários é suprimido (p. 90)... A essas notações de caráter social acrescentam-se supressões ditadas de maneira mais clara por razões políticas. Algumas são meramente conjunturais — o teatro "da corte" torna-se teatro "Bolchói" (p. 77), a sociedade de etnografia já não é obviamente "imperial" (p. 81) —, outras são mais significativas: um elogio ao governo imperial por sua política relativa aos camponeses desaparece (p. 76), assim como, sobretudo, uma notação "colonialista" que merece um exame mais demorado, por estar estreitamente ligada ao pensamento "teórico" de Kandinsky. "Bater-se com a tela", e somente com a tela, não com a natureza, "submetê-la ao nosso desejo pela violência" (imagens que por si sós já são altamente significativas) determina muito naturalmente, sob a pena de Kandinsky, na versão alemã, uma comparação com o "colono europeu, quando, através da selvagem natureza virgem, na qual ninguém jamais tocou, ele abre caminho a machado, a enxada, a martelo, a serrote, para submetê-la ao seu desejo" (p. 92). Essa comparação não podia evidentemente sub-

---

83. Grohmann 1958, p. 162.
84. Cf. Naum Gabo, *La Russie et le constructivisme*, entrevista, 1956-1957, reproduzido em *Naum Gabo, op. cit.*, pp. 158-165 (testemunho importante): o manifesto foi publicado e divulgado dando fé à palavra "realista", o que em verdade resultava de um completo equívoco (cf. nosso artigo citado na nota 54).

sistir. Sua visão apologética e simplista, esse quadro que ela traça da conquista colonial, evoca o espírito "conquistador" da Terceira República e das narrativas à Júlio Verne, cuja ideologia compartilha incontestavelmente. Ora, esta subsiste de maneira bastante evidente, como subsiste o primeiro termo da comparação (submeter a tela ao desejo pela violência), enquanto o segundo só deve desaparecer por razões puramente oportunistas. Não se poderia assinalar melhor o lado "todo exterior", para retomar os termos caros a Kandinsky, dessas supressões, demasiado evidentes para não sublinharem melhor, por sua aparente docilidade, a vontade feroz de não submeter-se e de nada ceder. Do mesmo modo se poderia comentar todo o final do texto, no qual um "Cristo" demasiado radiante se apaga ante a evocação mais "científica" das "concepções e diretrizes religiosas" (p. 100), onde a arte já não é semelhante "à religião", mas ao "conhecimento não-material" (p. 99); e já não se trata, bem entendido, da "revelação do espírito: pai — filho — espírito" (p. 99)...

O que conta, como se vê, é menos o pitoresco anedótico de tais supressões do que seu valor sintomático: no discordância, a defasagem entre uma realidade que só é percebida a nível das coações mais superficiais que ela impõe e a manutenção de um projeto que, fundamentalmente, equivale a negá-la por inteiro.

As modificações ligadas à própria evolução de Kandinsky são, com efeito, raríssimas, uma ou duas quando muito, e de resto não envolvem nada de essencial.

Seu entusiasmo juvenil pelo Lohengrin de Wagner se vê agora temperado pelas mais sérias reservas. Mas, como Kandinsky o indica em nota, estas remontam ao artigo sobre a *Composição cênica* publicada em 1912 no Almanaque do *Cavaleiro Azul* (n.º 98)[85]. Quanto à outra indicação que salientamos, refere-se simplesmente aos poemas, que já não constituem obras da juventude, "rasgadas mais cedo ou mais tarde", mas cumprem ao lado dos quadros e de *Olhar* sua função "desrealizante" (p. 78). É seguramente uma das lições da segunda versão de *Olhar* o fato de que em cinco anos nenhuma outra coisa tenha mudado, enquanto todo um universo desmoronou, e de que essa imutabilidade venha a ser afirmada de novo no próprio seio da fogueira.

Por certo nem tudo é tão revelador, e muitas vezes a versão russa traz apenas esclarecimentos meramente filológicos sobre este ou aquele ponto obscuro do texto alemão. Neste particular, certo número de casos precisos mostram que Kandinsky nem sempre estava

---

85. E não em 1913, como lhe faz dizer, parece, um lapso que pode ter por origem a vontade inconsciente de suprimir totalmente o que a este respeito se dizia na primeira edição de *Olhar* (1913).

absolutamente seguro de si no manejo do alemão (o que deveria incitar a certa prudência no comentário de *Do espiritual*): "a grande separação do claro-escuro" nos quadros de Rembrandt se compreende melhor quando se trata da "divisão fundamental do claro e do escuro em duas grandes partes", o que pode aplicar-se efetivamente a uma obra como o *Retrato de Jeremias de Decker* no Museu do Ermitage[86].

Restam enfim as "poucas adjunções" de que falava Grohmann. Na verdade elas são muito importantes, ao menos por seu volume, sobretudo na última parte do texto.

Algumas se referem essencialmente ao local da publicação e só podem interessar, com efeito, a um público russo: daí a menção à "tulup" (p. 85), às precisões sobre o samovar e o chá de Ivã (p. 86), ou sobre o exato local de nascimento de seu pai (p. 105), que não figuravam na versão alemã. Outras notações "russas", porém, são mais interessantes na medida em que indicam claramente uma vontade de "eslavofilia" que vêm em resposta às acusações de decadentismo "muniquense" lançadas por Larionov e Gontcharova, ou, de um modo mais geral, à crítica de "europeísmo'" excessivo: "ao contrário das humildes palavras alemãs, francesas e inglesas", é a longa palavra russa que faz plena justiça à complexidade misteriosa da "obra" (p. 93). Kandinsky se estende longamente sobre o fascínio que a Rússia exercia sobre seus visitantes suíços, holandeses, ingleses, suecos e mesmo alemães, dos quais desta feita ele se separa claramente (p. 102). Isso, em fim de texto, contrabalança largamente as notações germanófilas do começo do texto sobre Munique, "segunda pátria", e as origens parcialmente bálticas do pintor (pp. 70-1)...

Afora precisões históricas importantes sobre a gênese de certos quadros, como a *Composição II* de 1910 (p. 84), o essencial das adições caminha porém num sentido bastante preciso: um reforço dos fatores pessoais, subjetivos e místicos, na explicação e no comentário da obra de arte e de sua gênese. As homenagens à tia e ao pai são largamente desenvolvidas (pp. 70-1 e 105) e duas novas personalidades vêm completar, menos pelo "conteúdo" de seu ensino do que por sua forte personalidade, a galeria de retratos da versão alemã: Filippov (p. 76) e esse estranho Ivanitsky, "nobre eremita" cuja obra, como por acaso, é "exteriormente tão modesta, interiormente tão importante" (p. 85). Tudo isso decorre evidentemente muito menos do desejo de informar e explicar do que do de defen-

---

86. Cf. p. 81 e nota 48. Ver igualmente exemplos característicos na p. 92 nota 79, p. 92 nota 80, etc.

der teses de modo mais eficaz, concorrendo para tanto os importantes acréscimos da última parte, que constituem de certa forma variações em torno de uma de suas frases essenciais: "O espírito determina a matéria, e não o inverso" (p. 94)[87].

Esta última frase é escrita, pela primeira vez, *em setembro de 1918, em Moscou*; e a versão russa indica no final, como uma provocação, o local e a data de redação!

Dificilmente se poderia demonstrar melhor a necessidade de uma leitura *histórica* de *Olhar*.

---

87. Não é necessário desenvolver aqui mais longamente o comentário desta última categoria de modificações: o leitor se reportará ao texto. Cumpre sublinhar, porém, que eles constituem de longe a parte mais importante das novidades da versão russa.

Escrita

Só uma leitura rápida e superficial pode fazer crer em certa "confusão" na composição de *Olhar*[88]. Ou, mais exatamente, a impressão de um leitor atento só pode ser tal se ele procurar aí apenas uma história "documentada" ou a tentativa de justificação que o livro efetivamente é, mas muito menos por uma argumentação externa do que por *seu próprio exemplo*. *Olhar* é para a pintura de Kandinsky o que esta é em relação à "realidade": uma transposição metafórica. E ela realiza em relação a seu objeto — a vida e a obra do pintor — uma "encenação" da escrita idêntica à "encenação" da pintura, e só da pintura, que forma o âmago de seu "relato".

COMPOSIÇÃO

Estrutura

Uma das tentações que nos acometem, naturalmente parece-nos, ao término da leitura de *Olhar* é a de desenvolver, fixar, "horizontalizar", se assim se pode dizer, essa figura estranha que parece desenrolar-se em tempos e espaços diferentes. O quadro a seguir tenta responder a essa preocupação, mas só poderá ser de alguma utilidade, bem entendido, após uma primeira leitura do texto.

No desenrolar das páginas de *Olhar*, é possível distinguir um certo número de momentos ou "seqüências" que se podem delimitar com bastante precisão. Por seqüência entendemos simplesmente um *conjunto* lógico, seja por seu assunto, seja por um contexto cronológico único e contínuo (vários assuntos se encadeando logica-

---

88. J. Lassaigne, que utiliza detalhadamente o texto, propõe-se, no início de seu livro, tomar-lhe "largos empréstimos, tentando porém encontrar um fio que por vezes se enreda ou se dissimula em sutilíssimos rodeios" (*Kandinsky*, Genebra, 1964, p. 18).

Desenvolvimento das seqüências e sucessão cronológica em Olhares

Número de seqüência	Páginas do texto	Infância	Adolescência	Moscou anos de estudos	Munique	Presente (e teoria)
1	69-70	Cores Viagem à Itália Cavalo-Tia				
2	70					
3	71-72					
4	72-73			Pôr-do-sol em Moscou Cores		
5	73-74				Cavalo, Munique Schwabing Rothenburg	A arte e a natureza A arte abstrata
6	74-77			Cores Vida de estudante, direito "2 acontecimentos": Monet Lohengrin 3° acontecimento: o átomo		
7 a	77					
7 b	77-78					
8	78-79					
	79					
9	79-80		Poemas, Pai, Lições de desenho			
10	180-81	Tia-Cavalo pintado				
11	81					
11 a	81-82			Estudante, 2 acontecimentos: Rembrandt (cores, tempo)		

12	82-85			Tempo, quadros pintados em Schwabing crítica alemã crítica russa	
11 b	85-87				
13	87-90	Viagem a Vologda		"Visão" de Munique	"Fundir-se no quadro", A arte abstrata Cavalo A memória
14	90-92	Exercício da memória durante a infância, a adolescência, os anos de estudos, em Munique, e sua evolução recente			
15	92		Cores saindo do tubo		
16	92-93				O ataque da tela
17	93-94			De *Do espiritual* até hoje Chegada a Munique; trabalho com o modelo; Azbe, Stuck	
18	94-98				
19	98-103			Os livros de Munique: *Do Espiritual* *O Cavaleiro Azul*	"O grande período do Espiritual"
20	104-105				
21	105-106	de Moscou a Odessa: Tia, Pai, Mãe, Moscou, "a fonte de minhas aspirações de artista"			
22	106				Rumo ao futuro (suprimido na versão russa)

mente durante um mesmo período). Um relato contínuo não comportaria teoricamente, portanto, senão uma única seqüência, ou um pequeno número de seqüências, se admitirmos que este ou aquele ponto pode prestar-se à digressão ou à reflexão de ordem geral. Aqui — e admitindo-se que o número possa variar de algumas unidades —, enumeramos 22, para um número relativamente reduzido de páginas, cumpre sublinhá-lo[89]. O que impressiona, pois, em primeiro lugar, é esse deslocamento, essa explosão completa do relato linear clássico, levada a um ponto extremo no âmbito de uma forma miniaturizada das "Memórias" ou da narrativa autobiográfica. Mesmo se admitirmos que esta é uma das formas literárias mais favoráveis a tal desintegração, é preciso reconhecer que Kandinsky a leva aqui muito longe[90].

Ora, esta última palavra lhe acode, no próprio cerne de seu texto, a propósito da "desintegração do átomo". Embora o que ele designe por tal permaneça bastante impreciso[91], o que isso representa para ele se evidencia claramente: é o aniquilamento da ciência, a "desintegração do mundo inteiro", que o levará gradualmente a renunciar ao objeto reconhecível e coerente, doravante de hipócrita coerência. Portanto, em relação à narrativa clássica, *Olhar* assemelha-se, antes de tudo, a esse mundo desintegrado. É, por sua própria forma, "a experiência vivida", como diria Kandinsky, da experiência que ele narra.

Examinadas as coisas mais de perto, porém, *Olhar* não é tampouco a simples aplicação da livre associação das idéias, como por vezes o apresentam. A poesia de Kandinsky nada tem a ver com as "palavras em liberdade" de Marinetti, e, para passarmos a outro plano (mas em Kandinsky todos os planos podem-se superpor exatamente), sua defesa da "autonomia" dos estudantes ou do livre di-

---

89. Não pretendemos dar aqui um número definitivo, o que de resto não teria muito sentido. É possível encontrar um maior número de "seqüências" se limitarmos cada uma delas à apresentação de um "tema" novo no interior de uma mesma seqüência cronológica.

90. Cf. Philippe Lejeune, *L'autobiographie en France*, Paris, 1971 (com bibliografia), e a coletânea coletiva *Formen des Selbstdarstellung, Festgabe für Fritz Neubert*, Berlim, 1956. A autobiografia de Kandinsky deveria evidentemente ser ressituada na história da autobiografia na Alemanha no século XX. Cf. Ingrid Bode, *Die Autobiographien zur deutschen Literatur, Kunst und Musik, 1900-1965, Bibliographie und Nachweise der persönlichen Begegnungen und Charakteristiken*, Stuttgart, 1966. Cumpriria igualmente aproximar a desintegração de *Olhar* das demais "formas" artísticas na mesma época: cf., por exemplo, as *6 bagatelas para quarteto de cordas*, op. 9, e as *Peças para orquestra*, op. 10, de Webern, que datam precisamente de 1913.

91. Cf. *Olhar*, p. 79 e nota 43.

reito dos camponeses acompanha-se da exigência de um "rigor moral" que algumas vezes se torna inquietante. O mesmo ocorre com *Olhar*, que não obedece às leis — *jus strictum*— da narrativa literária, mas sim às leis da composição plástica. Voltemos ao nosso quadro. Sem levarmos a análise muito longe, não será difícil distinguir uma composição binária, em duas partes simétricas, que se articulam em torno da "noite" de Kandinsky: a "visão" de Munique, quando, voltando para casa à noite, ele descobre a "beleza indescritível" de um quadro de sua autoria, colocado com o lado para baixo[92], que ele não reconhece: "Agora eu tinha certeza, o objeto prejudicava meus quadros" (p. 88). É a "passagem da linha", no caso a do texto, em torno da qual as massas se distribuem harmoniosamente. Em primeiro lugar as duas únicas "seqüências cronológicas", isto é, o encadeamento contínuo, no relato, de episódios que efetivamente se sucederam nesta ordem: uma em torno de Moscou e dos anos de estudo (pp. 74-79), outra em torno de Munique e dos anos de pesquisas (pp. 94-98). Em seguida as duas únicas passagens relativas aos anos de adolescência: antes da visão, as lições de desenho ministradas pelo pai (p. 80), depois a lição das cores saindo do tubo no momento da compra da primeira caixa de pintura (p. 91). Por fim, nos pontos extremos do leque, a infância e os pais, que abrem e fecham o texto. É aí talvez que "a mão do pintor" se torna mais perceptível, sobretudo na maneira pela qual é introduzida essa coda, por ruptura brutal e sem encadeamento harmonioso (pp. 104-105). Mas isso é também a prova manifesta do que afirmamos e da "vontade de composição".

Mas Kandinsky não é Mondrian. A essa composição geométrica regular e estática, que, sozinha, seria bastante difícil conceber nele, sobrepõe-se um movimento dinâmico, ou, mais exatamente, "ascensional", que nos faz passar de uma predominância da infância e dos anos de estudo na primeira parte à de Munique e do trabalho contemporâneo na segunda. Movimento que não é apenas cronológico, como se poderia acreditar, mas que corresponde também à passagem do relato anedótico ao relato das *teorias*, da *descrição* à *reflexão* espiritual, do direito, das associações estudantis, das visitas e das viagens ao trabalho secreto do ateliê e ao advento da "terceira revelação, a revelação do espírito".

---

92. E não "ao contrário", como repetem todas as obras de vulgarização em língua francesa desde a tradução precedente, que, entre outros erros, transformava essa experiência cheia de mistério, se não mística, em chalaça à "Boronali" (chalaça que pretendia exatamente ridicularizar a pintura de vanguarda no Salão dos Independentes em 1910).

Passagens

Surge então a questão das transições e das "passagens". Estas se fazem não por "associação de idéias", como se tem afirmado, mas sobre palavras-pivôs, isto é, "pontos nodais" em que a temática se articula sobre a composição, onde o conteúdo "adere" à forma, para falar de maneira bastante sumária e empregando as palavras em seu sentido tradicional, já que, em verdade, segundo as próprias concepções de Kandinsky, o assunto do livro é ao mesmo tempo sua própria forma (desintegração). Essas palavras-pivôs são facilmente identificáveis: o cavalo pigarço do jogo de cavalinhos, que é também o de Munique, a hora de Munique, que é a de Moscou, o tempo das obras de Rembrandt, que é também o dos quadros pintados em Schwabing... Essas "passagens" (que se poderiam comparar às "passagens" dos quadros cubistas), portanto, são também temas, que retornam como *leitmotive*. Elas fazem irradiar-se em torno de si toda uma cadeia associativa que se desloca em sua esteira. O exemplo mais notável a este respeito são as associações tia-cavalo e tia-pai, que retornam identicamente duas vezes. Essas duas relações estranhas tiveram evidentemente uma significação precisa para Kandinsky, seja ela mais ou menos inconsciente: sua repetição indica-o claramente. E essa própria repetição assume valor ilustrativo para a teoria do tempo que é desenvolvida no centro do texto (o tempo nos quadros de Rembrandt e, em seguida, o tempo integrado ao quadro). Sem ir mais longe, pode-se pois constatar, por esse exemplo preciso, que o processo compositivo do texto, puramente formal na aparência, coincide exatamente com sua temática (pontos nodais), redutível sem dúvida a dois motivos fundamentais que se ligam de maneira bastante evidente: o tempo e o inconsciente. Um e outro têm sua vertente "explícita", se assim se pode dizer, já que Kandinsky aborda muito diretamente tais questões no texto[93], mas também sua vertente não-explícita, a da "experiência vivida", transmitida unicamente pela "forma" da escrita.

No fim de *Do espiritual*, Kandinsky define os quadros, a que chama "Composições", como "expressões, em grande parte inconscientes e quase sempre formadas subitamente, de eventos de caráter interior[94]... mas que, lentamente elaboradas, foram retomadas, exa-

---

93. Para o inconsciente, ver adiante, p. 51.
94. Reed. 1971, pp. 182-183. Esse primeiro membro de frase se aplica em verdade às "Improvisações", mas as *Composições*, diz Kandinsky, "formam-se de maneira semelhante". Retomamos, pois, a passagem.

minadas e longamente trabalhadas [...] a inteligência, o consciente, a intenção lúcida, a finalidade precisa têm aqui um papel capital; mas o que prevalece não é o cálculo, é sempre a intuição". *Olhar* corresponde plenamente a essa definição, não por simples metáfora, mas porque esse texto *funciona* da mesma forma em relação ao seu autor e ao seu objeto. *Olhar*, aliás, é contemporâneo das últimas e mais importantes "Composições", antes de dez anos de silêncio: as *Composições VI* e *VII* (1913).

Será por acaso que a *Composição VI* constitui um dos três quadros comentados no apêndice que sucede à versão alemã do texto? Evidentemente, não: *Olhar* está para o "passado" de Kandinsky assim como *Composição VI* está para o seu tema inicial, o dilúvio. Sua estrutura corresponde a uma "desestruturação" do relato tradicional, *mas é uma estrutura*. Ela se empenha em negar a história integrando-a a uma composição que corresponderia a outros móveis, a outras causas, como o quadro continua ainda, antes de *Olhar*, a integrar o objeto... Passar da expressão do dilúvio à expressão da palavra dilúvio[95] é passar do relato do passado à expressão do tempo não-histórico, levar o leitor a passear através do texto, segundo a expressão de Kandinsky, como o espectador através do quadro[96].

TEXTO

Deslocamentos

Olhar é um texto "mal" escrito, já em sua versão alemã, já em sua versão russa[97]. Mal escrito notadamente na medida em que, sobretudo em 1913, não se é, escrevendo ou pintando "bem", o "bom" artista de um sistema em crise ou mesmo em desordem e cujos fun-

---

95. Comentário de *Composição VI*, p. 108.
96. *Olhar*, p. 87.
97. Temos de expressar aqui nosso total desacordo com o que diz V. Marcadé, *op. cit.*, pp. 153-154: "... se não é raro que seu alemão se mostre claudicante, seu russo, em compensação, é irrepreensível. O requinte de sua língua é tal que ele pode, sem exagero, causar inveja a muitos escritores, seja pela frase, seja pela grande precisão e beleza do pensamento... não há nada do que foi dito, escrito ou pensado pelo grande pintor que não tenha encontrado expressão em sua língua materna, língua que ele manejava com imenso talento". Essa "mitologia" do "grande" artista, expressa através de termos tão bizarros quanto desusados ("causar inveja"!) parece-nos das mais suspeitas e de resto um pouco ultrapassada... O leitor poderá julgar com base no texto das variantes russas que foram traduzidas aqui tão fielmente quanto possível.

damentos se procura solapar; quando muito, um de seus bons críticos. E o texto de Kandinsky vale infinitamente mais do que a transparência do discurso crítico "mais bem escrito". Dizemos isso para prevenir e acautelar contra certa rudeza, um "escabroso" da escrita que não surpreenderá senão aos que ainda acreditam na mitologia do "bem escrever"[98]. De nossa parte, e contrariamente à tradução francesa anterior, por sinal muito bem escrita e "agradável" de ler, mas onde os contra-sensos em relação à letra e ao espírito do texto são incontáveis, ativemo-nos à maior fidelidade ao texto, não poupando nenhuma repetição, nenhum repisamento, nenhuma construção "pesada" ou mesmo aparentemente incoerente.

É que elas são parte essencial, em nível da língua, se não do projeto consciente de Kandinsky, do alcance prático de sua "Composição". À desestruturação do relato correspondem aqui os "deslocamentos" da linguagem, que participam de uma mesma "desconstrução" de determinado modo de pensamento, de determinada sociedade.

Tais "deslocamentos" resultam em primeiro lugar das condições mesmas da redação do texto. Conquanto tenha "falado muito alemão" em sua mocidade[99], Kandinsky nem sempre parece absolutamente à vontade no manejo da língua, consoante já indicamos. Mas, para além dessas incertezas, há manifestamente um jogo consciente sobre a passagem de uma língua a outra e, antes de mais nada, sobre os "russismos" da versão alemã. Boa parte das repetições de palavras, quase sempre surpreendentes, vem daí, em particular devido à ausência do advérbio pronominal. O mesmo se pode dizer do freqüente retorno da palavra "alma", cujo sentido é muito mais fraco em russo, onde pode equivaler simplesmente a "pessoa" ou "eu"... Que esses deslocamentos de acentos por transposição de língua sejam absolutamente intencionais, prova-nos a utilização copiosa, e que não pode resultar dos dados históricos, das palavras de origem latina. Tais palavras existem em alemão, como se sabe, sobretudo para designar entidades abstratas, mas Kandinsky estende essas transposições. "Atmosphäre" e não "Stimmung" para descrever o que mais tarde, sob o signo do Espírito, tornará os homens "capazes de sentir o espírito das coisas" (p. 103) — só se pode traduzir por "atmosfera", mas é evidente que o jogo da transposição reforça o sentido da palavra em relação a uma ou a outra língua.

---

98. Partilhamos, a este respeito, as opiniões e os escrúpulos de Suzanne e Jean Leppien, recentes tradutores de *Ponto — linha — plano* (W. Kandinsky, *Écrits complets*, tomo II, Paris, 1970, pp. 45-46).

99. *Olhar*, p. 71.

O mesmo ocorre com as palavras utilizadas em alemão, mas cujos prefixos ou sufixos são modificados por Kandinsky: "Präsizität" e não "Präzision" (p. 102), "Qualifiezierung" e não "Qualifikation" (*ibid.*)... O procedimento é ainda mais claro quando ele utiliza duas expressões que correspondem termo a termo, mas são igualmente inusuais em ambas as línguas: o crepúsculo "Vorabendstunde", como "predvetchernii tchas" na versão russa, e não "Dämmerstunde" ou "Dämmerung" — mas por se tratar da força das horas crepusculares e de um momento intenso, excepcional (p. 78). A subversão do discurso tradicional equivale, pois, em nível da língua, a proceder a deslocamentos "discordantes" que lhe renovam o valor expressivo. Encontrar-se-iam inúmeros exemplos disso, que não podemos desenvolver aqui, em nível das figuras: sintagmas paralelos, assíndetos, polissíndetos, anáforas, silepses... ou ainda nos numerosos recursos tipográficos que Kandinsky utiliza para "modular" seu texto (e que, naturalmente, respeitamos): aspas, travessões, parênteses, palavras sublinhadas, sinais aritméticos.

Não se pode deixar de comparar novamente esse trabalho sobre a língua do texto ao das *Composições* pintadas: é a mesma "desconstrução" do modo de representação tradicional, desconstrução que decorre aqui da simples busca expressiva, mas que assume objetivamente um valor revolucionário. Assim como o mascaramento progressivo do objeto deveria ser posto em paralelo com a explosão do objeto cubista (ao qual Kandinsky é aparentemente estranho mas presta justamente homenagem no fim do terceiro capítulo de *Do espiritual*[100]), também se deveria fazer a aproximação entre esse trabalho do texto e as pesquisas dos russos em torno da noção de "sdvig" e de alogismo, em particular, da qual Malevitch elaborará a versão pintada no ano de 1914[101]. Não é por acaso que quatro poemas de Kandinsky aparecem em 1913 ao lado dos textos de Krutchonykh e Khlebnikov[102]. Apesar das denegações de seu autor, eles funcionam efetivamente como máquinas de guerra contra a ordem social, e disso os russos da Rússia, em primeiro lugar os escritores, estão perfeitamente conscientes: no nível do sentido, e exatamente do "alogismo", eles realizam o mesmo trabalho que as *Composições* em relação à visão dita "natural" e *Olhar* em relação ao tempo e à história, ao relato e à língua.

---

100. E do qual não o separa, como veremos, senão aquilo que separa a metáfora da metonímia. *Do espiritual*, reed., 1971, p. 70. Kandinsky mostra-se mais reservado no fim do capítulo VI (*ibid.*, pp. 143-144), mas isso porque no primeiro caso se trata de Picasso, e no segundo de Le Fauconnier.

101. Cf. o catálogo citado na nota 77 e o artigo citado na nota 54. Para a noção de "sdvig" em literatura, ver o livro de Markov, *op. cit.*

102. Ver acima, p. 21 e notas 65 e 66.

Metáfora

No centro de *Olhar* uma frase sinuosa, complexa, excessiva parece cristalizar em si toda a riqueza das variações estilísticas da obra. Seu próprio assunto, a cor, seu valor de experiência vivida (Erlebnis) ligado às lembranças da infância, reforçam esse alcance exemplar, simbólico (p. 91). Tudo vem de uma caixa de pintura e da descoberta das cores saindo do tubo:

"Uma pressão do dedo e

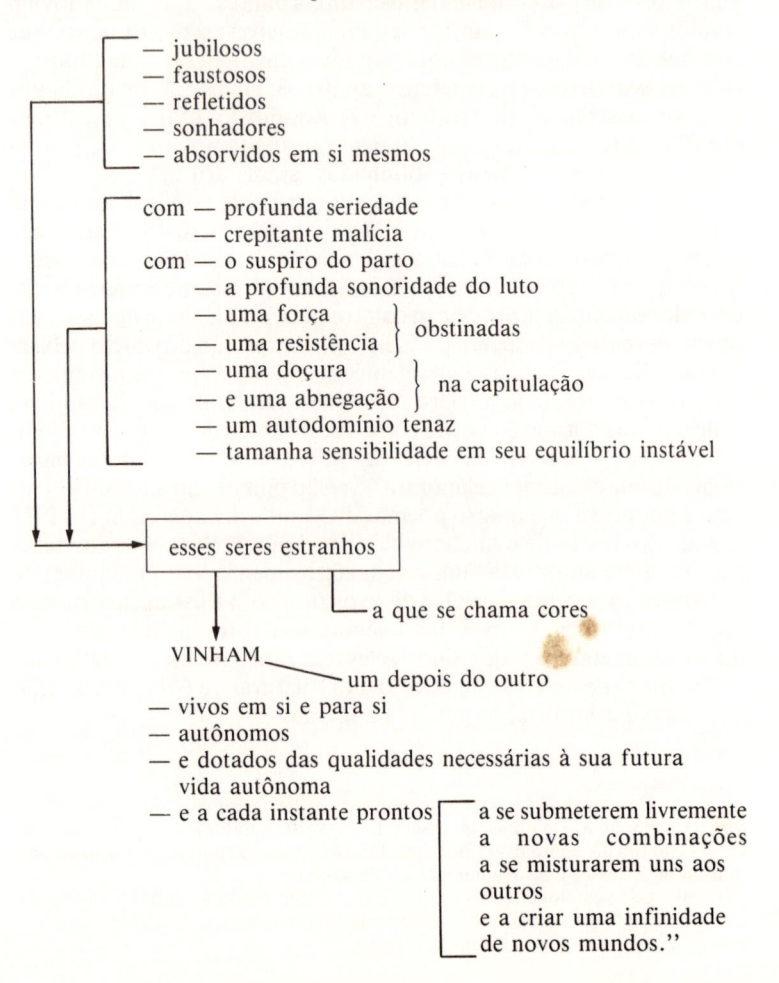

— jubilosos
— faustosos
— refletidos
— sonhadores
— absorvidos em si mesmos

com — profunda seriedade
— crepitante malícia
com — o suspiro do parto
— a profunda sonoridade do luto
— uma força ⎫
— uma resistência ⎬ obstinadas
— uma doçura ⎫
— e uma abnegação ⎬ na capitulação
— um autodomínio tenaz
— tamanha sensibilidade em seu equilíbrio instável

esses seres estranhos

a que se chama cores

VINHAM um depois do outro

— vivos em si e para si
— autônomos
— e dotados das qualidades necessárias à sua futura vida autônoma
— e a cada instante prontos
  a se submeterem livremente
  a novas combinações
  a se misturarem uns aos outros
  e a criar uma infinidade de novos mundos."

Descrição metafórica, pois, com forte condensação temporal. As qualidades das cores, "esses seres estranhos", são evocadas em primeiro lugar pelos adjetivos colocados no mesmo plano: *jubilosos* e *faustosos* por um lado, *refletidos, sonhadores, absorvidos em si mesmos* por outro, dois modos de ser aparentemente antinômicos: a exterioridade, a pompa, o brilho se opõem à interioridade e à reserva. Mas os contrastes se encontram "im Innern", no mais profundo (o que Proust chama de *verdadeira realidade*), e da fagulha que brota ao contato deles nasce a realidade profunda (Wirklichkeit) do ser descrito — este o alcance da metáfora. Nessa frase, as cores tornam-se seres autônomos (metafóricos) que trazem em si todas as emoções do pintor diante da caixa de cores. Estas se convertem no símbolo de todo o universo pictórico de Kandinsky. A metáfora abre portanto uma terceira dimensão: o quadro-a-criar, superfície plana a cobrir de cores (e de signos) que já tem uma existência em si. Ela nos revela o mundo interior do artista no momento em que ele vai criar e nos oferece assim o correspondente afetivo de uma realidade objetiva. Em suma, ela nos fornece um plano de fundo de Erlebnis no qual se destaca a obra futura de Kandinsky: espécie de combate entre o pintor e as cores, que têm sua vida autônoma e suas exigências.

Se percorrermos rapidamente a seqüência da frase, veremos suceder a esses cinco qualificativos aparentemente antinômicos uma série de complementos em assíndeto, freqüentemente antitéticos, mas dispostos aos pares, o que de certo modo multiplica o número das metáforas (maior força de sugestão dos elementos antitéticos aproximados). Com bastante sutileza eles encontram sua síntese no último sintagma: "seu equilíbrio instável".

Só então, após a impregnação das sonoridades e dos sentimentos, é que vem o elemento que os suporta: "esses seres estranhos a que se chama cores", onde a metáfora é invertida para sublinhar os estreitos limites da *designação* da linguagem.

Um verbo fosco nada diz: "vinham". O que conta é apenas a existência deles, sua existência (vinda) no mundo.

Uma nova "convergência estilística" mais diversificada que a precedente (silepses em vez de sintagmas paralelos ou polissíndetos) abarca numa única estrutura gramatical noções muito diferentes e confere-lhes uma espécie de dimensão temporal.

Finalmente um polissíndeto, semelhante ao "buquê" dos fogos de artifício (comparação utilizada por Kandinsky a propósito da evolução da arte, pp. 99-100), abre todas as perspectivas sobre o futuro das cores, suas metamorfoses na tela, por intermédio do artista (mas sem que este seja designado).

Essa frase, por conseguinte, é construída a partir de metáforas que se poderiam denominar "tonalidades" afetivas, para empregar uma palavra cara a Kandinsky, as quais reúnem termos por vezes contraditórios ou cuja aproximação parece quase sempre "imprópria". As três construções paralelas e ascendentes reproduzem, pelo espaço que encerram em seus limites, o tempo vivido e a diversidade das emoções que o cadenciaram. Ou seja, é difícil, aqui, não pensar mais precisamente em Proust[103].

Esse encontro é pouco surpreendente, se pensarmos na importância do papel desempenhado em ambos pelo eu interior, intuitivo. Estilo todo afetivo, expressão de um mundo sensorial extremamente rico onde todos os sentidos concorrem para desfrutar o real sensível recriando-o pela arte; um é pintor, outro escritor, mas o escritor se faz pintor para recriar o real e o pintor se faz escritor para exprimir suas impressões pictóricas diante dessa mesma realidade: impressões do "eu profundo" (o termo é de Proust e corresponde exatamente à noção de "Im Innern erlebt" de Kandinsky) materializadas na tela. Para evocar a realidade, segundo Proust, é necessária uma linguagem imprópria que envolva as diversas noções de um halo impressionista, correspondente ao fluxo incessante dos

---

103. Eis, a título de comparação, uma frase tirada de *À l'ombre des jeunes filles en fleur* (Pléiade, p. 670): "... doce instante matinal que se abria como uma sinfonia pelo diálogo ritmado de minhas três batidas
        a que *a parede*
— penetrada de ternura e de alegria
— tornada harmoniosa
        imaterial
— cantando como os anjos
        respondia com outras três *batidas*
— ardentemente esperadas
— duas vezes repetidas,
e em que sabia transportar a alma inteira de minha avó".

As relações com a frase de Kandinsky são evidentes: relações de estrutura, pois encontramos as mesmas construções paralelas, polissíndetos ou silepses, relação em nível da metáfora (a parede de repente ganha vida — como as cores — e torna-se um ser autônomo). Relação em nível estilo-tempo, pois o ritmo desta frase é o mesmo, lento, englobando em sua estrutura um tempo vivido intensíssimamente.

estados de alma. Em vez da "palavra que narra", é necessária a "palavra que impressiona"; a música da palavra adquire mais importância que o seu significado e relações estreitas se estabelecem entre significante e significado. Kandinsky, por sua vez, descobre diante da *Meda de feno* de Monet que "o objeto estava faltando" (p. 77). Finalmente, o estilo "impressionista" estabelece relações resultantes de uma visão inabitual das coisas na qual os objetos enquanto tais já não existem, paradoxalmente, a não ser por uma *significação* precisa e particularizada (em Kandinsky, ressonâncias da "hora" de Moscou, que é e não é uma "hora" de Monet, pp. 73 e 78).

É através de Elstir que Proust vai descobrir um denominador comum à literatura e à pintura: "O estilo não é em absoluto um embelezamento, como algumas pessoas acreditam, não é sequer uma questão de técnica; é, *como a cor nos pintores, uma qualidade de visão*, a revelação de um universo particular que cada um de nós vê e que os outros não vêem." Estilo e pintura são para Kandinsky também uma "qualidade de visão". Quando ele penetra na isbá dos camponeses (no governo de Vologda), há um deslumbramento, pois ele penetra no quadro: "[essas casas mágicas] me ensinaram a mover-me no próprio âmago do quadro, a viver no quadro... Quando, enfim, entrei no aposento, senti-me cercado de todos os lados pela pintura na qual, portanto, penetrara". Essa "penetração no quadro" nada mais é que uma nova visão da realidade "isbá" que a metamorfoseia (p. 86). É, pois, efetivamente a qualidade da visão da realidade que permite pintar e, ao mesmo tempo, escrever. Só um certo estado de alma faculta essa qualidade de visão. Mas Kandinsky vai ainda mais longe; a própria *Composição VI* torna-se por sua vez um estado de alma: "As formas castanho-escuras, de grande profundidade (em particular em cima, à esquerda), trazem uma nota ensurdecida, de ressonância bastante abstrata, que evoca o elemento de desesperança. O verde e o amarelo vivificam *esse estado de alma* e conferem-lhe a animação que lhe faltava" (p. 111).

Estamos em plena metáfora, e é justamente a metáfora que nos vai fornecer a chave do que Proust entende exatamente por "qualidade de visão": "O que chamamos realidade", escreve ele em *Le temps retrouvé* (Pléiade, pp. 889-890), "é uma determinada relação entre essas sensações e essas lembranças que nos cercam simultaneamente... relação única que o escritor deve encontrar para encadear para sempre em sua frase os dois termos diferentes. Pode-se fazer suceder indefinidamente numa descrição os objetos que figuram num

lugar descrito, *a verdade só começará no momento em que o escritor tomar dois objetos diferentes, estabelecer sua relação, análoga no mundo da arte àquela que é a relação única da lei causal no mundo da ciência, e encerrá-los nos elos necessários de um bom estilo*; mesmo quando, assim como a vida, ao aproximar uma qualidade comum a duas sensações, *ele isolar sua essência comum reunindo-as ambas para subtraí-las às contingências do tempo, numa metáfora* [...] A relação pode ser pouco interessante, os objetos medíocres, o estilo ruim, mas, enquanto não houver isso, não haverá nada."
Eis restituído à metáfora seu verdadeiro lugar: só ela subtrai às contingências do tempo (neste sentido a pintura de Rembrandt é muito metafórica, já que revela a Kandinsky o papel do tempo na pintura [p. 81]). Só ela permite recriar a realidade interiormente vivida. Ela está na origem de toda criação artística. Daí a importância da metáfora no estilo de Kandinsky (tão metafórico quanto o de Proust). Se o sistema edificado por Proust lhe permite edificar sua "catedral", isto é, *La recherche du temps perdu*, também o estilo de Kandinsky é uma tomada de consciência do papel da metáfora não só em literatura como em pintura. Ele escreve espontaneamente, com efeito, num estilo metafórico, mas, ao escrever, toma consciência das possibilidades pictóricas da metáfora, ou, melhor ainda, de sua necessidade, do caráter essencialmente metafórico da pintura "pura" ou "absoluta". Como em literatura a metáfora já não designa o objeto, mas o substitui, graças a uma relação entre dois elementos aparentemente estranhos um ao outro, sua realidade "interior", assim o objeto vai desaparecer da pintura de Kandinsky e a mesma realidade interior vai substituí-lo. É a transcrição narrativa no texto literário, o de *Olhar* em particular, que permite o pleno desabrochar de uma pintura puramente metafórica.

Nesse trajeto, a etapa do quadro colocado com o lado para baixo foi decisiva; a da gênese da *Composição VI*, através de seu comentário, assinalará sua conclusão lógica:

"O ponto de partida foi o dilúvio. O ponto de partida foi uma pintura sobre vidro..." (p. 108). Essa chocante repetição "expressiva" é aqui capital. A segunda frase parece, à primeira vista, anular o efeito da primeira. Em verdade, é a justaposição desse duplo ponto de partida e de seus predicados antinômicos que vai fazer tomar consciência da contradição existente entre um *tema*, por essência narrativo (da ordem da metonímia) — o dilúvio —, e sua expressão "puramente" pictórica, que não pode ser senão metafórica: pintura sobre vidro. Do paralelismo original, condição da tomada de consciência de uma possível *substituição* (metáfora estilística), nasce a descoberta da necessidade de uma expressão pictórica puramente metafórica: "O tema que inspirou o quadro (dilúvio) se dissolve e se metamorfoseia numa essência interior puramente pictórica, autônoma e objetiva" (p. 115). É o próprio trabalho do texto que conduz à subversão das práticas das quais o estilo, antes, não passava de efeito: "Eu fracassava ante a expressão do próprio dilúvio, em vez de obedecer à expressão da *palavra* 'dilúvio' " (p. 109). O cataclismo liberador da metáfora (dilúvio, tema de predileção de Kandinsky) conduz ao advento da verdadeira criação. Tal é o sentido do final do comentário de *Composição VI* (maio de 1913): "Uma grande destruição, de efeito objetivo, também é um canto de louvor que vive plenamente no isolamento da sonoridade, como um hino à nova criação que sucede à destruição" (p. 111).

Significa isso que após 1913, e com exceção dos momentos de crise (excluídos do "catálogo"), toda a pintura de Kandinsky se torna metafórica? É possível, se por tal se entende, em termos kandinskianos, a supressão do objeto representado, o estabelecimento de uma relação de linhas, formas e cores que não é "abstrata", mas é tal que o quadro seja uma "paisagem interior" e o "ser das coisas" apareça nele sob uma forma puramente pictórica. A metáfora pictórica procede por alusões, depois por substituições. Assim, dois motivos do *Quadro com orla branca*, a tróica de um lado, os dentilhões brancos de outro, guardam entre si uma relação tal que dela resulta "a sensação de um obstáculo" (p. 112). Ora, é tão grande a distância entre a narração desse sentimento, antimetaforicamente denominado, e esse sentimento tal como o próprio Kandinsky o experimenta, quanto entre a "tonalidade" do verão, evocada metaforicamente por uma cor verde, e a lembrança de tal qualidade "prática", situável portanto na ordem da narração, desse mesmo verão (no qual não se corre o risco de se resfriar) (*ibid.*). Denominar é destruir, evocar metaforicamente é conferir ao objeto seu real valor.

Nascida de uma iluminação (gênese não-narrativa), a orla é a relação última e sintética que torna o quadro "maduro" e definitivo ao ligar seus diferentes centros, até então autônomos; ela confere à orla seu valor definitivamente metafórico, daí o *título*.

Se, como sugere muito persuasivamente Roman Jakobson, os cubistas são por excelência os pintores da metonímia, Kandinsky é, então, por excelência o da metáfora. Assim, segundo os dois eixos da linguagem, se explicaria, se justificaria, enfim, a coexistência de dois movimentos tão decisivos e aparentemente tão estranhos um ao outro[104].

---

104. R. Jakobson, *Deux aspects du langage et deux types d'aphasie*, 1958, em *Essais de linguistique générale*, trad. fr., Paris, 1963, p. 63. A observação seguinte de Jakobson sobre o fato de os pintores surrealistas terem reagido ao cubismo "por uma concepção visivelmente metafórica" poderia servir para uma nova abordagem do artigo de André Breton sobre Kandinsky (1938, reproduzido em *Le surréalisme et la peinture*, reed. 1965, Paris, p. 286) e, de maneira mais geral, para o estudo da sucessão simbolismo/abstração/surrealismo.

Sociedade

Em nível de seu verdadeiro "conteúdo", no sentido que Panofsky atribui ao termo, a obra não funciona apenas em relação ao seu autor, aqui por sua tecedura metafórica, mas como "objeto" de civilização. A colocação insistente de elementos de "teoria" (ver a repetição do mesmo pequeno número de motivos numa série de artigos) procura lutar contra o peso das determinações históricas; na encenação da escrita se dissimulam e se libertam ao mesmo tempo as resistências do inconsciente; mas só o funcionamento do texto na sociedade explica os conflitos aparentes entre a ideologia e a prática.

O que se nos oferece hoje quase sempre como problemático, em textos atualmente tão numerosos e prolixos que chegam às vezes a substituir a obra, é a questão de saber se Kandinsky é o primeiro (o "pai"!), ou se ele é o "maior" nesse reino em grande parte mítico que se denomina "abstração". O que se "prova" amiúde, pelo menos no caso do segundo ponto, pela paráfrase mais ou menos lírica dos escritos ou dos quadros, na qual a repetição encantatória das palavras "obras-primas" e "gênio" faz as vezes de demonstração. Mesmo sem considerar o que esse procedimento tem obviamente de irrisório (e, mais insidiosamente, de terrorista e totalitário), ele nos parece ir de encontro a qualquer verdadeira compreensão desse funcionamento. Quando se substitui o estudo de relações dialéticas por uma verdadeira teologia da obra de arte, esta acaba se tornando, mais uma vez, apenas uma paráfrase daquele que se converte em seu modelo, em vez de ser o objeto de sua análise.

IDEOLOGIA

O "pensamento" de Kandinsky repousa, com efeito, numa ideologia que não se acompanha de nuanças e que tem pelo menos o mérito de avançar de rosto descoberto, sobretudo em *Olhar* (vimos por que razões históricas). "A arte é sob muitos aspectos semelhante à religião" (p. 99). Ela assenta numa mística orgânica e vitalista colocada muito explicitamente, em toda a última parte de *Olhar*, sob o signo de Cristo. Sua argumentação última é "o que eu creio". É ela que serve de fundamento a todo um sistema moral, e mesmo moralizador, no qual todos os aspectos "exteriores" das leis (as que reprimem os estudantes, as que são impostas aos camponeses) só devem ceder ao rigor igualmente grande do "julgamento moral", da lei interior: a luta, que é real e enérgica, contra a tradição, os "precedentes" (p. 75), que o próprio Kandinsky enfrentou, só chega a bom termo na conformidade a uma tradição superior[105]. É significativo que nos pontos estratégicos do livro (pp. 80 e 104-105) Kandinsky multiplique as homenagens a seu pai, *contra o qual ele nunca se revoltou. Em 1918, em meio à tormenta revolucionária*, um dos acréscimos mais significativos diz respeito a esse ponto — o recurso ao pai, que se faz *sob o signo da pintura*: "Apreciava muito a pintura... não condenava o que não compreendia, mas esforçava-se por compreender..." (p. 105). Não se pode demonstrar melhor a importância (teoricamente evidente) desse fator pessoal na constituição de uma ideologia que é fundamentalmente a da Ordem, a negação de qualquer movimento dialético, de qualquer movimento que não se efetue no mesmo lugar, portanto para cima. Daí essa mística ascensional da "terceira revelação", cujas "fontes" de influência procurou, com uma paciência digna de todos os elogios[106], enumerar, em primeiro lugar, claro, a teosofia de Rudolf Steiner, quando é evidente que entre os milhares de leitores e ouvintes de Steiner houve apenas um Kandinsky e que sua adesão, incontestável, a essas idéias "exteriores" só se pode explicar, *a princípio*, por sua própria "necessidade interior"![107]

Uma das conseqüências mais importantes dessa mística no plano da ideologia é a violenta negação da história à qual ela conduz

---

105. Esse "rigor moral" conduzirá a episódios bastante desagradáveis no momento da Bauhaus: demissão do diretor Hannes Meyer, comunista, em 1930 (cf. os estudos de H. M. Wingler sobre a Bauhaus), polêmica e desavença passageira com Schönberg em 1923 sobre a questão do judaísmo (cf. Arnold Schönberg, *Ausgewählte Briefe*, Mogúncia, 1958, trad. ingl., Londres, 1964, cartas de 20 de abril e 4 de março de 1923).

106. Ver, em último lugar, S. Ringbom, *Art in the Epoch of the Great Spiritual, Occult Elements in the Early Theory of Abstract Painting*, em *Journal of the Warburg and Courtauld Institute*, t. 54, 1966, pp. 386-418. Cf. também nota 97.

107. Com isso, evidentemente, não queremos dizer que não tenha havido senão um "pintor de gênio" no auditório de Steiner, mas sim que, entre as séries causais que levam à produção das imagens assinadas com o nome de Kandinsky, a "teoria" teosófica só pode ocupar o modesto lugar de uma manifestação *secundária*.

(e já vimos suas conseqüências no plano histórico): "Não me foi fácil renunciar ao meu ponto de vista habitual sobre a importância predominante do estilo, da época, da teoria formal, e reconhecer, pela alma, que a qualidade de uma obra de arte não depende de sua capacidade de exprimir o espírito formal da época, nem de sua adequação ao ensino sobre a forma que se considera infalível numa determinada época, mas que depende absolutamente da força do desejo interior do artista, assim como da elevação das formas que ele escolheu e que lhe são justamente necessárias", escreve Kandinsky em *1918* (p. 93).

Isso não é, apesar das aparências, falar por falar (ou seja, efetivamente, sem ter nada para nos dizer), mas é negar o que, *em última análise*, se aprofundarmos suficientemente as coisas, constitui hoje o valor a nosso ver insubstituível das obras de 1913: o fato de elas serem superiormente de 1913, de *terem se tornado 1913*, de serem *o que o constitui* essencialmente a nosso ver, com a condição, claro, de que a leitura seja suficiente e não mero "divertimento". Mas isso é demonstrar ao mesmo tempo que essa negação era necessária, que ela se achava inscrita no próprio cerne do procedimento.

É fácil denunciar, se não as incoerências, as fraquezas de uma ideologia que repousa num "credo", na verdade uma cantilena bem antiga[108], e mostrar como se efetua a sua manipulação do progresso científico, por exemplo[109]. Mais útil nos parece enfatizar o que há também de inovador, de revolucionário no próprio âmago dessa negação da História objetivamente "conservadora", se não reacionária. A este respeito, uma nota de *Do espiritual* merece atenção[110]: "Van Gogh pergunta-se se não poderia pintar diretamente em branco um muro branco. Essa questão não apresenta dificuldade alguma para um não-naturalista [...], mas para um pintor impressionista naturalista ela surge como um audacioso atentado contra a natureza. A questão deve parecer a esse pintor tão revolucionária quanto pode

---

108. P. Francastel insistiu muito nesse ponto em *Art et technique au XIXe XXe siècle*, Paris, 1956, reed. 1964, pp. 194-206: *Le problème de l'Art abstrait, l'ineffable, wagnérisme et intuition*, mas para extrair daí, de maneira totalmente errônea a nosso ver, uma condenação da própria prática de Kandinsky.

109. Marcelin Pleynet esboçou um estudo crítico da ideologia em *Le Bauhaus et son enseignement*, 1969, reproduzido em *L'enseignement de la peinture*, Paris, 1971, pp. 127-144. Sobre esse ponto, ver também nosso artigo *"La matière disparaît": note sur l'idéalism de Kandinsky*, em *Documents III*, St-Étienne (a sair no começo de 1974).

110. No capítulo VI, ed. de 1954, p. 68. A reed. de 1971, p. 128, introduziu uma leitura errônea e absurda ("pintar em branco sobre uma parede branca").

parecer revolucionária e insensata a transformação das sombras castanho-escuras em sombras azuis..." Noutras palavras, a história, para Kandinsky, é a sucessão de certo número de "estruturas" no interior das quais funciona um modo de pensamento coerente, mas fechado. E a passagem de uma para outra só se pode fazer por mutações "revolucionárias" — é ele mesmo quem emprega o termo! Tal concepção, da qual se vêem os aspectos singularmente modernos, resulta na verdade da difícil conciliação de uma ideologia antidialética da história com uma prática que o é de fato, e se choca, como Kandinsky pôde constatar, com resistências "históricas" (crítica conservadora hostil às suas obras). Daí a idéia, subjacente a essa nota, da mutação por "corte".

Que vem a ser então *Olhar* no funcionamento dessa ideologia? É, *como seu título indica,* a atualização desse corte, construído sobre um episódio de iluminação, de "graça", o único motor aqui concebível da História: a "visão" da noite de Munique, colocada, como vimos, no centro do texto. Daí em diante, o que é antes é "o passado". A continuidade de uma prática, sua progressão dialética, é traduzida em termos de estrutura e de corte pela ideologia conservadora que vem, conscientemente, justificá-la, *mas que de fato não a constitui.* Temos aqui um processo exatamente semelhante àquele que, quinze anos mais tarde, fará Malevitch escrever uma deslumbrante história "estrutural" do cubismo quando ele próprio a tinha "vivido" dialeticamente[111].

TEORIA

Essa ideologia, cuja própria natureza exclui qualquer justificação racional, requer a aplicação de um sistema teórico que tem por função essencial proporcionar-lhe todas as garantias de "cientificidade". Não cabe aqui expor todos os seus elementos constituintes, por sinal que pouco numerosos, mas incansavelmente repetidos sob formas variadas. *Olhar* não foge à regra, mas a perspectiva essencialmente pessoal e subjetiva do texto lhe confere outra tonalidade. É o caso, em particular, daquilo que constitui o "núcleo" da teoria: a necessidade interior.

---

111. Cf. a coletânea citada na nota 76. Para Kandinsky, seria bom insistir também no sentido literal do título "*Rück*-blicke": olhar "para trás", mais significativo ainda que o título tradicionalmente utilizado em francês. A mudança de título da versão russa: "Etapas", *em 1918,* se explicaria da mesma forma.

Apresentada de maneira bastante dogmática e, por isso mesmo, pouco satisfatória, em *Do espiritual*, como o "princípio do contato eficaz da alma humana", a necessidade interior aparece em *Olhar* sob uma luz sensivelmente diversa. Muito menos como o enunciado de uma "teoria" do que como a descrição de uma "experiência vivida" (Erlebnis), o que não é evidentemente da mesma ordem: "Essas maturações interiores não se prestam à observação: são misteriosas e dependem de causas ocultas" (p. 88). Não nos resta senão constatar o "jogo enigmático das forças estranhas ao artista" (p. 91), "conhecemos apenas as qualidades de nosso 'talento', com seu inevitável elemento de inconsciente e com a cor *determinada* desse inconsciente" (p. 104)... Não se poderia ser mais moderado, mais prudentemente descritivo, menos ferozmente "romântico" e, ao contrário, mais resolutamente *moderno*. É como a ideologia a-histórica que podia dar à luz esboços "estruturais" espantosamente avançados: a ênfase dada, na teoria, aos valores da "alma" não provoca necessariamente a cegueira, que nos descrevem tantas vezes, quanto ao processo de produção da obra. Nos limites que ela se impôs, ele alcança, ao contrário, uma observação particularmente lúcida. A auto-observação não chega aqui, evidentemente, à auto-análise, o que sem dúvida não era desejável, mas faz-se suficientemente alusão ao "inconsciente" para indicar que é nesse sentido que se deve interpretar a barragem (barragem de retenção) teórica constituída pelo princípio — a palavra-tabu, intransponível — da "necessidade interior".

"Aprendi a bater-me com a tela, a conhecê-la como um ser resistente ao meu desejo (= meu sonho) e a submetê-la a esse desejo pela violência [...] como uma virgem pura e casta de olhar claro, de alegria celeste, essa tela pura que é ela própria tão *bela* quanto um quadro" (p. 92). Sob essa formulação pós-simbolista, onde se encontrará, então, um pintor bastante lúcido para esclarecer assim os móveis de *seu* processo criativo? Seguramente não nas vanguardas francesas, russas ou italianas: não é por ser menos "espiritualista", longe disso, que o dogmatismo de suas "teorias", quando estas se exprimem, é mais "científico" ou se acha simplesmente mais próximo de uma realidade qualquer; e não serão os enunciados dos comentaristas do cubismo sobre a "quarta dimensão", quase nesse mesmo momento, que desmentirão isso[112].

---

112. Cf., no domínio literário, a imagem, aliás não muito distante da de Kandinsky, que Rilke dá da "criação" nas *Cartas a um jovem poeta*: "Em verdade, a vida criadora está tão próxima da vida sexual, de seus sofrimentos, de suas volúpias, que nela devemos ver duas formas de uma única e mesma necessidade, de um único

Antes de ser formulado teoricamente por força de necessidades exteriores, o princípio da necessidade interior tem, portanto, a princípio, uma função prática: a de preservar a parte do inconsciente, que o artista não precisa forçosamente analisar quando reconhece sua existência, contra os assaltos exteriores, em particular contra as exigências de "justificação", tanto mais insistentes e agressivas quanto mais revolucionária sua prática se revela objetivamente.

PRÁTICA

É natural que sejamos finalmente trazidos a esta última. Ou, antes, deveria sê-lo, já que se pôde proceder a condenações sumárias à simples vista dos textos e sem levar em conta as obras[113]... Ora, uns e outros, e o caso de *Olhar* é sem dúvida a melhor demonstração disso, atuam numa relação dialética.

As linhas precedentes tentaram sugerir por diversas vezes como funciona o texto de *Olhar* em relação ao próprio Kandinsky. Nessa espantosa passagem do outro lado do espelho, ou, antes, do Outro Lado, para empregar o título do livro de seu amigo Kubin, que aliás ele cita em *Do espiritual*[114], esse texto tem com efeito um papel essencial para o qual gostaríamos de formular aqui uma hipótese. É, a nosso ver, investindo na escrita de *Olhar* o sentido do "texto" de seus quadros, carregados de intenções afetivas muito claramente significantes, que Kandinsky os liberta realmente do peso do objeto, que para ele nunca é o peso do objeto realmente visto, mas o de sua carga afetiva. É isso que explica a presença em *Olhar, após* sua aparição nos quadros anteriores, de todos os motivos ob-

---

e mesmo gozo" (carta de 23 de abril). O *Diário* de Klee, em seu próprio projeto, é a este respeito muito mais explícito que o texto de Kandinsky. Quanto às declarações posteriores dos pintores, a difusão dos escritos psicanalíticos contribuiu para torná-las cada vez mais precisas no tocante a esse ponto: cf., por ex., Louis Cane, *Le peintre sans modèle*, em *Peinture, cahiers théoriques* n.º 2/3, Paris, janeiro de 1972, pp. 98-103.

113. P. Francastel, texto citado na nota 108 (e todos os outros textos desse autor relativos a Kandinsky, por ex. *L'expérience figurative et le temps*, em *XX^esiècle*, n.º 5, junho de 1955, pp. 41-48, ou ainda os textos contidos em *Du cubisme à l'art abstrait*, de R. Delaunay, Paris, 1957).

114. Reed. 1971, p. 62, nota 1 (leia-se "o outro lado", e não "a outra face"). Cf. a excelente tradução de R. Valençay, Paris, 1964; e, sobre a admiração de Kandinsky por esse livro, e importância que teve para ele a carta de Kubin, de 14.6.19: "... nesse famoso livro você tem mil vezes razão. É quase uma visão do mal..." (Kubin-Archiv, Hamburgo).

sessivos que aí se descobrem e que podem ser facilmente enumerados: torres de Rothenburg, campanários, cavalos, tróica... *Olhar* é uma verdadeira "cura" de libertação, não do inconsciente, mas de certa forma de sua expressão figurada. É por isso que vem coroar e concluir por algum tempo a série das "Composições". Os poemas, paralelamente, executam a mesma função, de maneira mais explícita em nível do desenvolvimento linear do "sentido" imposto por um modo de pensamento que lhe é todo exterior.

E o próprio Kandinsky valorizou claramente o instante decisivo desse corte (corte consciente, ou tomada de consciência de um corte no desenrolar contínuo de um processo inconsciente)[115] quando, onze anos depois, ele pintou o quadro que traz o mesmo título, reduzido ao singular do corte que ele designa: *Rückblick* (Olhar sobre o passado)[116]. Por essa tela espantosa que retoma no novo estilo, mais geométrico, um quadro *de 1913* (*Kleine Freuden*, Pequenas alegrias[117]), Kandinsky designou em sua prática — a pintura — a importância essencial, para tal prática, da etapa de *Olhar*. Designando esse texto por seu título, a obra lhe restitui seu valor decisivo num procedimento pictórico: ela opera sua redução à sua função de "Composição" (e não de texto literário clássico) na qual, como para o dilúvio de *Composição VI*, o objeto, seu objeto (teoria da história e história de suas teorias: projeto ideológico), já não aparece senão na função *prática* da "passagem de 1913". Não é por acaso que, após a sétima, também de 1913, a composição seguinte, *Composição VIII*, data do momento dessa tomada de consciência, dez anos depois (1923).

O que contribuirá talvez para explicar por que, para grande mal dos "teóricos", daqueles que havia na URSS alguns anos mais tarde e como ainda hoje há, a prática de Kandinsky pode, *então*, ser realmente "revolucionária". Ela se apóia — ou, antes, é apoiada —, *a posteriori*, numa ideologia e em teorias que se pode objetivamente (em relação ao que Kandinsky adotou e depois afrontou durante seu período russo) qualificar de "reacionárias". Reencontramos aqui, ao cabo de uma análise puramente interna, os dados históricos do jogo Moscou/Munique tais quais eles foram expostos no início.

---

115. Motivo pelo qual, entre outras coisas, a questão da "primeira aquarela abstrata", a nosso ver, não tem muito sentido (cf. acima, p. 16).
116. Óleo sobre tela, 1924 (Grohmann, n? 268 a, p. 335, fig. 157, p. 362 e texto p. 195).
117. Óleo sobre tela, 1913, Museu Guggenheim, Nova York; os formatos são ligeiramente diferentes: 110 x 120 para este, 98 x 95 para o anterior (Grohmann, n? 174, p. 333, fig. p. 137).

Quando se enfatizam apenas os aspectos teóricos da obra de Kandinsky, não é certo que se lhe preste o melhor serviço[118]. O mesmo ocorre quando se consideram unicamente, e quase sempre para críticas justificadas, as posições ideológicas que lhe são subjacentes. Mas sua relação dialética — e este é um dos aspectos essenciais do "ano de 1913" — é a única capaz de fundar certa prática: é ela que se revela decisiva, fora de seu "autor" ou pretenso "pai", e que conta hoje aos nossos olhos, para quem sabe ver (é igualmente ela, nesta única perspectiva, que torna a leitura dos escritos tão intensa e apaixonante). É a relações deste mesmo tipo que se deve o melhor de Schönberg, Webern ou Mondrian. A propósito do segundo, Stravinsky (que aliás conservava de Kandinsky "a lembrança de um aristocrata, de um *homem refinado*"[119]) não deixava de notar, ironicamente, como a publicação de suas cartas, de um misticismo e religiosidade desvairados, poderia "decepcionar" seus mais calorosos partidários, os mesmos que em sua obra haviam encontrado razões para agir e ir mais longe, quando na verdade se apoiavam em princípios teóricos e numa ideologia por vezes opostos[120]. O valor de uns e de outro não se refere senão às condições *históricas* que os tornam necessários e os justificam — o que lhes funda a legitimidade é sua função na sociedade.

Nos últimos dez anos, dois eventos vieram recolocar em questão algumas das "leituras" tradicionais da obra de Kandinsky: o lugar doravante relativo ocupado, nas vanguardas contemporâneas, pela arte que se pode efetivamente continuar a descrever superficialmente como abstrata e, em segundo lugar, a redescoberta da pro-

---

118. A importante Conferência de Colônia (1914), aliás, indica claramente — uam vez transcorrido o tempo dos mais duros combates contra a tradição e *após Olhar* (do qual ela é, por outro lado, o complemento indispensável) — a parte relativa à teoria no próprio interior dos escritos, para não falar da sua subordinação total à prática: "Fazendo abstração de meus trabalhos teóricos, que até aqui deixam muito a desejar *no tocante à objetividade científica*, quero unicamente pintar bons quadros, necessários e vivos, que sejam sentidos com justeza ao menos por algumas pessoas" (o grifo é nosso).

119. *Entretien avec Robert Craft*, 1957, em *Avec Stravinsky*, Mônaco, 1968, p. 24.

120. *Souvenirs et commentaires*, 1960, trad. fr., Paris, 1963, pp. 128-130, que se poderia citar a propósito de Kandinsky: "A música é para ele um mistério, um mistério que ele não tenta explicar. Ao mesmo tempo, não há outra significação para ele a não ser a música [...] Ele nunca vai mais longe em suas explicações [...] Não utiliza nenhuma palavra do jargão técnico, nunca recorre à estética [...] não se considera em absoluto um compositor revolucionário [...] Esse Webern causará embaraços aos 'webernistas'. Eles corarão ante a 'ingenuidade' e o 'provincianismo' do mestre. Cobrir-lhe-ão a nudez e desviarão o olhar..."

dução das vanguardas russas, depois soviéticas, com as quais Kandinsky se confrontou diretamente por volta de 1917.

Apesar das aparências, os dois fatos não são dissociáveis. A vanguarda russa demonstrou claramente, por sua prática, que a passagem para a "abstração" — termo que, lá, foi tão explícita e tão legitimamente suspeitado quanto por Kandinsky — estava estreita e inegavelmente ligada a cada instante ao processo de desconstrução e, em seguida, de mutação de uma sociedade. O exemplo de Gabo, Malevitch e Tátlin demonstra com clareza o que por vezes se afirmou com audácia, mas sem prova decisiva, em relação a Kandinsky[121]: a tomada de posição com respeito à figuração do real não é, não pode ser outra coisa senão uma tomada de posição em relação ao próprio real, isto é, em última análise, em relação a certo estado da sociedade humana. Nenhuma outra coisa aproxima ou separa o "abstrakt" de Kandinsky do "gegenstandlose" de Malevitch[122].

Quando se sabe ler *Olhar*, e foi o que de nossa parte tentamos fazer, uma certeza subsiste: Kandinsky permanece.

Jean-Paul Bouillon

Expressamos nossos melhores agradecimentos à Sra. Nina Kandinsky, que gentilmente nos comunicou o texto da versão russa de *Olhar*. Sem ela esta edição não teria sido possível.

Agradecemos também ao nosso amigo Jean Saussay, encarregado de cursos na Escola de Línguas Orientais e assistente na Universidade de Paris-Vincennes, que traduziu para nós esse texto russo.

---

121. Meyer Shapiro, *Nature of Abstract Art*, em *The Marxist Quarterly*, vol. I, janeiro-fevereiro de 1937, p. 92. Nessa linha de pesquisa, ver também Herbert Read, *Social Significance of Abstract Art*, em *Quadrum*, n? 9, 1960, p. 67, e Donald B. Kuspit, *Utopian Protest in Early Abstract Art*, em *Art Journal*, tomo 29, 1969-1970, pp. 430-436, que de resto não cumprem senão parcialmente suas promessas.

122. Cf. nota 25.

Biografia

NB: as indicações relativas ao período 1912-1922 foram mais desenvolvidas.

1866 Nascimento em Moscou a 4 de dezembro (22 de novembro pelo antigo calendário). Seu pai nasceu na Sibéria Oriental; sua mãe, Lídia Tikheeva, é moscovita.
1869 Viagem à Itália com seus pais: Veneza, Roma, Florença.
1871 Sua família instala-se em Odessa. É criado pela irmã mais velha de sua mãe: Elisabete Tikheeva.
1874 Primeiras lições de música: piano e, mais tarde, violoncelo.
1876 Estudos no liceu. Durante as férias, viagens ao Cáucaso, à Criméia; a partir de 1879 passa os verões em Moscou.
1886 Começa seus estudos de direito e economia política na Universidade de Moscou.
1889 Viagem de estudo à Rússia do Norte no governo de Vologda: redação e publicação de um relatório.
Descoberta de Rembrandt no Museu do Ermitage em São Petersburgo.
Viagem a Paris e visita à Exposição Universal.
1892 Exames de direito.
Casa-se com sua prima Ania Tchimiakin.
Segunda viagem a Paris.
1893 Concurso para professor de direito; nomeação como encarregado de cursos na Faculdade de Direito de Moscou.
1895 Visita uma exposição de impressionistas franceses em Moscou: descobre as possibilidades insuspeitas da pintura diante de uma *Meda de feno* de Monet.
Torna-se diretor artístico da Tipografia Kuchverev em Moscou.
1896 Recusa um cargo de ensino na Universidade de Dorpat (Estônia) e vai estudar pintura em Munique, onde chega no fim do ano.
1897 Inscreve-se na escola de Anton Azbé, freqüentando-a durante dois anos. Aí, trava conhecimento com seus compatriotas Marianne Werefkin e Alexis Jawlenski.
1899 Estuda desenho sozinho.
1900 Entra na classe de Franz von Stuck na Academia de Munique. Primeiros quadros. *Retrato de Maria Kruchtchov.*

1901 Fundação do grupo *Phalanx*, onde expõe.
1902 Torna-se presidente do grupo *Phalanx*: abertura de uma escola de pintura, organização de exposições (Monet em 1903).
Conhece Gabriele Münter.
Expõe no *Phalanx* e na *Secessão* de Berlim.
Velha cidade. Primeiras xilogravuras.
1903 Fechamento da escola de pintura.
Viagens a Veneza (setembro), Odessa, Moscou (outubro-novembro).
Expõe em Berlim (*Secessão*), Munique (*Phalanx*), Wiesbaden, Krefeld, Odessa, São Petersburgo.
O Cavaleiro Azul.
1904 Dissolução do grupo *Phalanx*.
Viagens à Holanda, a Odessa e depois a Túnis (de dezembro a abril de 1905).
Expõe em Munique (*Phalanx*), Dresden, Berlim (*Secessão*), Hamburgo, Varsóvia, Cracóvia, Moscou, São Petersburgo, Odessa, Roma e Paris (*Salão de Outono*).
Aquarelas. *Poesias sem palavras*, álbum de doze xilogravuras, editora Stroganov, Moscou.
1905 Verão em Dresden, outono em Odessa, inverno em Rapallo (até o fim de abril de 1906).
Expõe em Roma, Paris (*Salão de Outono*), Viena (*Secessão*), Moscou, Berlim (*Künstlerbund*), Düsseldorf, Colônia, Dresden, Hamburgo.
A chegada dos mercadores. *Casal a cavalo* (têmpera).
1906 Estada em Paris, depois em Sèvres (de junho a junho de 1907?)
Expõe em Berlim (*Secessão*), Weimar (*Künstlerbund*), Odessa, Praga, Paris (*Salão de Outono*).
Xilographies, álbum de xilogravuras, editora Tendances Nouvelles, Paris, que publica igualmente xilogravuras em sua revista. *Tróica*.
1907 Viagem à Suíça (agosto). Estada em Berlim (de setembro a abril de 1908).
Expõe em Dresden (*Die Brücke*), Roma, Paris (*Salão de Outono* e *Salão dos Independentes*), Odessa, Berlim (*Secessão*).
Vida variegada.
1908 Regresso a Munique, por 6 anos (Ainmillerstrasse, 36).
Viagem ao Tirol do Sul. Primeira estada em Murnau. Relações assíduas com Jawlensky e Marianne Werefkin.
Expõe em Berlim (*Secessão*) e Paris (*Salão de Outono*, *Independentes*).
Sonoridade branca.
1909 Compra de uma casa em Murnau.
Fundação da *Neue Künstlervereinigung* ou N. K. V. de Munique (Nova Associação de Artistas), da qual é presidente: primeira exposição em dezembro.
Expõe em Munique (*N. K. V.*), Paris (*Independentes*, *Salão de Outono*), Londres, Odessa (*Salão* de Vladimir Izdebski).

Paisagem com torre. Cemitério árabe. Primeiras *Improvisações* n:" 1 a 4).
Escreve *Sonoridade amarela, Ressonância verde* e *Preto e branco.*
1910 Conhece Franz Marc.
Segunda exposição da *N. K. V.* (prefácio de Kandinsky).
Viagens a Moscou, São Petersburgo, Odessa.
Expõe em Colônia (*Sonderbund*), Darmstadt (*Künstlerbund*), Munique (*N. K. V.*), Paris (*Salão de Outono*), Moscou (*Valete de Ouros*), Londres, Odessa (2º *Salão* de V. Izdebski).
Primeiras *Composições* (I, II, III), *Improvisações* 4 a 14.
Redige *Do espiritual na arte.* Publica *O conteúdo e a forma* (catálogo de Odessa) e *Cinco cartas de Munique* na revista russa *Apolo* (de outubro de 1909 a outubro de 1910).
1911 Divorcia-se de Ania Tchimiakin.
Junta-se a Paul Klee, August Macke, Schönberg.
Demite-se da *N. K. V.* em conseqüência da recusa de sua *Composição V* (outono) e funda, com Franz Marc, o grupo do *Cavaleiro Azul (Der Blaue Reiter)*: primeira exposição em Munique, de dezembro a janeiro de 1912.
Expõe em Berlim (*Nova Secessão*), Paris (*Independentes*), Munique (*Cavaleiro Azul*).
Lírica. Impressão (I a IV). *Composição IV* (fevereiro) e *V* (outono).
Participa da coletânea coletiva *Em luta pela arte*, editada por Piper em resposta aos protestos dos meios artísticos conservadores.
Leitura de trechos de *Do espiritual na arte* no Congresso Pan-Russo de Artistas, em Petersburgo (dezembro, publicação em janeiro de 1912).
1912 *janeiro*: difusão da primeira edição de *Do espiritual na arte.*
fevereiro: segunda exposição do *Cavaleiro Azul* em Munique (Galeria Goltz).
Comunicação à Conferência do *Valete de Ouros* em Moscou (dia 12).
março: a primeira exposição do *Cavaleiro Azul* é apresentada em Berlim (*Der Sturm*).
abril: segunda edição de *Do espiritual*, publicação de um trecho do livro na revista *Der Sturm* (n.º 106).
maio: publicação do Almanaque do *Cavaleiro Azul* por Piper em Munique (contém entre outros *Da composição cênica, Sonoridade amarela* e *Sobre a questão da forma*).
outono: terceira edição de *Do espiritual.*
outubro: publica *Da compreensão da arte* em *Der Sturm* (n.º 129), onde aparecem igualmente alguns desenhos e artigos sobre sua obra.
Primeira grande exposição pessoal, em Berlim (*Der Sturm*) e depois em Munique (Galeria Goltz), com prefácios de Kandinsky.
outubro-dezembro: viagem a Odessa e a Moscou (onde permanece de 27 de outubro a 13 de dezembro).
dezembro: publicação de quatro poemas na coletânea *Uma bofetada no gosto do público* (Moscou).

No curso do ano expôs igualmente em Moscou (*Valete de Ouros*), Paris (*Independentes*), Colônia (*Sonderbund*), Zurique (*Moderner Bund*).
Improvisações (nºˢ 24 a 29). *Dilúvio I. Dama em Moscou. Com o arco negro.*

1913 *janeiro*: exposição na Galeria Bock em Hamburgo: violentos ataques num jornal local.
março: petição e cartas de apoio em favor de Kandinsky em *Der Sturm*.
maio: protesto contra a publicação de seus poemas em *Uma bofetada no gosto do público.*
julho: em Moscou.
setembro: regresso à Alemanha. *A pintura enquanto arte pura* em *Der Sturm* (n.º 178-179).
outubro: publicação de *Olhar sobre o passado* (Rückblicke) pelas edições *Der Sturm*, Berlim. Participa do primeiro Salão de Outono alemão (*Der Sturm*).
novembro: artigo de Franz Marc sobre Kandinsky em *Der Sturm* (n.º 186-187).
No decurso do ano expôs igualmente em Chicago, Nova York (*Armory Show*), Londres e Amsterdam.
Improvisações nºˢ 30 a 34). *Composições VI* (março) e *VII* (outubro). *Quadro com orla branca. Pequenas alegrias.*
Publicou igualmente *Sonoridades* (Klänge), 38 poemas e 55 gravuras na editora Piper, Munique.

1914 *janeiro*: redação da *Conferência* de Colônia (publicada apenas em 1957) e de um ensaio *Sobre a parede* (não publicado).
abril: partida de Munique (dia 3) para a Suíça: Rorschach, depois Goldbach às margens do lago de Constância (até novembro) e Zurique (novembro).
dezembro: volta à Rússia por Brindisi e pelos Bálcãs; Odessa (dia 12), Moscou (dia 21).
No decurso do ano expôs em Colônia (*Kreis für Kunst*), Munique, Odessa, Helsingfors (*Blaue Reiter*), Hanôver.
Improvisão 35. Quadro com orla azul. Fuga.
Tradução de *Do espiritual na arte* em inglês. Cartas a A. J. Eddy publicadas no livro deste *Cubists and Post-Impressionnists*, em Chicago.

1915 Estada em Moscou; em seguida parte para Estocolmo, onde permanece de dezembro a março de 1916.
Expõe em Moscou e Petrogrado.
Nenhum quadro.

1916 No fim do ano separa-se de Gabriele Münter. Retorna a Moscou, onde conhece Nina Andreievskaia.
Expõe em Estocolmo (Galeria Gummesson), Zurique (Galeria Dada), Oslo e Berlim (*Der Sturm*).

Quadro com duas manchas vermelhas. Quadro sobre fundo claro (ao todo oito quadros).
Aquarelas "ingênuas" vendidas em Estocolmo.
Publica dois artigos em sueco em Estocolmo, *Om Konstnären* (datado: fevereiro de 1916) e *Konsten utan ämne* (em *Konst* 5). Leitura no Cabaré Voltaire, em Zurique, de poemas tirados de *Klänge*.

1917 *11 de fevereiro*: casamento com Nina Andreievskaia. Viagem à Finlândia.
Expõe em Zurique (*Der Sturm*), Helsingfors, Petrogrado.
Sombra. Crepúsculo. Oval gris (ao todo nove quadros).

1918* *julho*: Membro do Departamento de Belas-Artes (IZO), do Comissariado para a Instrução Pública (Narkompros); faz parte do Bureau Internacional e do diretório da seção teatro e filme; editor do jornal *Iskusstvo*.
agosto: traduz seu artigo *Da composição cênica*, que aparece em *Iskusstvo* em 1919.
outono: eleito docente nos Ateliês de Arte Livre de Moscou (Vkhutemas).
No decurso do ano, exposição em Berlim (*Der Sturm*).
Nenhum quadro de novembro de 1917 a julho de 1919.
Traduz e publica *Olhar sobre o passado* sob o título *Etapas* pelas edições do Narkompros.

1919 Membro do comitê de redação da Enciclopédia de Belas-Artes: redige os artigos *Do Ponto, Da Linha* (publicados em *Iskusstvo* em fevereiro).
Trabalha na fundação do Museu de Cultura Pictórica de Moscou e na organização dos museus de província (artigo sobre o Museu no boletim do IZO, n.º 2).
Publica a versão russa de *Da composição cênica* (*Iskusstvo*, n.º 1, 1919) e *A grande utopia*, artigo sobre a união das artes numa casa das artes (boletim do IZO, n.º 3).
Relatório sobre os contatos feitos com os artistas alemães (boletim do IZO, n.º 3) (prossegue em 1920 com a tradução de uma comunicação de Walter Gropius).
No decurso do ano expõe em Moscou e Petrogrado.
Enquadramento vermelho. No cinza (ao todo sete quadros). Projeto de serviço para a manufatura de porcelana de Petrogrado.
Publicação de um artigo autobiográfico, *Selbstcharakteristik*, em *Das Kunstblatt* n.º 6, Postdam, e, novamente, de *Sobre a questão da forma* no catálogo de uma exposição *Der Sturm* em Dresden.

1920 Participa na fundação, em maio, do Inkhuk (Instituto de Cultura Artística), para o qual redige na primavera um programa pormenorizado: esse programa será colocado em minoria, o que provocará

---

* As datas do período 1918-1921 permanecem, nos detalhes, sujeitas a revisão.

a demissão de Kandinsky. Faz um relatório sobre o Inkhuk em dezembro na primeira conferência pan-russa das seções de arte dependentes do Narkompros.
Expõe em Moscou e em Nova York.
Oval vermelha. Pontas. Flutuação aguda. Em Moscou, vista da janela (ao todo 12 quadros).

1921 *maio*: membro do comitê encarregado de estudar a criação de uma Academia da Ciência Geral da Arte; dirige o subcomitê da seção de psicofisiologia.
Diligências para a edição russa de *Do espiritual*, que finalmente não chegarão a bom termo.
junho: apresenta um plano de atividade para a Academia, que é adotado.
verão: conferência sobre os *Elementos de base da pintura*.
dezembro: deixa a Rússia por Berlim, onde chega no fim do mês.
No decurso do ano, exposições em Moscou, Hanôver, Colônia.
Círculo multicolor. Mancha negra (ao todo oito quadros).

1922 Chamado, como professor, à Bauhaus de Weimar. Torna-se vice-diretor.
Dirige o ateliê de pintura mural.
Participa da grande exposição de arte russa em Berlim. Expõe igualmente em Nova York, Estocolmo, Munique e Düsseldorf.
Ziguezagues brancos (a partir desse ano, título em alemão, e não em russo).
Pequenos mundos (Kleine Welten), coletânea de 12 estampas publicadas em Berlim.
Pinturas murais da sala de recepção da "Juryfreie" de Berlim.
Um novo naturalismo, resposta a um questionário.

1923 Vice-presidente da Sociedade Anônima de Nova York.
Expõe notadamente em Hanôver, Weimar, Berlim, Nova York.
Composição VIII.
Artigos nas publicações da Bauhaus.

1924 Fundação do grupo *Die Blauen Vier* (os quatro azuis) com Klee, Feininger e Jawlensky.
Expõe notadamente em Londres, Zurique e Estocolmo.
Olhar sobre o passado (quadro). *Tensão calma*.

1925 Transferência da Bauhaus para Dessau, onde Kandinsky se instala em junho.
Exposições na Suíça, na Alemanha e em Nova York.
34 quadros (e doravante de 30 a 50 quadros por ano até 1932).
Arte abstrata, artigo.

1926 Sexagésimo aniversário: numerosas homenagens.
Grandes exposições em Berlim, Dresden, Dessau.
Publicação de *Ponto — linha — plano* em Munique.

1927 Viagens à Áustria e à Suíça.
4 exposições (a partir do ano seguinte e até 1932, de 5 a 15 exposições por ano).

1928 Adquire a nacionalidade alemã.
Encenação dos *Quadros de uma exposição*, de Mussorgsky, no teatro de Dessau.
1929 Viagem à Bélgica (conhece Ensor), visita de Marcel Duchamp em Dessau.
Medalha de ouro das artes, concedida em Colônia.
Primeira exposição pessoal em Paris (Galeria Zack).
1930 Estada no Adriático.
Exposição na Galerie de France e em *Cercle et Carré*, em Paris.
Artigo *Der Blaue Reiter: Rückblick*, em *Das Kunstblatt*, fevereiro.
1931 Viagem ao Oriente Médio.
Fundação do grupo *Abstração-Criação* em Paris.
Decoração mural para a exposição de arquitetura internacional de Berlim.
Reflexões sobre a arte abstrata, nos *Cahiers d'Art*, Paris.
1932 Transferência da Bauhaus para Berlim. Viagem à Iugoslávia.
1933 Em março, fechamento da Bauhaus pelos nazistas. Partida para Paris e instalação em Neuilly, onde Kandinsky permanecerá até sua morte.
Expõe em Londres e em Hollywood.
Desenvolvimento em castanho-escuro (ao todo 13 quadros).
1934 Conhece Mondrian e Mirò. Relações com Magnelli, Arp, Pevsner.
Expõe nos *Cahiers d'Art*.
Violeta dominante (óleo e areia). A partir desse ano os títulos dos quadros são em francês.
1935 Artigos nos *Cahiers d'Art*.
1936 *Composição IX*.
1937 Confisco e venda pelos nazistas de 57 obras de Kandinsky que figuram nos museus alemães e são consideradas "arte degenerada".
Viagem à Suíça e visita a Paul Klee.
Participação na exposição internacional do Museu do Jeu de Paume em Paris.
Poemas publicados em revista.
1938 *Arte concreta* em *XXe siècle*.
1939 Adquire a nacionalidade francesa.
Composição X.
1940 Quando da invasão alemã, retira-se para os Pireneus durante dois meses, depois regressa a Paris.
1944 Trabalha até o mês de junho. Falece no dia 13 de dezembro.

NB: *Uma cronologia detalhada das numerosas viagens e deslocamentos de Kandinsky encontra-se no livro de J. Eichner,* Kandinsky und Gabriele Münter, *Munique, 1957. Por outro lado, K. Lindsay forneceu uma lista bastante completa das exposições no catálogo da exposição retrospectiva internacional de 1963.*

APRESENTAÇÃO DOS TEXTOS

1. As notas de Kandinsky, assim como as variantes da edição russa de *Olhar*, figuram no rodapé. Nossas próprias notas são remetidas para o final do texto. As variantes são chamadas pelas letras A, B, C..., as notas de Kandinsky por *, processos que ele próprio adotou nas duas edições sucessivas de seu texto, e as demais notas pelos algarismos 1, 2, 3... A anotação foi mais desenvolvida em *Olhar* devido ao caráter histórico do texto, que requer um número maior de esclarecimentos.

2. No texto de *Olhar* os [ ] enquadram as passagens suprimidas na versão russa. Os [ ] seguidos de uma letra indicam as passagens modificadas e a letra remete à variante. A letra sozinha indica um acréscimo ao texto original, que figura no rodapé. Em princípio, todas as variantes foram dadas, com exceção de modificações estilísticas menores.

3. Para os nomes russos, renunciamos à transcrição fonética internacional, pouco familiar ao público francês e que vai de encontro a usos muito difundidos: Majakovskij para Maiakóvski, Xlebnikov para Khlebnikov, ou ainda Kandinskij para Kandinsky. A diversidade das fontes de referência (russas, alemãs, inglesas, italianas) nem sempre permitiu unificar essas transcrições, para o que pedimos a compreensão do leitor.

OLHAR SOBRE O PASSADO[1]
1913-1918

A Kandinsky

Alma contempla a rútila manhã
Aberta em torno ao cimo essa mescla de cores
Imaterial secreta mas domada
Sentido original de umidade de vapor e de fundo

Junturas deslocadas pelas chamas
Atritos aplanados de suspiros
Linhas entrecortadas rasgando o abismo
Tecedura em espiral fendendo os ares

Céu e Terra prometem o Segredo
Éter e turvações turbilhonando no Uno
Sombrias ameaças vindas das profundezas em círculo
Pradaria celeste de aparências trêmulas

Em mim se acolhem os pólos
A chispa crepitante a ressumar braseiros
Nunca mais para mim o antigo meandro
Meu dos relâmpagos o esqueleto em ziguezague

Que importa que formas se iluminem
Se o Coração-Infante pende do que foi
Onde se geram em cores para o olhar
Milagres: a alma desabrochada em duas almas se alarma

Milagre do Todo no movimento imerso
Visível: interior seu companheiro de jogo
Mudança eterna desvelada e cerrada
Jorra em nós uma fonte sem fim

Fonte do Todo as ondas de sua vida
Turbilhões remoinhos de cor e dentilhões
Com ele escoados com ele entrelaçados
Nós num vacilar de cores torrencial

Nossa essência, a luz os esplendores
Onde se perdem movimentos e moldagens
Onde no seio de infinitas danças
A rigidez do momento não elegeu para si nenhum instante.

Albert Verwey[2]

OLHAR SOBRE O PASSADO

As primeiras cores que me causaram grande impressão foram o verde-claro e cheio de seiva, o branco, o vermelho-carmim, o preto e o amarelo-ocre. Essas lembranças remontam a meus três anos. Vi essas cores em diferentes objetos que hoje não visualizo tão claramente quanto as próprias cores.

[Como todas as crianças, desejava apaixonadamente "andar a cavalo". Para me agradar, nosso cocheiro] talhava[A] sobre finas varas galhos em forma de espiral; na primeira faixa ele retirava as duas cascas do galho, na segunda apenas a primeira, de modo que meus cavalos[3] tinham habitualmente três cores: [o amarelo-escuro da casca externa][B] (de que eu não gostava e que de bom grado veria substituído por outra cor), [o verde cheio de seiva da segunda camada da casca][C] (de que eu gostava muito particularmente e que mesmo murcho conservava algo de encantador) e, por fim, [a cor branco-marfim da madeira da vara][D] (que tinha um perfume de umidade e [que provocava a tentação de lamber][E], mas que logo murchava e secava tristemente, o que estragava de antemão a alegria que esse branco me causava.

[Parece-me que meus avós][F] se mudaram para um apartamento novo antes da partida de meus pais para a Itália (para onde me levaram também [com minha babá] quando eu tinha apenas três anos. [Tenho a impressão][G] de que esse apartamento ainda estava

---

A. Talhavam (e mais abaixo: "retiravam")
B. a camada castanho-escura
C. a camada verde
D. a camada branca, a mais despojada, a da própria vara, que se assemelhava ao marfim
E. que tinha um gosto amargo quando a gente a lambia
F. Lembro-me de que os pais de minha mãe
G. Lembro-me

inteiramente vazio, isto é, não havia [lá dentro] nem móveis, nem gente. Num quarto bastante pequeno, havia somente um relógio pendurado à parede. Fiquei sozinho diante dele, a gozar o branco do mostrador e [o vermelho-carmim]^A da rosa nele pintada[4].

[Minha babá moscovita espantou-se de que meus pais fizessem uma viagem tão longa para admirar "edifícios arruinados e velhas pedras": "Já temos demais em Moscou." De todas essas "pedras" de Roma, lembro-me apenas de uma floresta inextricável de espessas colunas, essa terrível floresta de São Pedro na qual, segundo me parece, por longo tempo não conseguimos encontrar, minha babá e eu, a menor saída[5].]

Em seguida, toda a Itália se tinge para mim de duas impressões de negro. Com minha mãe, atravesso uma ponte num fiacre negro (embaixo, parece-me, a água amarelo-suja): levavam-me a um jardim-de-infância em Florença. E, ainda uma vez, o negro: degraus mergulhando na água negra e, sobre a água, um barco negro, terrível, com uma caixa negra no meio: entramos à noite numa gôndola. [Também aqui desenvolvo os meus dons, que me tornaram célebre "em toda a Itália", e berro com todas as minhas forças.]

[Havia num jogo de cavalinhos um cavalo pigarço[6] (com ocre-amarelo no corpo e uma crina amarelo-clara) a que eu e minha tia* nos afeiçoávamos de um modo todo particular. Sobre esse ponto tínhamos instituído uma ordem estrita: ora eu tinha o direito de ter o cavalo para o meu jóquei, ora minha tia. O amor por essa espécie de cavalo perdura em mim até hoje. É para mim uma alegria ver um cavalo semelhante nas ruas de Munique: ele aparece todos os verões quando se regam as ruas. Ele desperta o sol que vive em mim. É imortal, porque conheço-o há quinze anos e ele não envelheceu nem um pouco. Foi esta uma de minhas primeiras impressões quando me mudei para Munique — e também a mais forte. Parei e segui-o

---

* Elisabete Tikheeva, que teve uma grande, indelével influência sobre todo o meu desenvolvimento. Ela era a irmã mais velha de minha mãe e desempenhara importante papel em sua educação. Mas muitas outras pessoas com as quais ela esteve em contato também não esquecem sua irradiação interior[7].

A. da profundidade do vermelho-papoula

longamente com os olhos.^A] E uma promessa meio inconsciente mas cheia de sol estremece-me no coração. Ele fazia reviver em mim o cavalinho de chumbo e ligava Munique aos meus anos de infância. Esse cavalo pigarço fez com que eu me sentisse, de repente, em casa em Munique^B. Quando eu era menino, falava muito alemão[8] (minha avó materna era [báltica]^C) . Os contos alemães, [que eu ouvira tantas vezes em criança]^D, ganharam vida. Os tetos estreitos e altos, hoje desaparecidos, da Promenadeplatz e [da Maximilianplatz]^E, o velho Schwabing e sobretudo o Au, que descobri certa vez por acaso^F, metamorfosearam tais contos em realidade[9]. O [bonde]^G azul sulcava as ruas como uma atmosfera de conto de fadas corporificado^H, tornando a respiração leve e agradável. As caixas de correio [amarelas]^I lançavam das esquinas seu canto vibrante de canário[11]. [Eu saudava]^J a inscrição "Moinho *das Artes*" e sentia-me numa cidade artística[12], o que era para mim como uma cidade de conto de fadas. Dessas impressões nasceram os quadros medievais que pintei mais tarde. Graças a um feliz conselho, fui visitar Rothenburg-ob-der-Tauber[14]. Ser-me-ão para sempre inolvidáveis essas mudanças intérminas do trem expresso para o parador,

---

A. A irmã mais velha de minha mãe, Elizaveta Ivanovna Tikheeva, teve sobre todo o meu desenvolvimento uma influência considerável, indelével. Uma criatura iluminada, de quem jamais se hão de esquecer quantos estiveram em contato com ela ao longo de sua vida profundamente altruísta. Devo-lhe o nascimento de meu amor pela música, pelo conto e, mais tarde, pela literatura russa e pela natureza profunda do povo russo. Uma das mais luminosas recordações de minha infância ligadas a Elizaveta Ivanovna é um cavalinho de chumbo pertencente a um jogo de cavalinhos, pigarço, com amarelo-ocre no corpo e uma crina amarelo-clara. Nos primeiros dias de minha chegada a Munique, para onde fui aos trinta anos, abandonando o longo trabalho dos anos anteriores para aprender pintura, encontrei um cavalo pigarço que era a réplica exata daquele. Ele aparece invariavelmente todos os anos na época de regar as ruas. No inverno, desaparece misteriosamente, mas na primavera faz sua aparição tal qual era um ano antes, sem ter envelhecido ou mudado: parece imortal.

B. e com que essa cidade se tornasse minha segunda pátria.
C. alemã
D. em meus anos de criança.
E. a Lenbachplatz
F. durante um passeio nas cercanias da cidade
G. bondinho[10]
H. como um ar azul, tornando...
I. amarelo-vivo
J. Rejubilava-me à vista da[13]

do parador para a[A] estrada de ferro local, com sua via [coberta][B] de relva, o apito agudo da[C] locomotiva de pescoço comprido, os gritos plangentes[15] e o rumor das ruas adormecidas, e o velho camponês [de grandes botões de prata que queria absolutamente][D] falar de Paris comigo e que a muito custo eu conseguia entender. Foi uma viagem [irreal][E]. Parecia-me que uma força mágica, contrária a todas as leis naturais, me transportara de século em século cada vez mais longe no passado. [Abandono a pequena, inverossímil estação][F] e, atravessando uma pradaria, entro pela porta da cidade. [Portas][G], fossos, casas comprimidas que aproximam suas cabeças por cima das ruelas estreitas e se olham no fundo dos olhos, a porta gigantesca do albergue que dá diretamente para a imponente e escura sala de jantar no meio da qual uma escada de carvalho escuro, larga e íngreme, conduz aos quartos, [o quarto estreito e o mar de tetos de um vermelho cru que vejo da janela][H] [16]. O tempo estava sempre chuvoso. Gotas redondas e altas pousavam sobre minha paleta, estendiam travessamente a mão a distância, vacilavam e tremiam, uniam-se de maneira inesperada e súbita em cordões estreitos e maliciosos que corriam vivamente a divertir-se através das cores para deslizar [daqui e dali][I] em minha manga. [Não sei onde foram parar esses estudos; desapareceram. Resta-me apenas um quadro dessa viagem. É "a velha cidade", mas pintei-a de memória após meu regresso a Munique[17]. É toda ensolarada, e pintei os tetos de um vermelho cru, como só então eu era capaz.][J]

A. minúscula
B. invadida pela
C. pequena
D. (com seu colete de veludo de grandes botões filigranados) que se obstinava, sem que se saiba por quê, em querer
E. extraordinária — como num sonho.
F. Saio da pequena estação (de certa forma irreal)
G. Portas, mais portas,
H. meu quarto estreito e o mar imóvel dos tetos em declive, de telhas vermelho-vivo, que se descortina de minha janela.
I. subitamente
J. Não sei onde tinham ido parar todos esses estudos. O sol só se mostrou uma vez durante toda a semana, talvez por uma meia hora, e de toda essa viagem só me restou um quadro pintado por mim, de acordo com minhas impressões, quando já havia regressado a Munique. É "a velha cidade". Ela é ensolarada e, aliás, pintei os tetos de um vermelho flamejante — com todas as minhas forças.

Nesse mesmo quadro, estava eu, a bem dizer, em busca de certa hora que era e continua sendo a mais [bela]^A hora do dia em Moscou. O sol já vai baixo e atingiu sua maior força, aquela que ele procurou o dia todo, à qual aspirou o dia todo. Esse espetáculo não é de longa duração: alguns minutos mais e a luz do sol se tornará avermelhada pelo esforço, cada vez mais [avermelhada]^B, de um vermelho a princípio frio, depois cada vez mais quente. O sol derrete Moscou inteira [numa mancha que, como uma tuba exaltada, faz entrar em vibração todo o ser interior, a alma inteira[18]]^C. Não, não é a hora do vermelho uniforme a mais bela de todas! Só o acorde final da sinfonia leva cada cor ao paroxismo da vida e [subjuga Moscou inteira, fazendo-a ressoar]^D, como o *fortissimo* [final] de uma orquestra gigante. O rosa, o lilás, [o amarelo], o branco, [o azul]^E, o verde-pistache, o amarelo chamejante das colheitas, das igrejas — cada qual com sua melodia própria —, a relva de um verde exaltado, as árvores de uma sonoridade mais grave ou a neve de mil vozes canoras, ou ainda o *allegretto*^F dos galhos descarnados, o anel vermelho, rígido^G e silencioso dos muros do Kremlin, e por cima, dominando tudo [como um grito de triunfo, como um aleluia esquecido de si mesmo,]^H o longo traço branco, graciosamente severo, do campanário de Ivã, o Grande[19]. E sobre seu pescoço comprido, alongado, estendido [para o céu em eterna nostalgia[20]]^I, a cabeça de ouro da cúpula, que entre as estrelas douradas e variegadas das outras cúpulas é o sol de Moscou.

Exprimir essa hora parecia-me^J a maior, a mais impossível das felicidades para um artista[21].

Essas impressões se renovavam a cada dia ensolarado. Infundiam-me um júbilo que me comovia no mais íntimo da alma [e culminava no êxtase]. Ao mesmo tempo, era também um tormento, porque eu sentia a arte, em geral, e minhas forças, em particular, impotentes diante da natureza. Foram necessários muitos anos pa-

---

A. feérica
B. vermelha
C. num único bloco, vibrante como uma tuba e agitando a alma inteira com mão forte.
D. que força Moscou a tocar.
E. o azul-escuro, o azul-celeste,
F. dos galhos e
G. inabalável
H. semelhante ao grito de triunfo de um aleluia esquecido do mundo inteiro,
I. numa eterna nostalgia do céu
J. em minha juventude

ra que eu chegasse, através do sentimento e do pensamento, à simples descoberta de que os fins (e portanto os meios também) da natureza e da arte se diferenciam essencial, organicamente e por força das próprias leis do mundo — e de que são tão grandes e, por conseguinte, tão fortes quanto aqueles. Tal descoberta[22], que hoje orienta a minha obra, que é tão simples e tão naturalmente bela, [reduziu a nada][A] o vão tormento de um objetivo vão [que eu me impunha][B] outrora [em meu foro íntimo], quando ele era inacessível; ela acabou com esse tormento e, assim, a alegria que fruí na natureza e na arte atingiu os auges mais serenos. Desde então posso saborear em longos goles esses dois elementos do mundo. A esse gozo junta-se o sentimento [perturbador] do reconhecimento.

Essa descoberta me libertou e abriu-me novos mundos. Toda coisa "morta"[C] fremia. Não só as estrelas, a lua, as florestas, as flores de que falam os poetas, mas também um toco de cigarro[D] num cinzeiro, um botão [de calção] branco, paciente[E], que nos espreita[23] de sua poça d'água na rua, um pedacinho de casca dócil que uma formiga aperta entre as mandíbulas e arrasta através da relva para lugares incertos e importantes, uma folha de calendário[F] para o qual se estende a mão [consciente][G] que o arranca à força à cálida comunidade das folhas que continuam no bloco — tudo isso me mostrava a sua fisionomia, seu ser interior, a alma secreta que se cala com mais freqüência do que fala. Do mesmo modo, cada ponto em repouso e cada ponto em movimento (= linha) enchia-se de vida aos meus olhos e revelava-me sua alma[24]. Isso me bastou para "compreender" com todo o meu ser e com todos os meus sentidos a possibilidade e a existência da arte a que chamam hoje "abstrata" por oposição à "arte figurativa"[25].

Antigamente, porém, na época[H] em que eu era estudante, quando podia dedicar-me à pintura apenas nas horas livres, eu tentava, embora isso pudesse parecer impossível, fixar na minha tela o "coração das cores" (era assim que o chamava), que, brotando da natureza, irrompia na minha alma e a subvertia. Fazia esforços desesperados para conseguir expressar *toda a força* com a qual aquilo ressoava, mas sem sucesso.

A. me desembaraçou do
B. que se impunha a mim
C. estremecia e
D. frio
E. modesto
F. mural
G. segura
H. distante

Nessa mesma época minha alma foi igualmente mantida num estado de [vibração]^A constante por outras comoções de origem de todo humana[26], de sorte que eu não conhecia uma única hora de tréguas. Era o momento da criação de uma organização geral dos estudantes [que devia abranger]^B não só a totalidade dos alunos de uma universidade, mas também de todas as universidades da Europa Ocidental. A luta dos estudantes contra a velhacaria aberta da lei universitária de 1885 perdurava[27]. "Distúrbios", violências contra as velhas tradições liberais moscovitas, dissolução pelos poderes públicos das organizações existentes, [fundação de outras por nós]^C a efervescência subterrânea dos movimentos políticos, o desenvolvimento da [atividade autônoma* dos estudantes]^J, tudo isso servia de ensejo para novas experiências e tornava [as cordas] da alma sensíveis, receptivas e [particularmente] aptas a vibrar.

Por sorte a política não me arrebatou inteiramente. Através de estudos diversos, pus em prática [os dons necessários ao aprofundamento dessa matéria sutil a que chamam "o Abstrato"[28]]^K. Afo-

---
* Essa atividade autônoma ou "iniciativa" pessoal é um dos aspectos mais satisfatórios (infelizmente muito pouco cultivado) de uma vida comprimida em formas rígidas. Cada procedimento autônomo (coletivo ou individual) é rico em conseqüências porque abala o [rigor]^D das formas da vida — quer obtenha "resultados práticos", quer não. Ele cria um ambiente crítico em torno dos fenômenos rotineiros da vida, cuja morna repetição endurece e paralisa cada vez mais a alma. Daí a apatia das massas, de que os espíritos mais livres sempre tiveram motivo para queixar-se amargamente. [Dever-se-ia criar as organizações corporativas conferindo-lhes as formas mais frouxas possíveis; estas tendem muito mais a adaptar-se a cada novo fenômeno e muito menos a se ater a]^E "precedentes", como ocorria antes. Toda organização deve ser considerada como uma simples transição para [a liberdade]^F, como um vínculo ainda [necessário]^G, mas [que é o mais frouxo possível a fim de não entravar]^H a marcha a largos passos rumo ao desenvolvimento ulterior^I.

A. tensão
B. cuja finalidade era reunir
C. sua substituição por outras
D. fortaleza
E. as corporações artísticas deveriam especialmente prover-se de formas tão flexíveis e tão pouco rígidas quanto possível, mais inclinadas a submeterem-se às novas necessidades do que a guiarem-se pelos
F. uma liberdade maior
G. inevitável,
H. capaz de assegurar uma flexibilidade que excluiria qualquer refreamento da
I. Não conheço uma só comunidade ou uma só sociedade artística que não se torne em pouco tempo uma organização contra a arte, ao invés de uma organização em prol da arte.
J. a iniciativa* no meio estudantil
K. a indispensável capacidade de aprofundamento nessa esfera sutilmente material que se chama esfera do abstrato.

ra a especialidade pela qual optara (economia política, que eu estudava sob a direção do professor A. I. Tchuprov[29], cientista eminentemente dotado e um dos homens mais extraordinários que conheci em minha vida), fui muito atraído, sucessiva ou simultaneamente, por várias outras ciências: o direito romano (que me encantava por sua "construção" toda de finura, de clarividência, de requinte, mas cuja lógica demasiado fria, demasiado sensata e rígida não podia satisfazer-me, a mim, um eslavo), o direito criminal (que me interessava em particular e, talvez, com excessiva exclusividade devido à teoria de Lombroso[30], que era então novidade), a história do direito russo e o direito [camponês][A] (que, em contraste com o direito romano, por representar [uma libertação e uma solução feliz da Lei Fundamental][B], infundiu-me uma grande admiração e suscitou em mim [um amor profundo][C*]), a etnografia, que se relacionava de perto com essa ciência ([e da qual eu esperava a princípio que viesse a revelar-me a alma do povo][D]); todos esses estudos me cativaram e ajudaram-me a desenvolver o pensamento abstrato.

Amei todas essas ciências, e ainda hoje rememoro com reconhecimento as horas de entusiasmo e quiçá de inspiração que elas me proporcionavam. Mas essas horas se empanaram ao primeiro contato com a arte, porque só ela tinha o poder de transportar-me fora do tempo e do espaço. Os trabalhos científicos nunca me ha-

---

* [Após a "emancipação" dos camponeses na Rússia[31], outorgou-lhes o governo uma administração econômica autônoma que lhes trouxe uma maturidade política inesperada para muitos e uma justiça própria na qual, dentro de certos limites, os juízes que os camponeses tinham escolhido entre si resolviam as contendas e podiam igualmente punir os "delitos" criminais. Foi exatamente então que o povo descobriu o princípio mais humano que permite punir severamente faltas veniais e brandamente, ou mesmo não punir em absoluto, faltas mais graves, o que se traduz na expressão camponesa: "É segundo o homem." Não se criou lei rígida (como por exemplo no direito romano — o *jus strictum* em particular), mas uma forma extremamente flexível e liberal que não era determinada *pelo "exterior"*, mas *exclusivamente pelo "interior"*.][E]

    A. consuetudinário
    B. uma solução livre e feliz da aplicação da Lei,
    C. um sentimento de espanto e de amor
    D. e que me prometia a descoberta dos segredos da alma popular
    E. É com calorosa gratidão que me lembro do entusiasmo e da ajuda sinceramente benévola do professor A. N. Filippov (então ainda mestre de conferências)[32], que me deu o primeiro ensinamento acerca do princípio cheio de humanidade do "segundo o homem", colocado pelo povo russo como base da qualificação dos atos criminosos e posto em prática pelos tribunais distritais. Segundo esse princípio, o veredito se funda não no aspecto exterior do ato, mas na qualidade de sua fonte interior, a alma do réu. Como isso está próximo dos fundamentos da arte![33]

viam propiciado tais experiências [de tensões]^A interiores e de momentos criativos.

No entanto, eu achava minhas forças frágeis demais para sentir-me no direito de renunciar a meus outros deveres e de [levar]^B uma vida de artista, que me parecia então o cúmulo da felicidade. Fora disso, a vida russa era, então, particularmente lúgubre e meus trabalhos científicos eram elogiados, de sorte que resolvi tornar-me cientista. Porém o que mais me atraía na economia política, pela qual optara, era, afora as questões [de salário]^C, o pensamento puramente abstrato. O sistema bancário e o lado prático do sistema financeiro inspiravam-me uma repulsa insuperável. Mas [não me restava outra solução senão aceitar a totalidade do lote]^D 34.

[Nessa mesma época vivi]^E dois acontecimentos que marcaram com seu sinete toda a minha vida [e que então me convulsionaram no mais íntimo do ser]. Foram eles a exposição dos impressionistas franceses em Moscou — e antes de mais nada *A meda de feno* de Monet — e uma representação de Wagner no teatro [da corte]^F: Lohengrin.

Antes eu só conhecia [a arte]^G realista, e ainda assim^H exclusivamente os russos; [quedei-me longamente a contemplar]^I a mão de Franz Liszt no retrato de Repin^35 [e outras obras do gênero]^J. E eis que pela primeira vez eu via um quadro. [Foi o catálogo que me informou tratar-se de uma meda. Eu era incapaz de reconhecê-la. E foi penoso não reconhecê-la.]^K Achava também que o pintor não tinha o direito de pintar de maneira tão imprecisa. Sentia confusamente que o objeto estava faltando no quadro. [E]^L notava com espanto e perturbação que o quadro não somente nos [pun-

---

A. de impulsos
B. começar
C. operárias
D. era preciso também contar com esse aspecto do ensino.
E. É quase à mesma época que remontam
F. Bolchói
G. a pintura
H. quase
I. ainda criança impressionara-me profundamente "Não o esperavam", mas na juventude eu fora algumas vezes estudar longa e atentamente
J. reproduzia várias vezes de memória o *Cristo* de Polenov e ficara impressionado com *Ao remo* de Levitan e seu mosteiro cintilante refletindo-se no rio.^36
K. Parece-me que, sem o catálogo, não teria sido possível adivinhar que se tratava de uma meda de feno. Essa impressão era-me desagradável:
L. No entanto,

gia]^A como também imprimia na consciência uma marca indelével e que nos momentos mais inesperados a gente o via, com seus mínimos detalhes, flutuar diante dos olhos. Tudo isso era confuso para mim, e fui incapaz de tirar as conclusões elementares de tal experiência. Mas o que me parecia perfeitamente claro era a força insuspeita da paleta, que até então me estivera oculta e que ia muito além de todos os meus sonhos^B. A pintura adquiriu assim uma força e um brilho fabulosos. Mas ao mesmo tempo, inconscientemente, o objeto enquanto elemento indispensável do quadro ficou desacreditado[37]. No geral, eu tinha a impressão de que uma pequena parte de minha Moscou encantada já estava presente na tela*.

Em compensação, Lohengrin^C pareceu-me constituir uma perfeita realização de [dessa]^D Moscou. Os violinos, os baixos profundos e, mais particularmente, os instrumentos de sopro personificavam, então, [para mim]^E toda a força das horas do crepúsculo[39]. Via mentalmente todas as minhas cores, elas estavam diante de meus olhos. Linhas selvagens, quase loucas, desenhavam-se ante mim^F. Não ousava dizer que Wagner pintara em música ''a minha hora''. Mas evidenciou-se-me com toda a clareza que a arte em geral pos-

---

* O ''problema luz e ar'' dos impressionistas interessava-se muito pouco. Achava que as eruditas discussões sobre essa questão tinham muito pouco a ver com [a pintura]^G. [Mais]^H importante me pareceu, mais tarde, a teoria dos neo-impressionistas[38], que, no fundo, falava da *ação das cores* e [deixava o ar em paz]^I. No entanto, tive o sentimento, a princípio confuso e depois consciente, de que toda teoria que se apóia em meios exteriores^J não passa de um caso ao lado do qual numerosos outros casos podem existir [com o mesmo direito]; e, mais tarde ainda, compreendi que o exterior [se desenvolve a partir do interior, ou então]^K é natimorto.

    A. emocionava e cativava
    B. audaciosos.
    C. Só mais tarde é que percebi toda a sentimentalidade insossa e toda a pieguice superficial dessa ópera, a mais fraca de Wagner. Quanto às demais óperas (como *Tristão*, *O Anel*), durante longos anos elas mantiveram cativo meu senso crítico por sua força e sua expressividade original. Encontrei uma expressão objetiva para qualificá-la em meu artigo ''Da composição cênica'', impresso inicialmente em alemão, em 1913 (em *O Cavaleiro Azul*, ed. R. Piper, Munique)[40].
    D. minha
    E. em minha maneira de apreender as coisas,
    F. Somente
    G. a Arte.
    H. Muito mais
    I. renunciava a pronunciar-se sobre a questão do ar.
    J. (e este é, por definição, o caso das teorias em geral)
    K. quando não é engendrado pelo interior

suía uma força muito maior do que até então me parecera e que, por outro lado, a pintura podia despender as mesmas forças que a música⁴¹. E a impossibilidade [de descobrir sozinho essas forças, ou pelo menos procurá-las, tornou minha renúncia ainda mais amarga]^A.

Mas nunca tive força bastante para conformar-me, apesar de tudo, aos meus deveres e sucumbi a uma [busca que era pesada demais]^B para mim⁴².

[Um acontecimento científico removeu um dos obstáculos mais importantes nesse caminho. Foi a divisão do átomo. A desintegração do átomo era a mesma coisa, em minha alma, que a desintegração]^C do mundo inteiro. As [paredes]^D mais espessas desabavam subitamente. Tudo se tornava precário, instável, mole. Não me espantaria ver uma pedra [fundir-se no ar na minha frente e tornar-se invisível]^E. A ciência parecia-me aniquilada: suas bases mais sólidas não passavam de um engodo, de um erro dos cientistas, que não construíam seu edifício divino pedra por pedra, com mão [tranqüila]^F, [sob uma luz transfigurada]^G, mas tateavam na escuridão, ao acaso, à procura de [verdades]^H, e em sua cegueira tomavam um objeto por outro⁴³.

Já em criança eu conhecia as horas de tormentos e de alegria da tensão interior [que é promessa de encarnação].

Essas horas de frêmito interior, [de confusa nostalgia]^I que exige^J de nós algo de incompreensível, que durante o dia oprime o coração^K, enche a alma de inquietude, e à noite faz viver sonhos fantásticos, cheios de terror e alegria. [Como muitas crianças e adolescentes, eu tentava escrever poemas que acabava rasgando mais cedo ou mais tarde]⁴⁴. Lembro-me ainda de que o desenho [pôs fim a esse estado de coisas]^L, ou seja, ele me fez viver fora do tempo e do espaço, de sorte que eu perdia também o sentimento de mim

---

A. em que me encontrava de aplicar-me a descobrir sozinho essas forças era para mim um tormento.
B. tentação demasiado forte
C. Um dos obstáculos mais consideráveis que se encontravam em meu caminho caiu por si devido a um acontecimento puramente científico. Esse acontecimento foi a desintegração do átomo. Ela repercute em mim como a destruição súbita.
D. abóbadas
E. elevar-se no ar e nele dissolver-se.
F. segura
G. à luz do dia
H. a verdade
I. de impulsos confusos
J. imperiosamente
K. e torna a respiração superficial
L. e, algum tempo depois, a pintura arrancavam-me às condições da realidade

mesmo. Meu pai* não tardou a notar meu amor [pelo desenho]^A e [fez-me ter aulas]^B quando eu ainda estava no liceu. Lembro-me^C de como gostava do próprio material, como achava as cores^D e os lápis irresistivelmente atraentes, belos e vivos^E. Dos erros que cometia tirava lições [que ainda hoje atuam quase todas em mim com sua força original]^F. Quando eu era pequenino, pintei um cavalo pigarço^G a guache. Estava tudo pronto, menos os cascos. Minha tia, que me ajudava a pintar, precisou sair e recomendou-me [esperar sua volta para os cascos]^H. Fiquei sozinho diante da pintura inacabada: [atormentava-me ante]^I a impossibilidade de botar no papel as derradeiras manchas de cor.

Este último trabalho parecia-me tão fácil! [Pensava eu: "Se fizer os cascos bem pretos, eles ficarão com certeza totalmente conformes à natureza"]^J. Coloquei em meu pincel tanto preto quanto

---

* Meu pai [, com extraordinária paciência, deixou-me a vida toda seguir meus sonhos e caprichos. Quando eu tinha dez anos, tentou fazer-me]^K optar entre o liceu clássico e uma escola profissional [: explicando-me as diferenças entre as duas escolas, ajudou-me a fazer a escolha com toda a independência que podia conceder-me]. Sustentou-me [pecuniariamente com muita generosidade durante longos anos. Nas horas decisivas de minha vida]^L falava comigo como um amigo mais velho e nunca exerceu a mínima coação nos momentos decisivos. Seu princípio de educação repousava na confiança total e em relações amigáveis comigo. Ele sabe como lhe sou reconhecido[45]. [Estas linhas deveriam ser uma lição para os pais que tentam desviar os filhos de seu verdadeiro caminho (mais particularmente os que têm dons artísticos), não raro pela violência, tornando-os assim infelizes.]

A. da pintura
B. arranjou um professor de desenho
C. muito bem
D. os pincéis
E. , assim como minha primeira paleta de cerâmica oval e, mais tarde, os *fusains* envoltos em papel prateado. E o próprio cheiro da terebentina era fascinante, sério e severo, um cheiro que excita em mim, ainda agora, não sei que estado sonoro particular cujo elemento principal é o elemento de responsabilidade.
F. foi de extraordinária paciência para com meus caprichos e meus saltos de uma carreira para outra. Empenhou-se desde o começo em desenvolver em mim o gosto pela autonomia: eu ainda não tinha dez anos quando ele me levou, por mim mesmo e na medida em que isso era possível, a
G. materialmente com extraordinária generosidade, durante longos anos, apesar de seus meios bastante modestos. Por ocasião de minhas passagens de um caminho a outro
H. ainda hoje vivas em mim.
I. tordilho
J. não tocar nos cascos em sua ausência, mas que esperasse até ela voltar
K. sofria com
L. Parecia-me que não custava nada pintar os cascos de preto.

pude. Um instante mais... e vi quatro manchas negras [horríveis] nos pés do cavalo, repugnantes e completamente estranhas ao papel. [Sentia-me desesperado e cruelmente punido.] Mais tarde compreendi muito bem por que os impressionistas tinham tanto medo do preto, e mais tarde ainda, [isso provocava em mim uma verdadeira angústia íntima, de]^A colocar preto puro na tela. Essa infelicidade de criança projeta uma longa, longa sombra sobre muitos anos da vida ulterior^B.

As impressões posteriores, particularmente fortes, que conheci quando era estudante e que atuaram de maneira decisiva sobre vários anos de minha vida, foram Rembrandt no Ermitage de São Petersburgo e minha viagem ao governo de Vologda, para onde fui enviado [na qualidade de etnógrafo e jurista]^C pela Sociedade [Imperial] de Ciências Naturais, Antropologia e Etnografia^D. Minha missão era dupla: estudar o direito criminal [camponês]^E na população russa (tentar estabelecer os princípios do direito primitivo) e recolher as sobrevivências de religião pagã que subsistiam na população siriana de camponeses e caçadores em via de desaparecimento[46].

Rembrandt perturbou-me[47] [profundamente]. [A grande separação do claro-escuro[48], a fusão dos tons secundários nas grandes partes]^F e o esbatimento desses tons nessas mesmas partes, que provocavam o efeito de um gigantesco acorde de duas notas, qualquer que seja a distância, e que de pronto me lembravam os trompetes wagnerianos, revelaram-me possibilidades totalmente novas, forças sobre-humanas subjacentes na cor e em particular o aumento de força resultante da aproximação das cores, ou seja, [dos]^G contrastes[49]. Vi que cada grande superfície não continha em si mesma nada de [feérico]^H, que cada uma dessas superfícies revelava logo à primeira vista sua origem na paleta, mas que sua oposição com outras superfícies lhes conferia efetivamente uma força [feérica]^I, de modo que ao primeiro relance parecia incrível que elas pudessem ter sua origem na paleta. Mas não era de meu feitio empregar um processo

---

    A. tive que lutar seriamente contra minha angústia íntima antes de decidir-me a
    B. E ainda recentemente eu utilizava o preto puro com uma sensação sensivelmente diferente da que eu experimentava com o branco puro.
    C. em missão
    D. de Moscou.
    E. consuetudinário
    F. A divisão fundamental do claro e do escuro em duas grandes partes, a fusão dos tons secundários nessas grandes partes
    G. segundo a lei dos
    H. sobrenatural
    I. sobrenatural

depois de tê-lo visto, sem tentar ir mais longe. Tinha inconscientemente para com os quadros alheios a mesma atitude que tenho hoje para com a "natureza", [saudava-os com respeito e com uma alegria profunda, mas sentia tratar-se de uma força que me era estranha]^A. Por outro lado, sentia de maneira mais ou menos inconsciente que essa separação confere aos quadros de Rembrandt uma qualidade que eu nunca havia visto [até então. Tinha]^B a impressão de que seus quadros "duravam muito tempo" e explicava-a pelo fato de eu precisar dedicar algum tempo a *uma* parte, até esgotá-la, antes de passar à *outra*. Mais tarde compreendi que essa separação [fixa na tela, como por encanto, um elemento inicialmente estranho à pintura e que parece dificilmente perceptível]^C: o Tempo*⁵⁰.

[Os quadros que pintei há dez anos em Munique deviam ter essa propriedade.]^D Pintei apenas três ou quatro e tencionei colocar em [cada parte]^E uma série "infinita" de tons que não aparecem à primeira vista⁵¹. A princípio eles deviam ficar inteiramente *ocultos***, sobretudo na [parte escura]^F, e só se revelarem com o *tem-*

---

* Um caso simples da utilização do tempo.
** Meu hábito de anotar pensamentos isolados vem dessa época. Assim nasceu, sem que disso me apercebesse, *Do espiritual na arte*. As notas foram-se acumulando durante pelo menos dez anos⁵². Eis uma de minhas primeiras anotações sobre a beleza das cores [no quadro]: "O esplendor [das cores num quadro]^G deve atrair fortemente o espectador [e]^H ao mesmo tempo [deve]^I ocultar seu conteúdo [profundo]^J". Entendia por tal o conteúdo pictórico, não ainda em sua forma pura (como o compreendo hoje), mas do ponto de vista do sentimento ou dos sentimentos que o artista exprime em sua pintura. Nessa época eu ainda vivia na ilusão de que o espectador [se coloca diante]^K do quadro com a alma aberta e [pronto a compreender]^L uma linguagem que lhe é [próxima]^M. Tais espectadores existem (não é uma ilusão), mas são tão raros quanto pepitas de ouro na areia. Há mesmo espectadores que, sem afinidade pessoal com a linguagem da obra, se entregam a ela e podem retirar alguma coisa da mesma. [Em minha vida tenho conhecido pessoas assim.]

A. eles suscitavam em mim uma alegria deferente, mas permaneciam-me alheios por seu valor individual.
B. em ninguém. Daí resultava
C. integra na pintura um elemento que lhe é de certo modo inacessível
D. Nos quadros que pintei há doze, quinze anos, em Munique tentei utilizar esse elemento.
E. em cada uma de suas partes constituintes
F. as partes escuras
G. pictórico
H. mas
I. é chamado a
J. profundamente oculto
K. vai ao encontro
L. procura no quadro
M. familiar

po ao espectador [profundamente atento]^A, primeiro confusamente e como que [hesitando]^B [53], para em seguida ressoar cada vez mais, com uma força crescente e "angustiante"[54]. Para meu grande espanto, percebi que estava trabalhando segundo o princípio de Rembrandt. Foi um momento de amarga decepção e de dúvida pungente quanto às minhas próprias forças, de dúvida quanto à possibilidade de encontrar meios de expressão pessoais. Logo me pareceu uma solução fácil demais dar vida desse modo aos elementos que eram então os meus preferidos [: o Oculto, o Tempo, o Angustiante]^C [55].

Nessa época, trabalhei de maneira particularmente intensa, muitas vezes até altas horas, [quando um esgotamento completo me obrigava a interromper o trabalho para ir dormir o quanto antes]^D. Os dias em que não trabalhava [e Deus sabe como eram raros!], considerava-os perdidos [e me atormentavam]^E. Quando o tempo se mostrava mais ou menos propício, pintava cada dia um ou dois estudos, principalmente no velho Schwabing, que estava então se transformando pouco a pouco num bairro de Munique[56]. [Nas horas em que me sentia descontente com o trabalho de ateliê e com os quadros pintados de memória, pintava sobretudo paisagens; mas elas me satisfaziam muito pouco, de sorte que mais tarde quase não as utilizei para pintar quadros.]^F Quando saía com minha caixa de pintura, tendo no coração as emoções de um caçador, não sentia tanta responsabilidade como quando pintava quadros nos quais, já então, meio conscientemente, meio inconscientemente, eu fazia pesquisas no domínio da composição.

[A palavra *composição* deixava-me profundamente perturbado]^G e mais tarde estabeleci como objetivo na vida pintar uma *"Composição"*[57]. [Essa palavra tinha em mim o efeito de uma pre-

---

A. que sabe aprofundar
B. insidiosamente
C. isto é, os elementos do Tempo dissimulado e misteriosamente angustiante.
D. até o cansaço tomar conta de mim a ponto de eu sentir uma náusea física.
E. desperdiçados de maneira leviana e insensata.
F. Nos dias em que me sentia decepcionado com o trabalho de ateliê e com minhas tentativas de composição, eu pintava com uma tenacidade particular paisagens que me emocionavam, como se me encontrasse, antes da batalha, diante de um inimigo que me venceria. Era raro esses estudos me satisfazerem, mesmo parcialmente, muito embora às vezes eu tentasse exprimir sua seiva sob a forma de quadros.
G. A palavra "composição" suscitava em mim uma vibração íntima

ce. Enchia-me de veneração.]^A Nos estudos que pintava, [eu me deixava levar]^B. Pensava pouco nas casas e nas árvores, traçava na tela, com a espátula, linhas e manchas coloridas e deixava-as cantar tão forte quanto eu podia. Ressoava em mim a hora do crepúsculo em Moscou, ante meus olhos [eu tinha]^C a gama poderosa da luz de Munique, saturada de cores, com um bramido de trovão profundo nas sombras. Em seguida, sobretudo em casa, sempre uma funda decepção. Minhas cores pareciam-me fracas, inexpressivas, e o estudo inteiro um vão esforço para captar a força da natureza. Quão estranho me parecia ouvir dizer que exagerava as cores da natureza, que esse exagero tornava meus quadros incompreensíveis e que minha única salvação seria aprender a "romper as cores"^D [58]. A crítica muniquense (que se mostrou parcialmente favorável a meu respeito, sobretudo no começo*) tentou explicar "o fausto das minhas

---

* Ainda hoje, muitos críticos vêem talento em meus primeiros quadros, o que é uma boa prova de sua fraqueza. Nos quadros seguintes e nos últimos, eles vêem um descaminho, um impasse, uma decadência e, muito freqüentemente, uma impostura, o que é uma boa prova da força sempre crescente dessas obras. [Não falo aqui, naturalmente, apenas da crítica muniquense: para ela, com exceção de alguns casos muito raros, meus livros não passam de desperdício malevolente. Seria lamentável que esse julgamento fosse diferente.]^E

A. Ante meus olhos, em confusos devaneios, desenhava-se por vezes, em farrapos inapreensíveis, algo de indefinido que às vezes me assustava por sua ousadia. Certos dias, eu via em sonho quadros harmoniosos que deixavam atrás de si o traço confuso de pormenores irreais. Uma vez, no delírio do tifo, vi muito claramente todo um quadro, que no entanto se dissipou de certo modo em mim quando sarei. Em alguns anos, a diversos intervalos, pintei *A chegada dos mercadores*, em seguida *A vida variegada* e, enfim, longos anos mais tarde, em *Composição 2*, consegui exprimir a verdadeira essência dessa visão de delírio da qual, no entanto, só muito recentemente vim a tomar consciência. Essa palavra agia sobre mim como uma verdadeira prece. E, ainda hoje, sinto uma dor quando vejo com que leviandade eu me comportei freqüentemente em relação a ela.

B. eu me concedia uma liberdade completa, entregando-me ao "capricho" de uma voz interior.

C. se desenvolvia

D. Era a época em que eu me entusiasmava com os desenhos de Carrière e a pintura de Whistler^59. Duvidava amiúde de minha "concepção" da arte, empenhava-me mesmo em violentar-me para me convencer, obrigava-me a gostar desses pintores. Mas o caráter brumoso, mórbido, e a impotência de certo modo adocicada dessa arte me repeliam novamente. E eu retornava de novo aos meus sonhos de sonoridades, de plenitude do "coro das cores" e, com o tempo, à complexidade da composição.

E. A experiência dos anos desenvolve a indiferença para com esse gênero de crítica. Os hinos de louvor que aparecem aqui e ali em relação à pintura (e que se destinam a repercutir com cada vez mais força) perderam o poder de emocionar-me, como acontecia em meus primeiros tempos. A crítica artística dos jornais e mesmo das revistas nunca formou a "opinião pública", mas sempre foi formada por ela.

cores" por influências bizantinas. A crítica russa (que quase sem exceção me injuriava em termos nada diplomáticos) achou [que eu estava mal encaminhado sob a influência da arte muniquense]^A. Foi então que percebi pela primeira vez como a maioria dos críticos procedem contra o bom senso, com ignorância e sem a menor cerimônia. Isso explica também o sangue-frio com que os artistas sensatos acolhem os artigos mais ferozes a seu respeito[61].

Minha queda para o que é "dissimulado", oculto, salvou-me do que pode haver de nocivo na arte popular, com que deparei pela primeira vez quando de minha viagem ao governo de Vologda, em seu verdadeiro terreno e em sua forma original. Viajei a princípio de trem, com a sensação de que me deslocava num outro planeta, em seguida, num barco a vapor, durante alguns dias, através do Sukhonia, aprazível, absorvido em si mesmo, e enfim em veículos primitivos, ao longo de infindáveis florestas, entre colinas de tons variados, através de pântanos e desertos de areia[62]. Viajava sozinho, circunstância eminentemente favorável que me permitiu absorver-me por inteiro naquilo que me circundava e em mim mesmo. Durante o dia, fazia quase sempre um calor escaldante, [a noite era glacial]^B; lembro-me com reconhecimento de meus cocheiros, a

---

E é justamente essa opinião que chega ao ouvido do artista, muito antes das colunas de jornais. Mas essa opinião, parece-me, o próprio artista a adivinha com firmeza e precisão muito tempo antes que ela se tenha formado. Seja qual for o aspecto sobre o qual se esteja enganado no princípio (e às vezes durante longos anos), e quaisquer que sejam a opinião e a crítica artística que ela formou[60], *o artista em geral* sempre sabe, em sua maturidade, qual é o preço de sua arte. Deve ser terrível para o artista ser subestimado do exterior, porém ainda mais terrível ser subestimado do interior.

A. ou que eu trazia à Rússia os valores da Europa Ocidental (no caso, valores envelhecidos) sob uma forma edulcorada, ou que me submetia à influência perniciosa de Munique.

B. e as noites em que o sol praticamente não se punha eram tão frias que mesmo a *tulup*[63], as botas de feltro e o barrete de pele siriano que eu conseguira durante a viagem por intermédio de N. A. Ivanitsky* se revelavam às vezes insuficientes;

* Nobre eremita da cidade da Kandikov, secretário do comitê executivo de zemstvo[64], botânico e zoólogo, que não despertou interesse na Rússia, mas foi publicado na Alemanha, autor de sérios estudos etnográficos... Organizador da exploração artesanal de objetos de chifre que conseguira arrancar às mãos de impiedosos mercadores. Posteriormente, N. A. recebeu a oferta de uma colocação interessante e lucrativa em Moscou, mas recusou-a no último minuto: não tinha coragem de abandonar sua obra, exteriormente tão modesta, interiormente tão importante. Durante essa viagem, aconteceu-me mais de uma vez encontrar os artesãos isolados, e de uma abnegação completa, da Rússia futura, que já se regozijava com esse aspecto em sua complexidade variegada[65]. Entre eles, os padres das zonas rurais não ocupavam o último lugar.

cobrirem-me freqüentemente, para me aquecer, com as mantas que caíam [devido aos sacolejos e aos solavancos do carro, desprovido de suspensão]^A. Chegava a aldeias onde, subitamente [toda] a população [se apresentava]^B vestida de roupa cinzenta das cabeças aos pés, com rostos e cabelos de um [verde]^C amarelado, [ou arvorava de repente trajes variegados que deambulavam sobre duas pernas como vivos quadros coloridos]^D. Nunca me esquecerei dos casarões de madeira cobertos de esculturas^E. [Nessas vivendas mágicas, vivi uma coisa que nunca mais se reproduziu.]^F Elas me ensinaram a mover-me no próprio âmago do *quadro*, a viver no quadro. Lembro-me ainda de que, ao entrar pela primeira vez na sala, fiquei paralisado diante de um [quadro]^G inesperado. A mesa, as banquetas[66], o grande fogão, que ocupa um lugar importante [na casa do camponês russo], os armários, [cada objeto]^H era pintado com ornamentos variegados que se desdobravam em grandes traços. Nas paredes, imagens populares[67]: a representação simbólica de um herói, uma batalha, a ilustração de um canto popular. O canto "vermelho"[68] ("vermelho", em russo antigo, quer dizer "belo"), inteiramente recoberto de ícones gravados e pintados, e, defronte, uma pequena lâmpada pendurada que ardia, vermelha, flor brilhante, estrela consciente de voz baixa e discreta, tímida, vivendo em si e para si, altivamente. Quando, enfim, entrei no aposento, senti-me cercado de todos os lados pela pintura na qual, portanto, penetrara. O mesmo sentimento dormitava em mim, até ali totalmente inconsciente, quando eu estava nas igrejas de Moscou, em particular na [catedral do Kremlin]^I [69]. Quando posteriormente revi essas igrejas,

---

A. durante o meu sono.
B. ia
C. cinza
D. ou uma população de pessoas de pele branca, rosto vermelho e cabelos pretos, vestidas de maneira tão variegada e tão viva que se assemelhavam a quadros móveis sobre duas pernas.
E. com um samovar brilhante na janela. Esse samovar não era aqui um objeto de luxo, mas de primeira necessidade: em certas localidades, a população se alimentava quase que exclusivamente do chá de Ivã[70], sem contar o pão de cevada ou de aveia, de que os dentes e o estômago não conseguiam dar conta facilmente. Toda a população, ali, tinha a barriga inchada.
F. Nessas isbás extraordinárias, vivi pela primeira vez um milagre que mais tarde se converteu num dos elementos de meus trabalhos.
G. espetáculo
H. os baús[71]
I. na catedral da Assunção e na igreja de São Basílio, o Bem-Aventurado.

ao regressar de minha viagem, o mesmo sentimento se manifestou em mim com perfeita clareza. Mais tarde, tive várias vezes a mesma experiência nas capelas da Baviera e do Tirol. Naturalmente, a cada vez tais impressões eram coloridas de maneira bastante diferente [visto serem constituídas de elementos muito distintos: Igreja, igreja russa! Capela, capela católica!]^A.

Fiz muitos esboços. Essas mesas e ornamentos diversos. [Estes nunca eram mesquinhos]^B, e eram pintados com tamanha força que o *objeto* se *fundia* neles. Essa impressão também só muito tempo depois chegou-me à consciência.

Foi provavelmente através de tais impressões, e não de outro modo, que tomou corpo em mim aquilo que eu desejava, a meta que mais tarde fixei para minha arte pessoal. Durante anos procurei a possibilidade de conduzir o espectador ["a passear"]^C *dentro do quadro*, de forçá-lo a fundir-se no quadro, esquecendo a si mesmo[72].

Às vezes conseguia: pude constatá-lo nos espectadores. Minha aptidão para não levar em conta o objeto no quadro continuou a desenvolver-se a partir do efeito, inconscientemente intencional, que a pintura produz sobre o objeto pintado, o qual pode fundir-se no próprio ato que o pinta. Muito mais tarde, já em Munique, em meu ateliê, quedei-me sob o encanto de uma visão inesperada. Era a hora do crepúsculo nascente. Acabava de chegar em casa com minha caixa de pintura, depois de executar um estudo, ainda [enleado em meu sonho e absorvido pelo trabalho que acabava de terminar]^D, quando deparei com um quadro de uma beleza indescritível, impregnado de grande ardor íntimo. A princípio fiquei confuso, depois abeirei-me rapidamente do quadro misterioso [no qual via apenas formas e cores e cujo tema me era incompreensível]^E. Não tardei a encontrar a chave do enigma: era um de meus quadros, encostado na parede com o lado para baixo. No dia seguinte tentei reencontrar à luz do dia a impressão experimentada na véspera diante desse quadro. Mas só em parte o consegui: mesmo com o lado para baixo, eu reconhecia constantemente os objetos, e faltava a fina luz

---

    A. já que as fontes as haviam suscitado eram, elas próprias, decoradas de maneiras muito diferentes: a Igreja, igreja russa, a Capela, capela católica.
    B. Eles nunca se perdiam nos detalhes
    C. mover-se
    D. absorto em meu trabalho, e sonhava com a maneira como teria sido preciso trabalhar
    E. perfeitamente incompreensível quanto ao seu conteúdo exterior e exclusivamente constituído de manchas de cor.

do crepúsculo. Agora eu tinha certeza, o objeto prejudicava meus quadros.

Um abismo medonho, uma profusão de questões de todos os tipos, nas quais minha responsabilidade estava em jogo, apresentava-se ao meu espírito. E a mais importante: o que deve substituir o objeto faltante? O perigo de uma arte ornamental surgia-me claramente; a morta existência ilusória das formas estilizadas não podia deixar de repugnar-me[A] [73].

Só depois de muitos anos de trabalho [paciente][B], [de reflexão intensa], de tentativas numerosas e prudentes[C] nas quais eu desenvolvia cada vez mais a capacidade de viver as formas pictóricas puramente, abstratamente, e de absorver-me mais e mais fundamente nessas profundezas insondáveis, é que cheguei às formas pictóricas com as quais trabalho hoje, nas quais trabalho hoje e que, espero [e quero, se desenvolverão ainda muito mais][D].

Foi preciso muito tempo antes que esta questão: "que é que deve substituir o objeto?" encontrasse em mim uma verdadeira resposta. Muitas vezes eu me volto para o meu passado e fico desesperado ao ver quanto tempo me foi necessário para chegar a essa solução. Resta-me apenas um consolo: nunca fui capaz de decidir-me a utilizar uma forma nascida em mim pela via da lógica, e não pela da pura sensibilidade. Eu não sabia inventar formas, e [repugna-me][E] ver tais formas. Todas as formas que empreguei nasceram "por si mesmas", apresentavam-se a mim sob seu aspecto definitivo e não me restava senão copiá-las, ou então elas se formavam[F] no próprio curso do trabalho [de um jeito que por vezes me surpreendia a mim mesmo].[G] Com o passar dos anos, aprendi a do-

---

A. Quase sempre eu fechava os olhos para essas questões. Parecia-me às vezes que elas me impeliam para um caminho falso e perigoso.
B. tenaz
C. depois de impressões inconscientes ou semiconscientes, sempre novas e cada vez mais claras e mais vivamente desejadas.
D. receberão uma forma ainda mais acabada.
E. é-me doloroso
F. nos momentos felizes
G. Às vezes elas requeriam tempo e obstinação para manifestar-se e era-me necessário esperar pacientemente, e não raro com o medo na alma, que elas amadurecessem em mim. Essas maturações interiores não se prestam à observação: são misteriosas e dependem de causas ocultas. Apenas na superfície da alma, por assim dizer, é que se sente uma fermentação interior confusa, uma tensão particular das forças interiores, que pressagiam cada vez mais claramente a chegada da hora feliz que dura ora um instante, ora dias inteiros. Penso que esse processo espiritual de frutificação, de amadurecimento do fruto, de esforços e de parto corresponde plenamente ao processo físico da fecundação e do parto humano. Talvez também os mundos nasçam dessa maneira.

minar um pouco essa força criadora. Exercitei-me [a não deixar tudo seguir simplesmente o seu caminho, mas, ao contrário, a disciplinar essa força que trabalhava em mim, a canalizá-la]^A. Com o passar dos anos, compreendi que um trabalho feito com o coração palpitante, com o peito opresso (provocando dores nas costas), com uma tensão de todo o corpo, [não pode bastar. Esta pode simplesmente esgotar o artista, mas não sua tarefa]^B. O cavalo leva seu cavaleiro com vigor e rapidez. Mas é o cavaleiro que conduz o cavalo[74]. O talento conduz o artista a altos picos com vigor e rapidez. Mas é o artista que domina o seu talento. [Eis o que constitui o elemento "consciente", "calculista", do trabalho — chamem-no como quiserem.]^C O artista deve conhecer *seus* dons a fundo e, como homem de negócios prudente, não deve deixar uma mínima parcela deles inutilizada ou esquecida; ao contrário, seu dever é explorar, aperfeiçoar cada uma dessas parcelas até o limite [do possível]^D.

Mas tanto pela força da tensão quanto por sua qualidade, esses "impulsos" são muito diversos. Só a experiência é capaz de ensinar quais são suas qualidades e as possibilidades de reutilizá-los.

A. a não me dar rédeas soltas, a não me abandonar, a dirigir essas forças.
B. não dá resultados perfeitos. Uma queda súbita sucede infalivelmente a esse tipo de impulso, no curso do qual o sentimento de autocontrole e de autocrítica desaparece durante alguns minutos, ou, às vezes, completamente. Esse estado de inspiração pode prolongar-se, no melhor dos casos, por algumas horas. Pode bastar para um trabalho pouco considerável (é perfeito para esboços ou para as coisinhas a que chamo "improvisações"); mas não é em caso algum suficiente para grandes trabalhos que exigem um entusiasmo constante e uma tensão obstinada que não se desmentem durante dias inteiros.

C. Talvez, por outro lado, ainda assim de maneira parcial e por acaso, o artista esteja à altura de suscitar artificialmente em si semelhantes entusiasmos. Mas é-lhe dado explorar o gênero de impulso que aparece fora de sua vontade. Uma experiência de muitos anos proporciona a possibilidade de conservar em si semelhantes momentos, do mesmo modo que permite às vezes abafá-los por completo, para deixá-los reaparecer mais tarde de maneira quase infalível. Mas, ainda aqui, uma perfeita precisão — nem é preciso dizer — é impossível. Não obstante, e experiência e o conhecimento relativos a esse domínio aparecem como um dos elementos da "consciência", do "cálculo" no trabalho, elementos que podem receber outros nomes.

D. que lhe é fixado pelo destino*.

* O nervosismo, herança do século XIX freqüentemente condenada, engendrou toda uma série de obras de pouca importância, conquanto belas, em todos os domínios da arte. Não nos deu nenhuma obra grandiosa, tanto interior quanto exterior. É de supor que tal nervosismo já se encontra no seu fim. Parece-me que o tempo de semelhante determinação interior, de um conhecimento "espiritual", está cada vez mais próximo, e que só ele pode proporcionar aos artistas, em todas as artes, essa indispensável e duradoura tensão no equilíbrio, essa confiança, esse autodomínio que constitui o indispensável, o melhor, o inevitável terreno para as obras de grande profundidade e complexidade interior.

Essa educação, esse aprimoramento dos dons, requer uma grande faculdade de concentração que, em contrapartida, acarreta o definhamento das demais faculdades. Foi o que percebi claramente em meu próprio caso. Nunca tive o que se costuma chamar de boa memória: em particular, sempre fui incapaz de decorar cifras, nomes e mesmo poemas. ["Uma vez um, um"][A] mergulhava-me sempre em dificuldades intransponíveis que até hoje não resolvi e que levavam meu professor ao desespero. [Desde o princípio tinha necessidade do auxílio da memória visual][B]; [então tudo ia bem. No exame de estatística, citei uma página inteira de números simplesmente porque, em minha excitação, eu revia essa página em mim mesmo.] [Assim é que, criança, eu já era capaz de pintar de memória em minha casa quadros que me haviam cativado particularmente em exposições, pelo menos dentro dos limites que meus conhecimentos técnicos me permitiam. Mais tarde, sucedia-me pintar melhor uma paisagem "de memória" do que do natural.][C] Foi assim que pintei "a velha cidade" e que mais tarde executei muitos [desenhos em cores][D] da Holanda ou dos países árabes[76]. [Era, pois, capaz de enumerar de cor e sem erro a totalidade das lojas de uma grande rua, porque as via diante de mim. Sem que tivesse disso a mínima consciência, registrava sem cessar impressões em meu foro íntimo e, por vezes, de maneira tão intensa, tão contínua que tinha a sensação de ter o peito opresso e a respiração difícil. Chegava assim a um estado de estafa, de atulhamento, que me fazia invejar os funcionários que podem se dar ao luxo de relaxar completamente depois do horário de trabalho. Tinha saudade de um repouso apático, de um olhar de carregador, como dizia Böcklin[77]. Mas *era obrigado* a não deixar de ver.]

Há alguns anos, notei repentinamente que essa faculdade havia diminuído. [A princípio fiquei assustado], mas compreendi [mais

---

A. A tabuada.

B. Mesmo hoje não consegui superar essa invencível dificuldade e renunciei para sempre a esse gênero de conhecimento. Mas, na época em que ainda se podia forçar-me a adquirir conhecimentos que me eram inúteis, minha única salvação estava na memória visual.

C. Graças a essa memória, e na medida em que dispunha dos conhecimentos técnicos suficientes, eu era capaz, desde a minha primeira juventude, de recopiar em cores, em casa, os quadros que me haviam particularmente impressionado numa exposição. Mais tarde, eu me saía melhor nas paisagens pintadas de memória do que nas que pintava do natural.[75]

D. desenhos a têmpera da Alemanha,

tarde]^A que as forças que me permitiam observar de maneira contínua tinham sido orientadas em outra direção por uma [melhor educação]^B de minha faculdade de concentração [e me ofereciam outras possibilidades, agora muito mais indispensáveis]^C. Essa faculdade de absorver-me na vida interior da arte (e, portanto, de minha alma) aumentou tão fortemente, que passei muitas vezes diante dos fenômenos exteriores sem notá-los, o que não teria ocorrido antes.

Essa faculdade, se bem a entendo, eu não impus mecanicamente a mim — ela vivia em mim, organicamente, desde sempre, porém sob uma forma embrionária^D.

Com dinheiro lentamente economizado, comprei aos treze ou catorze anos uma caixa de pintura a óleo. O que senti então, ou, melhor dizendo, a experiência que vivi ao ver a cor saindo do tubo, eu a vivo ainda hoje. Uma pressão do dedo e, [jubilosos, faustosos]^E, refletidos, sonhadores, absorvidos em si mesmos, com uma profunda seriedade, uma crepitante malícia, com o suspiro do parto, [a profunda sonoridade do luto]^F, [uma força, uma resistência obstinadas^G], [uma doçura e uma abnegação na capitulação,] um autodomínio tenaz, tamanha sensibilidade em seu equilíbrio instável, esses seres estranhos a que se chama cores vinham um depois do outro, vivos em si e para si, autônomos e dotados das qualidades necessárias à sua futura vida autônoma, e, a cada instante, prontos a se submeterem livremente a novas combinações, a se misturarem uns aos outros e a criar uma infinidade de novos mundos. Alguns jazem ali, com as forças já esgotadas, enfraquecidas, endurecidas, mortas, lembranças vivas de possibilidades passadas não desejadas pelo destino. Como num combate, como numa batalha, elas vão saindo do tubo, essas forças viçosas, jovens, que substituem as velhas. No meio da paleta há um mundo estranho: os restos das cores já utilizadas que, longe dessa fonte, vagueiam pelas telas em encarnações necessárias. Há ali um mundo que veio à existência pela vontade do pintor[78], para os quadros já pintados, mas que foi também criado e determinado por causas acidentais, pelo jogo enigmático das forças estranhas ao artista. E devo muito a esses acasos:

    A. logo
    B. aumento
    C. e essa orientação tornara-se para mim muito mais importante, indispensável.
    D. Sua hora chegou com toda a simplicidade e ela começou a se desenvolver, exigindo que eu a ajudasse por meio de exercícios.
    E. triunfantes, sonoros
    F. a sonoridade contida do desgosto
    G. com uma força arrogante e obstinação

eles me ensinaram mais que qualquer professor ou qualquer mestre. Com amor e admiração, estudei-os horas a fio. [A paleta, que é constituída por esses elementos, que é ela própria uma "obra" e muitas vezes mais bela que qualquer obra, deve ser apreciada pelas alegrias que proporciona.] Parecia-me às vezes que o pincel, que com vontade inflexível arranca fragmentos desse ser que vive das cores, fazia nascer a cada arrancamento uma tonalidade musical^A. Por vezes eu ouvia o chiado das cores no momento em que se misturavam. Era como uma experiência[79] ouvida na misteriosa [cozinha]^B de um alquimista envolto em mistério.

[Quantas vezes e com que perversidade essa primeira caixa de cores não me mistificou e zombou de mim! Ora a cor escorria ao longo da tela, ora rachava em pouco tempo, ora clareava, ora escurecia, ora parecia saltar da tela e flutuar no ar, ora desbotava cada vez mais até assemelhar-se a um pássaro morto à beira da decomposição... Não sei como tudo isso acontecia.]

Mais tarde, ouvi um artista muito conhecido (não sei mais quem era) dizer: "Ao pintar, dê uma olhada na tela, meia olhada na paleta e dez no modelo." Isso soava bem, mas logo vim a descobrir que para mim devia ser o inverso: dez olhadas na tela, uma na paleta e meia na natureza. Foi assim que aprendi a bater-me com a tela, a conhecê-la como um ser resistente ao meu desejo (= meu sonho) e a submetê-la a esse desejo pela violência. [A princípio ela está lá, como uma virgem pura e casta de olhar claro, de alegria celeste, essa tela pura que é ela própria tão *bela* quanto um quadro. Em seguida sobrevém o pincel repleto de esperança que, ora aqui, ora ali, a conquista pouco a pouco com toda a energia que lhe é própria, como um colono europeu, quando através da selvagem Natureza Virgem, na qual ninguém jamais tocou, abre caminho a machado, a enxada, a martelo, a serrote, para submetê-la ao seu desejo.] Aprendi progressivamente a não ver a alvura [recalcitrante]^C da tela, a só prestar atenção nela por alguns momentos (como controle), [deixando de ver os tons que deviam substituí-la...]^D [80]. [E assim uma coisa vinha lentamente depois da outra.]^E [81]

A pintura é o choque fragoroso de mundos diferentes destinados a criar em e por seu combate o mundo novo a que se chama

---

A. particular
B. laboratório
C. obstinada e tenaz
D. mas a ver em seu lugar os tons que deviam substituí-la
E. Era assim que, lenta e progressivamente, eu aprendia ora um, ora outro.

obra^A. Cada obra nasce, do ponto de vista técnico, exatamente como nasceu o cosmos... Por catástrofes que, a partir dos fragores caóticos dos instrumentos, acabam por criar uma sinfonia que se chama música das esferas. A criação de uma obra é a criação do mundo.

Assim, essas sensações da cor sobre a paleta (tal como nos tubos, que se assemelham a homens de espírito forte, mas de aparência modesta, que revelam de repente, em caso de urgência, suas forças até então secretas e que os fazem agir) converteram-se em experiências espirituais. Essas experiências serviram, depois, de ponto de partida para as idéias de que tomei consciência há [dez ou doze anos]^B [e que começaram então a juntar-se para resultar no livro *Do espiritual na arte*. Esse livro se fez muito mais por si mesmo do que o escrevi]. Transcrevi experiências isoladas que, como observei mais tarde, guardavam entre si uma relação orgânica. Eu tinha o sentimento cada vez mais forte, cada vez mais claro, de que [na arte as coisas não dependem]^C do "formal", mas de um desejo interior (= conteúdo) que [delimita o domínio do]^D formal^E [83]. Foi um grande passo à frente — para grande vergonha minha, levei muito tempo para dá-lo — resolver inteiramente o problema da arte com base na necessidade interior, [que estava em condições]^F de subver-

---

A. Ao contrário das humildes palavras alemãs, francesas e inglesas, essa longa palavra russa traz em si, de certo modo, toda a história da obra, história longa, complexa, misteriosa, com sonoridades de predestinação "divina"[82].
B. quinze
C. o centro de gravidade da arte não se encontra no domínio
D. submete imperiosamente o
E. Não me foi fácil renunciar ao meu ponto de vista habitual sobre a importância predominante do estilo, da época, da teoria formal, e reconhecer, pela alma, que a qualidade de uma obra de arte não depende de sua capacidade de exprimir o espírito formal da época, nem de sua adequação ao ensino sobre a forma que se considera infalível numa determinada época, mas que depende absolutamente do desejo interior do artista, assim como da elevação das formas que ele escolheu e que lhe são justamente necessárias. Tornou-se claro para mim que, entre outras coisas, esse "espírito do tempo", no que concerne às questões formais, é criado justa e exclusivamente pelos artistas plenamente "sonoros", pelas "personalidades" que submetem por suas convicções não só os contemporâneos que têm um desejo interior menos intenso ou que só têm um talento exterior (sem conteúdo), como também artistas que vivem gerações, séculos depois deles.
F. que tinha a força angustiante

ter a cada instante o conjunto das regras e das fronteiras conhecidas^A.

Para mim, portanto, o domínio da arte se separava cada vez mais do domínio da natureza, até o dia em que vim a sentir cada um desses domínios como totalmente independentes. [O que só se manifestou plenamente naquele ano.]

Abordo agora um ponto sensível com uma lembrança que em seu tempo foi para mim uma fonte de sofrimento. Quando vim de Moscou para Munique, tive a sensação de renascer, deixando para trás o trabalho forçado para entregar-me ao trabalho aprazível; mas logo me choquei com a limitação dessa liberdade que, embora sob uma forma nova, me reduziu, pelo menos durante algum tempo, à escravidão — o trabalho com modelo.

A. E só nestes últimos anos é que aprendi a fruir com amor e alegria a arte "realista", "hostil" à minha arte pessoal, e a passar com indiferença e frieza diante das obras "perfeitas quanto à forma", como se elas me fossem aparentadas pelo espírito[84]. Mas hoje sei que a "perfeição" nada mais é que o visível, o efêmero, e que não pode haver forma perfeita sem conteúdo perfeito: o espírito determina a matéria, e não o inverso. O olhar, seduzido por falta de experiência, logo arrefece e a alma provisoriamente iludida volta rápido atrás. O critério que proponho tem o defeito de ser indemonstrável (sobretudo aos olhos dos que são desprovidos não só de conteúdo ativo e criador como até de conteúdo passivo, isto é, aos olhos dos que estão condenados a permanecer na superfície da forma, que não são capazes de absorver-se na incomensurabilidade do conteúdo). Mas a grande Vassoura[85] da história, que varre o lixo da exterioridade do espírito interior, aparece aqui como o último e indelével* árbitro.

* No espírito de nossos contemporâneos, o princípio da *art pour l'art*[86], em seu sentido mais superficial, ainda é tão forte, sua alma está ainda, neste particular, tão conspurcada por esse "como" na arte, que eles são bem capazes de passar a acreditar nesta afirmação banal: a natureza não passa de um pretexto para a expressão artística, por si mesma ela não é essencialmente uma arte. Justamente, foi tão-só o hábito da emoção superficial da forma que conseguiu abafar a alma a ponto de, agora, ela não poder ouvir qualquer ressonância, mesmo de um elemento secundário da obra. Parece-me que graças à subversão moral *interior* que já se manifestou em nossa época muito particular, essa atitude verdadeiramente "atéia" em relação à arte, ainda que não mude em todo o seu volume, isto é, na massa de artistas e do "público", passará pelo menos para um terreno mais sadio nessa mesma massa. Para muitos, porém, está a despertar uma alma cheia de vida, só temporariamente abafada. De fato, o desenvolvimento da receptividade espiritual e da ousadia em suas *próprias* experiências são para isso as condições mais importantes e inevitáveis. Dediquei a essa questão complexa um artigo firme e decisivo, "Sobre a forma na arte", em *O Cavaleiro Azul*[87].

Eu freqüentava a escola de Anton Azbe* [88], celebérrimo nessa época: estava sempre lotada. Dois ou três modelos posavam para "cabeças" ou para "nus". Alunos de ambos os sexos e de diferentes nacionalidades comprimiam-se em torno desses fenômenos da natureza que cheiravam mal, recusavam-se a participar, não tinham nenhuma expressão e quase sempre nenhum caráter, e a quem se pagavam cinqüenta a sessenta *pfenigs* por hora — eles borravam conscienciosamente o papel e a tela, o que provocava um ligeiro chiado, e tentavam reproduzir com exatidão a anatomia, a estrutura e o caráter dessas criaturas que nada tinham a ver com eles. Tentavam realçar pelo entrecruzamento das linhas a ligação dos músculos, valorizar por um tratamento particular das superfícies ou das linhas o modelado das laterais do nariz, dos lábios, construir a cabeça inteira segundo o "princípio da esfera", e, parece-me, não pensavam em momento algum na arte. O jogo das linhas no Nu despertava-me às vezes um grande interesse. Mas às vezes me aborrecia. Em variadas posições alguns corpos produziam em mim, por suas linhas, um efeito repugnante e era necessário impor-me uma forte coação para reproduzi-los[89]. Estava constantemente em luta comigo mesmo. Só na rua é que conseguia voltar a respirar livremente; e não era raro eu ceder à tentação de "matar a aula" para [ir apreender à minha maneira, com minha caixa de pintura, o bairro de Schwabing[90], o jardim inglês ou as alamedas do Isar][B]. Ou então ficava em casa e tentava pintar um quadro de memória de acordo com um estudo ou abandonando-me à imaginação, [sem seguir muito de perto as leis da natureza][C]. [Eis por que alguns colegas me julgavam preguiçoso e até pouco dotado, o que às vezes me afetava bastante, já que sentia muito claramente em mim o amor pelo tra-

---

* Anton Azbe era artista talentoso e homem de rara bondade[A]. Muitos de seus numerosos alunos estudavam de graça com ele. Aos que se escusavam por não poder pagar ele respondia invariavelmente: "Estude bastante, esta é a única coisa que importa." Parecia ter tido uma vida muito infeliz. A gente o ouvia, mas nunca o via rir: as comissuras de seus lábios mal se erguiam, os olhos permaneciam sempre tristes. Não sei se alguém conhecia o mistério de sua vida solitária. E a morte lhe foi tão solitária quanto a vida: morreu sozinho em seu ateliê. Embora tivesse rendimentos consideráveis, não deixou mais que alguns milhares de marcos. Só depois de sua morte é que se soube até onde ia sua generosidade.

    A. de origem eslava.
    B. errar com minha caixa de pintura e entregar-me à natureza, à minha maneira, nos arredores da cidade, em seus jardins ou nas margens do Isar.
    C. e, por vezes, afastando-me imediatamente da "natureza", pintava alguma coisa a meu gosto.

balho, a aplicação e o talento. Acabei por sentir-me isolado, um estranho nesse meio, e entreguei-me ainda mais intensamente às minhas aspirações.]

No entanto[A], senti-me na obrigação de seguir o curso de anatomia, e cheguei ao escrúpulo de segui-lo uma segunda vez. Na segunda vez, assisti às aulas [do professor Moillet][B], nas quais se manifestavam seu forte temperamento e seu vibrante ardor[91]. Eu desenhava as composições, tomava nota nas aulas, respirava o cheiro de cadáver. Mas inconscientemente experimentava uma estranha impressão ao ouvir falar da relação direta entre a anatomia e a arte. Isso chegou a ofender-me [, do mesmo modo que me ofendia o preceito segundo o qual um tronco de árvore "sempre deve ser representado com o solo a que ele se liga". Não havia ninguém para ajudar-me, nessa escuridão, a superar esses sentimentos e esse imbróglio. É verdade que, na dúvida, eu nunca me voltei para outrem. Ainda hoje acho que é na solidão da alma que se deve dissipar tais dúvidas, do contrário se profana a solução forte e pessoal que se pode dar-lhes].

Entretanto, logo descobri que mesmo que a princípio ela pareça "feia", toda cabeça é de uma beleza perfeita. As leis da construção da natureza se revelavam em cada uma de maneira tão completa, tão irrepreensível, que lhes conferiam a cor da beleza. Muitas vezes, diante de um modelo "feio", eu me dizia: "Como é inteligente!" E é, efetivamente, uma inteligência infinita que se manifesta em cada detalhe: qualquer narina, por exemplo, desperta em mim o mesmo sentimento de admiração que o vôo de um pato selvagem, a ligação da folha ao ramo, o nado da rã, o bico do pelicano, etc. Esse sentimento de admiração diante da beleza, diante da inteligência, não tardei a experimentá-lo no curso do professor Moillet.[C]

A. , não sem hesitação,
B. que o professor Moillet, da Universidade de Munique, ministrava especialmente para os artistas*, e
C. Em seguida compreendi que, pela mesma razão, o que é logicamente feio torna-se belo numa obra de arte.

* Mas não artistas do sexo feminino: as mulheres não eram admitidas em seus cursos, nem tampouco na Academia, e assim ainda é em nossos dias. Mesmo nas escolas particulares, havia sempre um elemento misógino. Do mesmo modo, entre nós, após "a revolução dos cães" (antes os alunos vinham ao ateliê com seus cachorros, o que mais tarde foi proibido por decreto dos mesmos alunos), havia um bom número de partidários da "revolução das mulheres" — "pôr as mulheres no olho da rua". Mas os partidários dessa "revolução" eram muito pouco numerosos e o sonho que lhes era tão caro permaneceu no domínio dos desejos irrealizados.

Tinha eu a sensação confusa de que [pressentia os segredos de um domínio em si]^A. Mas não conseguia estabelecer relações entre esse domínio e o domínio da arte. Ia à velha Pinacoteca e constatava que nenhum dos grandes mestres chegara à beleza e à inteligência perfeita dos modelos naturais: a natureza permanecia intacta. Parecia-me às vezes que ela ria desses esforços. Com muito mais freqüência, porém, ela me aparecia como "divina" no sentido abstrato do termo: ela *criava* seus objetos, seguia *seu* caminho em direção a *seus* próprios objetivos, que desaparecem nas brumas, vivia em *seu* [domínio]^B, que me era estranhamente exterior. Qual era sua posição em relação à arte?

Quando alguns de meus colegas viram as obras que eu executara [em casa]^C, aplicaram-me o rótulo de "colorista". Muitos deles chamaram-me, não sem malícia, de "paisagista". Essas duas denominações me afetavam ainda mais por eu ter de reconhecer-lhes a legitimidade. Percebia efetivamente que me sentia muito mais à vontade no domínio das cores do que no do desenho. [E não sabia como enfrentar esse perigo ameaçador.]^D

Nessa época, Franz Stuck era "o primeiro desenhista da Alemanha": fui visitá-lo. Infelizmente, só tinha os meus trabalhos escolares. Ele achou o todo muito mal desenhado e aconselhou-me a freqüentar por um ano o curso de desenho da Academia.^E [Fui reprovado no exame[92], o que só me irritou, sem desanimar-me de modo algum]^F: por ocasião desse exame, aceitaram^G os desenhos que eu considerava, com conhecimento de causa, tolos, sem talento e sem a menor habilidade. Ao cabo de um ano de trabalho em casa, fui visitar Franz Stuck pela segunda vez — desta feita somente com esboços de quadros que ainda não conseguira terminar e alguns es-

---

A. abria-se ante mim o mistério de um mundo particular
B. reino
C. fora da Escola
D. Um de meus colegas que me era simpático disse-me como consolo que muitas vezes o desenho não era o forte dos coloristas. Mas isso não reduzia meu medo ante a infelicidade que me ameaçava e eu não sabia como encontrar minha salvação.
E. Eu estava indignado: parecia-me que, por não ter aprendido desenho aos dois anos, nunca mais aprenderia.
F. Além disso, fui reprovado no exame da Academia: esse acontecimento, não obstante, mais me irritou que me desanimou
G. o conselho dos professores*
* Na Academia, no curso preparatório de "desenho", admitem-se alunos após exame oficial feito por todo o conselho dos professores dessas classes preparatórias. No curso superior "de pintura" o professor recebe o aluno segundo seu critério pessoal, e se ele vier a se convencer de que se enganou acerca do talento de um aluno, pode do mesmo modo riscar-lhe o nome das listas, o que Stuck, parece, foi o único a fazer; por isso era muito temido.

tudos de paisagens. Ele admitiu-me em seu curso de pintura e, quando o interroguei a respeito de minha maneira de desenhar, respondeu-me que ela era muito expressiva. Stuck se opôs energicamente, desde meu primeiro trabalho na Academia, às minhas "extravagâncias" de cor e aconselhou-me a começar pintando em preto e branco a fim de estudar apenas a forma. Falava-me com um amor surpreendente pela arte, pelo jogo das formas, pela fusão das formas entre si, e conquistou toda a minha simpatia. Eu só queria aprender com ele o desenho, pois notei de imediato que ele era pouco sensível às cores, e submeti-me inteiramente aos seus conselhos. Embora eu tenha tido às vezes sérios motivos de irritação[A], penso, no fim das contas, com reconhecimento nesse ano de trabalho com ele. Stuck falava muito pouco, e por vezes de maneira pouco clara. Algumas vezes eu era obrigado a refletir longamente sobre suas observações após a correção — mas *a posteriori* achava-as quase sempre oportunas. Tinha eu o lamentável defeito de não conseguir terminar um quadro: bastou-lhe uma única observação para corrigir isso. Disse-me que eu trabalhava de maneira demasiado nervosa[93], que eu colhia o que era interessante logo no primeiro momento e que o estragava retardando por um tempo excessivamente longo a parte árida do trabalho: "Eu acordo com o pensamento: hoje tenho o direito de fazer isso ou aquilo." Esse "tenho o direito" [revelou-me não só o profundo amor de Stuck pela arte e o grande respeito que tinha por ela, como também][B] o segredo do trabalho sério[94]. E terminei meu primeiro quadro assim que cheguei em casa.

Mas, durante muitos anos ainda, continuei a ser como um macaco preso numa rede: as leis orgânicas da construção paralisavam-me a vontade e só a grande custo, com muitos esforços e tentativas, é que derrubei esse "muro diante da arte". Foi assim que penetrei, enfim, no domínio da arte, que, a exemplo da natureza, da ciência ou da política [etc.][C], é um domínio em si, regido por leis próprias, e próprias só dele, e que, reunido aos demais, acaba por formar o Grande Domínio que só vagamente podemos pressentir.

Vivemos hoje o grande dia de uma revelação desse Domínio. As relações entre os diferentes domínios foram iluminadas como por um relâmpago: eles saíram [da sombra][D], inesperados, assustadores e portadores de felicidade. Jamais estiveram tão fortemente li-

---

A. (às vezes se faziam ali, de maneira pitoresca, as coisas mais extravagantes)
B. abriu-me
C. , a moral
D. das trevas

gados entre si, jamais foram tão fortemente distintos uns dos outros. Esse relâmpago era o filho do céu escuro do espírito, que pairava sobre nós, negro, sufocante, morto. É aqui que começa o grande período do Espiritual [, a Revelação do Espírito: Pai — Filho — Espírito].

Reconheci com o tempo, muito progressivamente, que a "Verdade" em geral e mais precisamente na Arte não é um dado X, uma grandeza imperfeitamente conhecida mas imutável — é, ao contrário, uma grandeza variável, animada por um movimento moroso e permanente. De repente, ele tomou para mim o aspecto de um caracol que se desloca lentamente, que mal parece mudar de lugar, deixando atrás de si uma fita pegajosa onde vêm enviscar-se bons espíritos afligidos de miopia. Ainda aqui, só percebi esse fato importante a propósito da arte; mais tarde, constatei igualmente que, em tal caso, a mesma lei também caracteriza os demais domínios da vida. Esse movimento da verdade é sobremodo complexo: o falso torna-se verdadeiro, o verdadeiro falso, algumas partes se destacam como a casca da noz, o tempo lustra essa casca de tal sorte que alguns a tomam pela noz e emprestam a essa casca a vida da noz; muitos brigam por essa casca, e a noz rola para mais longe[95]; uma nova verdade parece cair do céu e afigura-se tão precisa, tão rígida e tão dura, tão infinitamente elevada, que alguns sobem por ela como ao longo de uma vara, na certeza de dessa vez atingir o céu... até que ela se quebra e os que subiam por ela tornam a cair em sombria incerteza, como rãs no lodo. O homem assemelha-se amiúde a um besouro seguro pelas costas: ele move suas patas com uma nostalgia muda, agarra-se a cada raminho que se lhe apresente e acredita encontrar sua salvação nesse raminho. No tempo de minha "descrença" eu me perguntava: quem me segura pelas costas? Qual é a mão que me apresenta o raminho para retirá-lo novamente? Ou será que estou deitado de costas, na terra poeirenta e indiferente, agarrando os raminhos que crescem por si mesmos ao meu redor? Quantas vezes, porém, não senti essa mão em minhas costas, e mais outra que pousava em meus olhos e me mergulhava na noite escura enquanto o sol brilhava!

[A arte é sob muitos aspectos semelhante à religião]^A: sua evolução não se faz mediante novas descobertas que anulam as antigas verdades, marcando-as com o sinete do erro (como aparentemente ocorre com a ciência). Sua evolução se faz mediante súbitos clarões,

---

A. O desenvolvimento da arte assemelha-se ao desenvolvimento do conhecimento não-material

semelhantes ao relâmpago, mediante explosões que fulguram no céu como as girândolas de um fogo de artifício para espalhar em torno de si todo um "buquê"[96] de estrelas de múltiplos esplendores. Essas iluminações projetam uma luz ofuscante sobre novas perspectivas, novas verdades que, no fundo, não constituem outra coisa senão a evolução orgânica, o desenvolvimento orgânico da sabedoria anterior que, longe de ser anulada pela nova, continua a viver e a criar sabedoria e verdade[A]. Esse novo ramo não torna inútil o tronco da árvore: é o tronco que permite ao ramo existir. [O Novo Testamento seria concebível sem o Antigo? Nossa época, no limiar da "terceira" Revelação[97], seria concebível sem a segunda?] É uma ramificação da Árvore Original, onde "tudo principia". E a ramificação, o crescimento ulterior, a diversificação ulterior, causas freqüentes de confusão e desespero, são as etapas indispensáveis que conduzem à poderosa frondescência; as etapas que finalmente vão constituir a Árvore Verde.

[Cristo, segundo sua própria confissão, não veio suprimir a Antiga Lei. Quando ele falava assim: "Isso vos foi dito... e em verdade vô-lo digo", a Lei que ele trazia era a velha Lei material convertida em sua Lei espiritual. A humanidade de seu tempo, ao contrário da humanidade do tempo de Moisés, fizera-se capaz de compreender e de viver os mandamentos: "Não matarás... Não fornicarás", não apenas sob sua forma direta, material, senão também sob a forma mais abstrata do Pecado do Espírito.][B]

O pensamento elementar, seco e exato não é pois rejeitado, mas serve de base para os pensamentos futuros que se desenvolverão a partir dele. E esses pensamentos futuros, mais tenros, menos precisos e menos materiais, assemelham-se aos futuros ramos, novos, mais tenros, que farão novas irrupções nos ares.

Na balança de [Cristo][C], o valor do fato não é pesado segundo o aspecto exterior da ação em sua rigidez, mas segundo seu aspecto interior na flexibilidade. Aí se encontra a raiz da futura trans-

---

A. , o que está indissoluvelmente ligado a cada verdade e a cada sabedoria.

B. É também o curso da evolução moral, que tem sua fonte primeira nas concepções e nas diretrizes religiosas. As leis bíblicas da moral expressas nas fórmulas simples que resultam de uma geometria elementar — não matar, não fornicar — recebem no período seguinte (cristão) limites por assim dizer mais suaves e mais flexíveis; seu caráter geométrico primitivo cede lugar a um livre contorno, exteriormente menos preciso. Não só o delito puramente material é considerado inadmissível, mas também a ação interior, que ainda não saiu dos limites da imaterialidade.

C. cristianismo

mutação dos valores que, ininterruptamente, portanto hoje mesmo, continua a criar lentamente, ao mesmo tempo que constitui a raiz dessa interiorização que também nós atingimos pouco a pouco no domínio da arte. Em nossos dias e sob uma forma altamente revolucionária. Seguindo esse caminho, acabei chegando à conclusão de que não sentira a pintura sem objeto como uma supressão de toda a arte anterior, mas apenas como a divisão primordial, de importância considerável, do velho tronco único em dois ramos mestres*, ramificação indispensável à formação da Árvore Verde.

De maneira mais ou menos clara, sempre tive o sentimento dessa realidade, de sorte que, quando afirmavam que eu queria romper com a velha pintura, isso me deixava sempre de mau humor. Nunca tive o sentimento dessa ruptura durante os meus trabalhos: sentia nele apenas o crescimento vindouro, inevitável, da arte, com sua lógica interna e sua aparência orgânica. O sentimento de liberdade de outrora voltou-me pouco a pouco à consciência, e foi assim que caíram gradualmente as exigências secundárias[D] que eu atribuía à arte. Elas só caem em favor de uma exigência única: a exigência de vida *interior* na obra. Notei então, para minha grande surpresa, que essa exigência cresceu sobre [a base que Cristo colocava como fun-

---

* Por esses dois ramos mestres entendo duas diferentes maneiras de praticar a arte. A *maneira virtuosista* (que a música conhece de há muito sob a forma de uma especialização e que corresponde, em literatura, à arte dramática) repousa num sentimento mais ou menos pessoal e numa interpretação artística, criadora, da "natureza". (Um exemplo importante: o retrato.) Por "natureza" pode-se entender também uma obra já existente e criada por outra mão: a obra de virtuosismo daí resultante é, então, da mesma espécie que um quadro pintado "do natural". O desejo de criar tais obras de virtuosismo tem sido até aqui, via de regra, reprimido[A] pelos artistas[B], o que é lamentável.[C] O que se denomina cópia pertence também a esse gênero: o copista se empenha em abordar a obra alheia tão de perto quanto um regente escrupuloso ao reger uma obra composta por outrem.

A outra maneira é a da *composição*, na qual a obra nasce em sua maior parte ou mesmo inteiramente "do artista", como ocorre com a música há séculos. Deste ponto de vista, a pintura juntou-se à música e ambas tendem cada vez mais a criar obras "absolutas", isto é, obras perfeitamente "objetivas" que, como as obras da natureza, nascem "por si mesmas" de um modo puramente conforme à Lei, como *seres* autônomos. Essas obras se aproximam mais da arte que vive *in abstracto* e são talvez as únicas suscetíveis de encarnar essa arte existente *in abstracto* num futuro indeterminado[98].

    A. neles
    B. , ou então negado nas obras que vinham à luz dessa maneira,
    C. Os grandes artistas não temeram esse desejo.
    D. que não se referiam à essência da arte, e

damento da qualificação moral]^A. [Percebi que essa concepção da arte é cristã e que, ao mesmo tempo, traz em si os elementos indispensáveis à acolhida da "terceira" Revelação, a Revelação do Espírito*.]

---

* [Na Rússia o direito dos camponeses, de que se trata mais acima, é também cristão nesse sentido e deve ser oposto ao direito romano pagão.]^B Com uma lógica audaciosa, pode-se explicar assim a qualificação interior: nesse homem, essa ação não é um crime, embora seja geralmente considerada um crime em outros homens. Nesse caso, portanto, um crime não é um crime. Vamos mais longe: o crime absoluto não existe. (Que contraste com o *nulla poena sine lege*!) Mais longe ainda: não é a ação (o Real), mas o que constitui sua raiz (o Abstrato) que faz o mal (e o bem). E finalmente: toda ação é indiferente^C. Ela repousa na aresta. A vontade lhe imprime o impulso que a faz cair à direita ou à esquerda. A flexibilidade exterior e a precisão interior são muito desenvolvidas, nesse caso, no povo russo, e penso não estar exagerando ao atribuir aos russos sobretudo essa forte aptidão para desenvolvê-las. Não admira, pois, que esses povos que se desenvolveram segundo os princípios freqüentemente preciosos do espírito romano, formal e exteriormente muito precisos (veja-se o *jus strictum* do *primeiro* período), reajam em face da vida russa seja por meneios da cabeça, seja por uma reprovação desdenhosa. Em particular, a observação superficial não permite ver nessa via que parece tão singular aos olhos de um estrangeiro quanto [a moleza e a flexibilidade exteriores]^D: tomam-nas por inconsistência, porque a precisão interior reside no mais profundo. A consequência disso é que os russos, que são livres de espírito, testemunham para com os outros povos muito mais [paciência]^E do que estes para com eles. E essa [paciência]^F se transforma usualmente em entusiasmo^G.

    A. uma base semelhante à do julgamento moral.*
    B. Observei que essa concepção da arte nasce ao mesmo tempo de uma alma puramente russa nas formas primitivas de seu direito popular, que é o antípoda do princípio jurídico da Europa Ocidental[99], cuja fonte foi o direito romano pagão.
    C. do ponto de vista moral.
    D. a moleza exterior e seu aspecto oscilante[100].
    E. indulgência
    F. indulgência
    G. Explico esse profundo interesse e essa fé "na Rússia", cada vez mais manifesta, que se apoderam cada vez mais, na Alemanha, dos elementos capazes de sentir livremente, pela libertação progressiva do espírito — felicidade de nosso tempo. Nos últimos anos antes da guerra, esses representantes da jovem Alemanha não-oficial, a quem antes eu não conhecia, vieram visitar-me cada vez mais amiúde em Munique. Manifestavam não só um vivo interesse interior pela essência da vida russa como também uma fé firme na "salvação vinda do Leste". Compreendíamos claramente uns aos outros e tínhamos o vivo sentimento de habitar numa única e mesma esfera espiritual. No entanto a intensidade de seu sonho de "um dia ver Moscou" impressionava-me com frequência. E às vezes era sumamente estranho e regozijante constatar a mesma forma de espírito interior nos visitantes suíços, holandeses e ingleses. Durante a guerra, quando residia na Suécia, tive a oportunidade de conhecer igualmente suecos que tinham a mesma forma de espírito. Como as montanhas se apagam lenta e inexoravelmente, também se apagam lenta e inexoravelmente as fronteiras entre os povos. E a "humanidade" deixará de ser um som vazio.

Mas acho igualmente lógico que a supressão do objeto na pintura acarrete grandes exigências quanto à experiência interior da forma puramente pictórica e que, por conseguinte, uma evolução do espectador nessa direção se faz absolutamente indispensável [; e por isso mesmo ela não pode estar ausente]. Assim se reúnem as condições que criam uma nova atmosfera. Nessa atmosfera, muito, muito mais tarde se criará a *Arte Pura*, que se apresenta ao nosso espírito com uma força de atração indescritível nos sonhos que hoje resvalam para longe de nós.

Com o tempo, compreendi que a paciência que eu cultivara tão lentamente (e em parte conquistei) em relação às obras *alheias* não me prejudicava em absoluto; que, ao contrário, ela era particularmente favorável à [parcialidade de] *minhas* aspirações. Neste particular, gostaria de limitar e, ao mesmo tempo, alargar a expressão "O artista deve ser parcial", dizendo: "O artista deve ser parcial em suas obras." A capacidade de experimentar obras alheias (o que naturalmente ocorre e deve ocorrer de maneira pessoal) torna a alma mais sensível, mais capaz de vibrar e por isso mesmo enriquece-a, amplia-a, requinta-a e torna-a mais apta para atingir seus próprios fins. A experiência de obras alheias é semelhante à experiência da natureza no sentido mais amplo. Tem um artista o direito e a possibilidade de ser cego e surdo? Gostaria de acrescentar que nos entregamos ao trabalho com um espírito ainda mais alegre, um ardor ainda mais sereno, quando vemos que existem também outras possibilidades na arte (e elas são inumeráveis) que podem ser aproveitadas com toda a razão (ou com maior ou menor razão). No que me concerne pessoalmente, amo toda forma nascida necessariamente do Espírito, criada pelo Espírito. Do mesmo modo que odeio toda forma que não o é.

Creio que a filosofia futura, além da Essência das coisas, estudará também o seu Espírito com uma atenção toda particular. Assim se criará a atmosfera que tornará os homens em geral capazes de sentir o espírito das coisas, de viver esse espírito, mesmo de maneira totalmente inconsciente, do mesmo modo que os homens em geral vivem ainda hoje a aparência das coisas de maneira inconsciente, o que explica o prazer [que proporciona ao público] a arte figurativa. [Esta][A] é a condição para que os homens em geral tenham a experiência do Espiritual nas coisas materiais e, mais tarde, do Espiritural nas coisas abstratas. E é graças a essa nova capacidade, que estará sob o signo do "Espírito", que se chega ao gozo da arte abstrata, isto é, absoluta.

A. Essa atmosfera

Meu livro *Do espiritual na arte*, a exemplo de *O Cavaleiro Azul*, tinha por finalidade sobretudo despertar essa capacidade, que será absolutamente necessária no futuro e possibilitará experiências infinitas de viver o Espiritual nas coisas materiais e abstratas. O desejo de fazer surgir essa capacidade, fonte de tal felicidade, entre os homens que ainda não a possuíam era o objetivo essencial das duas publicações*.

Os dois livros foram e são freqüentemente mal compreendidos. Tomam-nos por "manifestos" e seus autores são catalogados entre os artistas ["acidentados"] que se extraviaram no trabalho cerebral e na teoria. Nada estava mais longe de mim do que apelar para a razão, para o cérebro. Essa tarefa teria sido, hoje, ainda prematura, e representará para os artistas o objetivo (= não) próximo importante e inelutável [, na evolução ulterior da arte]. Para o espírito que se fortaleceu e se enraizou solidamente, nada pode ou poderá ser mais perigoso, portanto nem mesmo o trabalho [cerebral][B], [tão temido] na arte[C].

Depois de nossa viagem à Itália, de que já falei, e [de nosso regresso][D] a Moscou — tinha eu apenas cinco anos —, meus pais e minha tia Elisabete Tikheeva, a quem devo tanto quanto aos meus pais, tiveram que mudar-se para o Sul da Rússia [(Odessa)][E], devido ao estado de saúde de meu pai. Foi lá que mais tarde freqüentei o liceu, mas sempre me senti um hóspede de passagem nessa cidade,

---

* Depois de terminado, *Do espiritual* ficou alguns anos guardado em minha gaveta. As possibilidades de publicar o *Cavaleiro Azul* não chegaram a bom termo. Franz Marc [aplanou as dificuldades práticas][A] para o primeiro livro. Participou também do segundo com sua colaboração e ajuda espiritual, fina, cheia de talento e de compreensão.

A. com quem travei conhecimento na época em que a hostilidade contra mim era geral, encontrou um editor

B. da razão

C. , ou mesmo sua supremacia sobre a parte intuitiva, e talvez, finalmente, a exclusão completa da inspiração. Conhecemos apenas a lei de hoje, a de alguns milênios, da qual saiu progressivamente (com evidentes dilações) a gênese da criação. Conhecemos apenas as qualidades de nosso "talento", com seu inevitável elemento de inconsciente e com a cor *determinada* desse inconsciente. Mas a obra distanciada de nós pelas névoas "do infinito" se criará, talvez, pelo próprio cálculo; de resto, o cálculo preciso só será talvez revelado ao "talento", como, por exemplo, na astronomia. E se isso deve ser *somente* assim, então, nesse momento, o caráter do inconsciente assumirá uma coloração diferente da que tem nas épocas que nos são conhecidas.

D. uma breve temporada

E. em Odessa, então muito pouco construída,

estranha a toda a minha família^A ^101. A esperança de poder regressar a Moscou nunca nos abandonou [, e essa cidade fez crescer em meu coração uma saudade semelhante à que Tchecov descreve em *As três irmãs*^102]. A partir de meus treze anos, meu pai passou a levar-me a Moscou todos os verões, de modo que quando ali finalmente me instalei, aos dezoito anos de idade, tinha a sensação de ter enfim reencontrado minha pátria. Meu pai é originário [da Sibéria Oriental, para onde]^B seus antepassados foram exilados por motivos políticos^C. Foi educado em Moscou e aprendeu a amar essa cidade tanto quanto sua pátria. Sua alma profundamente humana e amorosa compreendeu o "espírito moscovita"^D [sem contudo ignorar o aspecto exterior de Moscou]. Sempre constituiu um prazer para mim ouvi-lo enumerar, por exemplo, com voz recolhida, [as inumeráveis igrejas, com seus velhos nomes maravilhosos]^E. Sem dúvida alguma, há nele a ressonância de uma alma de artista^F. Minha mãe é moscovita de nascença e reúne em si as qualidades que para mim encarnam Moscou: uma beleza exterior impressionante, totalmente estrita e severa, uma simplicidade finamente distinta, uma energia inesgotável, mescla singular de grande nervosismo, de imponente e majestosa tranqüilidade, e de heróico autocontrole, em que a tradição se junta à autêntica liberdade de espírito^104. [Em suma, "nossa mãe Moscou", de "pedras brancas" e "cabeça de ouro", numa forma humana.] Moscou: a dualidade, a complexidade, a maior mobilidade, os contrastes e a confusão na aparência exterior que compõe finalmente uma fisionomia pessoal, homogênea, as mesmas qualidades na vida interior, o que é incompreensível para o observador estrangeiro (donde os numerosos julgamentos contraditórios dos estrangeiros a respeito de Moscou) e que é, no entanto, tão característica e, afinal, perfeitamente homogênea — essa Moscou totalmente interior e exterior eu considero como a fonte de

---

A. e cuja própria língua nos espantava e nem sempre nos era compreensível.
B. de Nertchinsk, onde, como se conta na família,
C. da Sibéria ocidental.
D. que se manifesta com tamanha vivacidade em cada detalhe.
E. nomes antigos e perfumados das "quarenta vezes quarenta" igrejas de Moscou^103.
F. Apreciava muito a pintura e em sua mocidade estudou desenho, coisa de que não gosta de lembrar-se. Quando eu era criança, costumava fazer desenhos para mim. Ainda hoje, lembro-me bem de seu traço delicado, terno e expressivo, que tanto se assemelha à sua elegante silhueta e às suas mãos admiravelmente belas. Um de seus prazeres favoritos sempre foi visitar exposições, onde contemplava longa e atentamente os quadros. Não condenava o que não compreendia, mas esforçava-se por compreender interrogando todos aqueles de quem podia esperar uma resposta.

minhas aspirações de artista. É o meu diapasão de pintor. Tenho a impressão de que sempre foi assim e de que, com o tempo e graças aos progressos formais exteriores desse "modelo", sempre pintei e ainda pinto com maior vigor na expressão, maior perfeição na forma, penetrando cada vez mais fundo no essencial. Os desvios que fiz saindo do bom caminho não me foram, em definitivo, prejudiciais. Alguns pontos mortos durante os quais eu me via sem força, e que às vezes me deram a impressão de marcar o termo de meu trabalho, foram em sua maioria momentos de repouso e de impulsos que tornaram possível o passo seguinte.

[Em muitas coisas devo reconhecer que errei, mas há uma à qual sempre permaneci fiel... a voz interior que fixou meu objetivo na arte e que espero seguir até a derradeira hora.]

Kandinsky
Munique, junho de 1913[105]

Comentários de quadros[106]

Composição IV[107]

Definição posterior

1. MASSAS (do ponto de vista do peso)
   — na parte inferior, no meio: azul (confere ao conjunto uma sonoridade fria)
Cor
   — no alto, à direita: azul, vermelho e amarelo separados
   — no alto, à esquerda: linhas negras dos cavalos, em nó
Linha
   — embaixo, à direita: linhas estendidas ao longo das estátuas jacentes

2. CONTRASTES
   — da massa à linha
   — do preciso ao vaporoso
   — do nó de linhas ao nó de cores, e
   — contraste maior: do movimento incisivo acerado (batalha) às cores ao mesmo tempo claras, frias e suaves.

3. TRANSBORDAMENTOS
   da cor sobre os contornos.
   — As delimitações são perfeitas, salvo para o Burg, onde elas são enfraquecidas pelo escoamento do céu para além do contorno.

4. DOIS CENTROS
   1. Nós de linhas
   2. Ponta modelada do azul
   são separados um do outro pelas duas linhas pretas verticais (dardos).

Toda a composição é de concepção muito clara, com numerosas tintas suaves que transbordam com freqüência uma sobre a outra (dissoluções); o amarelo também é frio. Essa frieza claro-suave, em oposição ao movimento acerado (guerra), constitui o contraste maior do quadro. Parece-me que, aí, o contraste (em comparação com a *Composição 2*) é ainda mais forte, mas por isso mesmo mais duro (interiormente), mais distinto, o que apresenta como *vantagem* o fato de ter um efeito mais preciso e como *inconveniente* uma clareza excessiva[108] na precisão.

* * *

Na base há os seguintes elementos:
1. Harmonia das massas *aprazíveis* entre si.
2. *Aprazível* movimento das partes, sobretudo para a direita e para cima.
3. Antes de tudo, movimento *acerado* para a esquerda e para a direita.
4. A *contradição* nas duas direções (à direita formas menores vão para a esquerda, e inversamente).
5. *Harmonia* das massas com as linhas que são simplesmente colocadas como tais.
6. *Contraste* entre as formas vaporosas e as que têm um contorno preciso (portanto, a linha enquanto linha [5] e enquanto contorno no qual ela tem a ressonância de uma linha).
7. O *transbordamento* das cores para além das fronteiras da forma.
8. O *primado* da ressonância das cores sobre a da forma.
9. *Dissoluções*.

Março de 1911.

Composição VI[109]

Trouxe esse quadro em mim durante um ano e meio e muitas vezes cheguei a pensar que não o realizaria. O ponto de partida foi o dilúvio. O ponto de partida foi uma pintura sobre vidro que executei sobretudo para meu prazer. Encontram-se nela diferentes formas figurativas em parte divertidas (foi um prazer lançar a confusão entre as formas sérias conferindo-lhes aspectos divertidos): nus, arca, animais, palmeiras, relâmpagos, chuva, etc. Quando a pintura sobre vidro foi terminada, nasceu em mim o desejo de trabalhar sobre esse tema para uma Composição, e eu via então com bastante clareza o que devia fazer. Mas bem depressa esse sentimento desapareceu e eu me perdi em formas de corpos que pintara apenas a fim de dar mais luz e de melhor discernir a idéia que eu tinha do quadro. Em vez de claridade, só ganhei em obscuridade. Com base em certos esboços, dissolvi as formas de corpos, com base em outros tentei atingir a impressão de maneira puramente abstrata. No entanto, não era bem-sucedido. E isso decorria unicamente de que eu fracassava ante a expressão do próprio dilúvio, em vez de obedecer à expressão da *palavra* "dilúvio". Não era a ressonância interior que me dominava, mas a expressão exterior. As semanas se passaram e eu prosseguia os meus ensaios, mas sempre sem sucesso. Tentei também um meio que se revelara eficaz: desviar-me por algum tempo desse trabalho para em seguida poder olhar inopinadamente os melhores esboços com os olhos de um estranho. Vi, então, que eles continham também coisas boas, mas não consegui separar o fruto da casca. Isso me lembrava uma cobra que não conseguisse rastejar para fora de sua pele velha. A pele tinha já o aspecto de tudo o que há de mais morto, no entanto continuava a aderir.

Foi assim que durante um ano e meio aderiu a mim, estranho à minha imagem interior, o elemento da catástrofe que tem por nome dilúvio.

Minha pintura sobre vidro partira então para figurar em exposições. Porém, quando ela voltou e eu a revi, logo recebi o choque interior que experimentara quando de sua criação. Mas eu perdera a confiança e já não acreditava que pudesse fazer o grande quadro. Apesar de tudo, de tempos em tempos dava uma olhada na pintura sobre vidro, que estava dependurada em meu ateliê. O que sempre me impressionava eram antes de tudo as cores, em seguida o que se referia à composição e à própria forma do desenho, fora de qualquer objeto. Essa pintura sobre vidro desprendera-se de mim. Parecia-me estranho ter sido eu que a pintara. E isso me causava o mesmo efeito que certos objetos ou idéias objetivas que têm a força de despertar em mim, por uma vibração da alma, representações puramente pictóricas e que me conduzem finalmente à elaboração de um quadro. Enfim chegou o dia, e uma aprazível tensão interior muito conhecida de mim deu-me uma certeza perfeita. Não tardei a fazer, quase sem correções, o último esboço definitivo, que no conjunto me satisfez inteiramente.* Agora eu sabia que ia pintar esse

---

* Coleção Koehler[110].

quadro em condições normais. Mal recebi a tela encomendada e pus-me a desenhar. A coisa caminhou depressa e quase tudo saiu bom de primeira. Em dois ou três dias, o essencial do quadro estava pronto. O grande combate, a grande sujeição à tela tinham passado. Mesmo que mais tarde, por um motivo qualquer, eu não pudesse mais trabalhar nesse quadro, ele estaria ali: o principal já estava feito. Em seguida, foi preciso considerar cada uma das partes por oposição às outras, trabalho infinitamente delicado, agradável apesar de cansativo. Como eu me atormentava, antigamente, quando achava que uma parte era defeituosa e tentava melhorá-la! A experiência dos anos ensinou-me que às vezes o defeito não reside absolutamente onde o procuramos. Não é raro a gente melhorar o canto inferior esquerdo porque mudamos alguma coisa no canto superior direito. Quando o prato esquerdo da balança se inclina demais, é porque é preciso carregar um pouco mais o da direita — então o da esquerda se levanta por si mesmo. As pesquisas empreendidas com tenacidade sobre o prato direito da balança, a descoberta do peso *preciso* que ainda faltava, o estremecimento do prato da esquerda devido à manipulação do da direita, os retoques mínimos do desenho e da cor, num ponto preciso e que fazem vibrar a totalidade do quadro, esse Vivo infinito, esse Sensível incomensurável do quadro bem-pintado: tal é o terceiro momento, belo e torturante, da pintura. São justamente os pesos ínfimos aqui utilizados, e que produzem um efeito tão forte no quadro inteiro, é essa precisão indescritível na ação de uma lei secreta, que a mão inspirada com felicidade deixa agir e à qual ela se submete docilmente, que são tão sedutores quanto o primeiro e poderoso lançar-na-tela grandes massas. A cada um desses momentos corresponde uma tensão particular, e quantos quadros, deficientes ou inacabados, devem seu doentio destino ao simples fato de ter-se recorrido a uma tensão imprópria!

Nesse quadro, vêem-se dois centros:

1. à esquerda, o centro delicado, róseo e ligeiramente esbatido, com linhas frágeis e incertas no meio;

2. à direita (um pouco mais alto que o da esquerda), o segundo, mais grosseiro, vermelho-azul, ligeiramente destoante, com linhas aceradas algo perversas, fortes e muito precisas.

Entre esses dois centros, o *terceiro* (mais próximo do da esquerda), que só mais tarde se pode reconhecer como centro, mas que é em definitivo o *centro principal*. Aqui a cor rósea e branca espuma, de modo que parece não repousar nem na superfície da tela, nem numa superfície ideal qualquer. Ela está muito mais suspensa no ar e parece cercada de vapor. Pode-se observar essa ausência da superfície e essa imprecisão devida ao afastamento no banho russo, por exemplo. O homem de pé no vapor não está nem próximo nem distante; ele está *em algum lugar*. Esse "algum lugar" do centro principal determina a ressonância interior de todo o quadro. Trabalhei nesse ponto até tomar forma o que eu de começo desejara obscuramente e depois desejei cada vez mais claramente em meu foro íntimo.

O conjunto das formas menores exigia nesse quadro alguma coisa que atuaria de maneira muito simples e muito larga ("largo"). Empreguei para isso os longos traços solenes que já introduzira na Composição 4. Causou-me grande prazer ver esse processo, já utilizado, produzir um efeito tão diferente. Esses traços são ligados aos traços espessos de cima, que se dirigem para eles de viés, precisos, e contra os quais se chocam diretamente.

Para suavizar a ação das linhas de ressonância excessivamente dramática, isto é, para abafar a voz demasiado importuna do elemento dramático (meter-lhe uma focinheira), deixei atuar na tela toda uma fuga de manchas róseas de nuanças variadas. Elas revestem a agitação de uma grande paz e asseguram a objetividade do processo como um todo. Por outro lado, diversas manchas azuis quebram esse caráter de aprazível solenidade e produzem um efeito de calor interno.

Esse efeito de calor, decorrente de cores frias por si mesmas, intensifica o elemento dramático de maneira agradável e, novamente, objetiva. As formas castanho-escuras, de grande profundidade (em particular em cima à esquerda), trazem uma nota ensurdecida, de ressonância bastante abstrata, que evoca o elemento de desesperança. O verde e o amarelo vivificam esse estado de alma e conferem-lhe a animação que lhe faltava. Utilizei aqui abundantemente o liso, o áspero e os outros modos de tratar a própria tela. Eis por que o espectador vive experiências novas tão logo se aproxima da tela. Desse modo todos os elementos, mesmo os que se contrariam, atingiram um perfeito equilíbrio interior, de sorte que nenhum elemento prepondera e o tema que inspirou o quadro (dilúvio) se dissolve e se metamorfoseia numa essência interior puramente pictórica, autônoma e objetiva. Nada seria mais falso do que rotular esse quadro sob o título de descrição de um acontecimento.

Uma grande destruição, de efeito objetivo, também é um canto de louvor que vive plenamente no isolamento da sonoridade, como um hino à nova criação que sucede à destruição.

Maio de 1913

Quadro com orla branca[111]

Para esse quadro, fiz numerosos esboços, bosquejos e desenhos. Fiz o primeiro esboço logo após meu regresso de Moscou, em dezembro de 1912: era o resultado das últimas experiências, vividas, como de hábito, de maneira muito intensa em Moscou — ou, mais exatamente, *da própria* Moscou. O primeiro esboço era muito sucinto e conciso. Já no segundo, comecei a "dissolver" os acontecimentos (cores e formas) no canto inferior direito. Em cima, à esquerda, reencontrava-se o motivo da tróica*, que eu trazia em mim havia muito tempo e que já utilizara em diferentes desenhos[112]. Esse canto esquerdo devia ser particularmente simples, isto é, a impressão que se colhia devia ser imediata, sem que se ficasse embaraçado pelo motivo. Bem no canto, há dentilhões brancos que exprimem um sentimento que não posso traduzir em palavras. Talvez isso desperte a sensação de um obstáculo que no entanto não consegue manter a tróica a distância.

Assim descritos, esses motivos referidos um ao outro assumem uma expressão de rigidez que me repugna. Uma cor verde, por exemplo, faz ressonar com freqüência na alma a tonalidade do verão (inconscientemente). E essa surda ressonância, decorrente do frescor e da clareza puras, pode, em tal caso, ser justificada. Mas que repugnância se essa ressonância fosse tão forte e tão distinta que fizesse pensar nas "alegrias" do verão, que é agradável, por exemplo, poder tirar a roupa sem o risco de resfriar-se.

Portanto, *clareza* e *simplicidade* no alto, à esquerda; dissolução copiosamente espalhada, com pequenas *dissoluções* surdas embaixo, à direita. Como faço tantas vezes, *dois centros* (mas que são aqui menos independentes do que na Composição 6, por exemplo, que se poderia decompor em dois quadros que têm uma vida autônoma mas cresceram juntos).

O primeiro *centro, à esquerda*: combinação de formas verticais que avançam para o segundo centro, com toques de cores puras e muito sonoras; o vermelho um tanto deliqüescente, o azul concentrado em si mesmo (movimento concêntrico fortemente acentuado). O processo é pois, também ele, muito simples, perfeitamente aparente e claro.

O segundo *centro, à direita*: espesso motivo linear em arco de círculo (que me deu muito trabalho). Há nele, no exterior e no inte-

---

* Carro puxado por três cavalos. É assim que eu denomino três linhas paralelas, ligeiramente separadas, que se curvam para cima. Cheguei a esse motivo observando as linhas dorsais dos três cavalos da atrelagem russa.

rior, quentes dentilhões (bastante brancos), o que confere à sua curva um pouco melancólica o matiz de uma enérgica "efervescência interior". Tudo isso é submergido (se assim me posso exprimir, e exagerando) em tons de um azul ensurdecido que somente aqui e ali conseguem ressoar com força e cujo conjunto encerra o motivo principal mais ou menos como num ovo. É como um pequeno império em si, não enxertado no conjunto, como um corpo estranho, mas como uma flor que crescesse sobre ele. Tratei os limites dessa forma, que lembra a de um ovo, de modo que ela apareça claramente, mas sem que se possa observá-la em excesso e sem que ela seja importuna: indiquei, por exemplo, seus limites com mais nitidez no alto, enquanto a parte inferior é esbatida. Quando se seguem esses limites com o olhar, experimenta-se toda uma onda de emoções.

Os dois centros são separados um do outro e ligados um ao outro por numerosas formas, mais ou menos distintas, feitas em parte de simples manchas, e verdes. Essa abundância de verde, introduzia de maneira totalmente inconsciente, e noto agora que ela corresponde a um plano. Não era minha intenção conferir grande agitação a esse quadro, que mesmo assim é intensamente animado. Pretendia antes — como observei *a posteriori* — exprimir a paz pelo viés da agitação. Houve mesmo um excesso de verde, e sobretudo de azul-parisiense (frieza de sonoridade abafada) no quadro, de sorte que não foi sem dificuldade e sem fadiga que consegui contrabalançar e fazer recuar o excesso dessas cores.

Entre a simplicidade que reina em cima à esquerda e os dois centros, uma voz interior ordenou-me empregar uma técnica a que de bom grado eu chamaria *técnica do esmagamento*: eu esmagava o pincel na tela, de modo a produzir pequenas pontas e pequenas colinas. Operação judiciosa e mais uma vez conforme ao meu plano, a tal ponto era indispensável essa *agitação* técnica entre os pontos descritos.

Embaixo, à esquerda, há um combate em preto e branco, separado por amarelo-napolitano da clareza dramática do canto superior esquerdo. A maneira pela qual as manchas negras, imprecisas, se retorcem no branco eu chamaria *"efervescência interior sob uma forma confusa"*.

O canto superior direito que se lhe opõe é semelhante, mas já faz parte da orla branca. Levei muito tempo para fazer essa orla branca. Os esboços foram-me de pouca utilidade, ou seja, motivos isolados acabaram por aparecer-me claramente, mas nem sempre eu podia decidir-me a pintar o quadro. Quando, algumas semanas depois, tornei a olhar meus esboços, tinha sempre a mesma impressão de não ter chegado à maturidade. Só com o passar dos anos é que aprendi a dar provas de paciência nesses casos e a não tentar acabar o meu trabalho de qualquer jeito.

Portanto, só ao cabo de uns cinco meses, quando estava sentado ao crepúsculo diante de meu segundo grande esboço, é que vi subitamente com perfeita clareza o que estava faltando... Era a orla branca.

Tive até medo de acreditar nessa realidade, mas ainda assim dirigi-me imediatamente ao meu fornecedor e encomendei-lhe a tela. Minha incerteza quanto ao tamanho desta (comprimento de 160, 180, 200?) durou no máximo meia hora.

Fiz essa margem branca com fantasia, tal como ela me acudia espontaneamente ao espírito: embaixo à esquerda, abismo; dele emerge uma onda branca, que torna a cair bruscamente e em seguida se espalha sobre o lado direito do quadro, numa forma que serpenteia preguiçosamente, formando um lago no alto, à direita (onde surge a negra efervescência), e desaparece em direção ao canto superior esquerdo, para aparecer uma última vez no quadro sob a forma definitiva de brancos dentilhões.

Como essa orla branca foi a chave do quadro, tal foi o título que dei a ele.

Maio de 1913

DER BLAUE REITER[113]
1912

Sobre a questão da forma[114]

As necessidades alcançam a maturidade quando chega a sua hora. Em outras palavras, é então que o espírito *criador* (que se pode chamar de espírito abstrato) tem acesso à alma e depois às almas, provocando uma aspiração, um impulso íntimo.

Quando as condições necessárias à maturação de uma forma específica estão preenchidas, essa aspiração, esse impulso íntimo recebem o poder de criar no espírito humano um novo valor, que começa a viver consciente ou inconscientemente no homem. A partir desse momento, o homem busca consciente ou inconscientemente uma forma material para o valor novo que vive nele sob uma forma espiritual.

O valor espiritual está então à procura de uma materialização. A palavra *material* desempenha aqui o papel de um "armazém" no qual o espírito, como um cozinheiro, vem escolher o que lhe é *necessário* em semelhante caso.

Eis o elemento positivo, criador. Eis o bem. *O raio branco que fecunda*.

Esse raio branco conduz à evolução, à elevação; por trás da matéria, no seio da matéria que oculta o espírito criador. O véu que envolve o espírito na matéria é não raro tão espesso que poucos homens, em geral, são capazes de discerni-lo. É assim que, em nossos dias, muita gente não vê o espírito na religião ou na arte. Épocas há que negam o espírito porque, então, os olhos dos homens são geralmente incapazes de ver o espírito. Assim era no século XIX, assim é ainda hoje em geral.

Os homens estão obcecados.

Uma mão negra veda-lhes os olhos. É a mão daquele que odeia. Quem odeia procura por todos os meios deter a evolução, a elevação.

Eis o elemento negativo, destruidor. *A mão negra que semeia a morte*.

A evolução, o movimento para a frente e para o alto só são possíveis quando o caminho está livre, quando não se ergue nenhuma barreira. Tal é a *condição exterior*.

A força que impele o espírito humano para a frente e para o alto quando o caminho está livre é o espírito abstrato. É preciso, naturalmente, que ele repercuta e possa ser ouvido. O apelo deve ser possível. Tal é a *condição interior*.

Destruir essas duas condições é o meio empregado pela mão negra para se opor à evolução.

Os instrumentos que ela utiliza são o medo do caminho livre, o medo da liberdade (trivialidade) e a surdez em relação ao espírito (materialismo limitado).

Eis por que os homens consideram com hostilidade qualquer valor novo. Tenta-se combatê-lo pela zombaria e pela calúnia. Aquele que instaura esse valor é apresentado como um indivíduo ridículo e obsceno. Zombam do valor novo, insultam-no. É o lado sinistro da vida.

A alegria da vida reside no triunfo irresistível e constante do valor novo.

Essa vitória é lenta. O valor novo conquista progressivamente os homens. E, quando ele se torna indiscutível aos olhos de muitos, converte-se esse valor, hoje indispensável, numa parede erguida contra o futuro.

A metamorfose do valor novo (fruto da liberdade) numa forma petrificada (muro erguido contra a liberdade) é obra da mão negra.

Toda evolução, isto é, o desenvolvimento interior e a civilização exterior, consiste pois em remover as barreiras.

As barreiras sempre são edificadas com os valores novos que demoliram as antigas.

Vê-se assim que, no fundo, não é o valor novo que constitui o elemento capital, mas o espírito que se manifestou em tal valor. E também a liberdade, condição necessária dessas manifestações.

Daí resulta que o absoluto não deve ser procurado na forma (materialismo).

A forma está invariavelmente ligada ao tempo, ou seja, é relativa, já que não passa do meio hoje necessário pelo qual a manifestação atual se comunica e ressoa.

A ressonância é, pois, a alma da forma, que só por ela pode vir à luz, e *age* do interior para o exterior.

A forma é a expressão exterior do conteúdo interior.

Eis por que não se deve divinizar a forma. Só se deve lutar pela forma na medida em que ela pode ajudar a exprimir a ressonância interior. Eis por que não se buscar a salvação *numa* forma particular.

Essa afirmação deve ser entendida corretamente. Para cada artista (artista produtivo, e não "seguidor"), seu meio de expressão é o melhor, visto que materializa aquilo que ele deve comunicar. Mas daí se tira amiúde a conclusão errônea de que esse meio de expressão é, ou deveria ser, igualmente o melhor para os demais artistas.

Como a forma não passa de uma expressão do conteúdo e o conteúdo difere segundo os artistas, segue-se que podem existir, *na mesma época muitas formas diferentes* que são *igualmente boas*. *A necessidade cria a forma*. Há nas profundezas peixes que não têm olhos. O elefante tem uma tromba. O camaleão muda de cor, etc.

Assim, o espírito de cada artista se reflete na forma. A forma traz o selo da *personalidade*.

Obviamente, não se pode conceber a personalidade como uma entidade situada fora do tempo e do espaço. Ao contrário, ela está sujeita, até certo ponto, ao tempo (época) e ao espaço (povo).

Cada artista tem sua palavra a dizer, tal como cada povo, e, por conseguinte, também o povo ao qual pertence esse artista. Tal relação se reflete na forma e constitui o elemento *nacional* da obra.

E, enfim, cada época tem sua tarefa, que permite a manifestação de novos valores. O reflexo desse elemento temporal é o que se chama de *estilo* de uma obra.

A existência desses três elementos que marcam uma obra é inevitável. Velar por sua presença é não somente supérfluo como prejudicial, já que a coação, também nesse domínio, só pode resultar numa obra ilusória, pouco duradoura.

Por outro lado, é evidentemente supérfluo e prejudicial querer tornar preponderante um só desses três elementos. Muitos artistas empenham-se hoje em enfatizar o elemento nacional, outros o estilo, do mesmo modo que recentemente alguns se consagraram, antes de tudo, ao culto da personalidade (do individual).

Como dissemos no começo, o espírito abstrato se apodera primeiro do espírito de um indivíduo para dominar em seguida um número sempre crescente de pessoas. Neste momento, certos artistas sofrem o influxo do espírito do tempo, que os impele para formas aparentadas umas às outras e que possuem, por conseguinte, uma semelhança exterior.

Tal momento coincide com o aparecimento do que se denomina um *movimento*. Este é perfeitamente legítimo e indispensável a um grupo de artistas (do mesmo modo que uma forma individual é indispensável a um artista).

E, assim como não se deve procurar a salvação na forma de um artista específico, tampouco se deve buscá-la nessa forma coletiva. Para cada grupo, a forma que ele adotou é a melhor, visto ser a melhor ilustração daquilo que ele tem por missão comunicar. Mas não se conclua daí que essa forma é ou deveria ser a melhor para todos. Nesse domínio, uma liberdade total deve reinar; deve-se admitir, deve-se considerar como boa (como artística) toda forma que constitui uma expressão exterior do conteúdo interior. Caso contrário, já não é ao espírito livre (o raio branco) que se serve, mas à barreira petrificada (a mão negra).

Aqui, chegamos ao resultado estabelecido acima: de modo geral, não é a forma (matéria), que é elemento essencial, mas o conteúdo (espírito).

A forma pode, pois, produzir um efeito agradável ou desagradável, aparecer como bela ou feia, harmoniosa ou desarmoniosa, hábil ou inábil, requintada ou grosseira, etc. E, não obstante, ela não deve ser aceita ou rejeitada, nem por qualidades consideradas positivas, nem por qualidades tidas como negativas. Todas essas noções são absolutamente relativas, o que pode ser observado logo à primeira vista quando se considera a série infinita das formas passadas.

A própria forma é também relativa. É assim que se pode apreciá-la e concebê-la. Devemos colocar-nos em face de uma obra de modo a permitir que sua forma atue sobre a nossa alma. E, através de sua forma, de seu conteúdo (espírito, ressonância interior). Senão, erige-se o relativo em absoluto.

Na vida prática, será difícil encontrar um homem que, querendo ir a Berlim, desça do trem em Ratisbona. Na vida do espírito, descer em Ratisbona é fato muito corriqueiro. Às vezes, o maquinista não deseja ir mais longe e todos os viajantes descem em Ratisbona. Quantas pessoas que buscavam Deus não se detiveram finalmente diante de uma figura talhada em madeira! Quantas pessoas que buscavam a arte não acabaram prisioneiras de uma forma que um artista utilizara para seus próprios fins, quer se trate de Giotto, Rafael, Dürer ou Van Gogh!

Enfim, é necessário estabelecer este princípio: o essencial não é que a forma seja pessoal, nacional, de belo estilo, que corresponda ou não ao movimento geral da época, que se aparente ou não a um grande número ou a um pequeno número de formas, que seja isolada ou não; *o essencial, na questão da forma, é saber se ela nasceu de uma necessidade interior ou não*[A].

A. Ou seja, não se deve fazer da forma um uniforme. As obras de arte não são soldados. No mesmo artista, uma só e mesma forma pode ser ora a melhor, ora a pior. No primeiro caso, ela procede da necessidade interior, no segundo, da necessidade exterior: da ambição e da cupidez.

Analogamente, o aparecimento das formas no tempo e no espaço há de explicar-se pela necessidade interior que rege tal tempo ou tal espaço. Eis por que será finalmente possível discernir os caracteres distintivos de uma época e de um povo determinados e estabelecer uma lista esquemática desses caracteres. Quanto maior for a época — noutros termos, quanto mais numerosas forem suas aspirações ao espiritual —, mais formas ela produzirá e mais se observará nelas correntes que abrangem a época inteira (movimentos animados por grupos), o que é evidente.

Esses caracteres distintivos de uma grande época espiritual (cuja chegada se profetizou e que manifesta hoje um de seus primeiros estágios), nós os discernimos na arte atual.

São eles:
1. uma grande *liberdade*, ilimitada aos olhos de alguns,
2. que nos permite ouvir a voz do *espírito*,
3. que vemos manifestar-se nas coisas com uma *força particular*,
4. que utilizará gradualmente, e já utiliza, todos os *domínios espirituais* como seus instrumentos,
5. que, em cada domínio espiritual — portanto também nas artes plásticas (especialmente na pintura) —, cria numerosos *meios de expressão* (formas) individuais ou de grupos,
6. que dispõe atualmente de todo o estoque das coisas existentes, ou seja, utiliza como elemento formal *qualquer material*, do mais "duro" à abstração bidimensional.

Retomemos cada um desses pontos, desenvolvendo-os.

1. A liberdade se expressa no esforço do espírito para libertar-se das formas que já cumpriram o seu papel — das formas antigas — e para criar a partir delas formas novas, infinitamente diversas.

2. A procura involuntária dos limites extremos que os meios de expressão da época atual podem atingir (meios de expressão da personalidade, do povo, do tempo) implica, por outro lado, que essa liberdade aparentemente absoluta, determinada pelo espírito do tempo, se subordine à procura e que se especifique a direção em que ela há de efetuar-se. O inseto que corre em todos os sentidos debaixo de um copo crê gozar de uma liberdade ilimitada. Mas não tarda a chocar-se com o copo: pode olhar além dele, mas não ir mais longe. Entretanto, o movimento do copo para a frente lhe dá a possibilidade de percorrer um novo espaço, já que seu deslocamento é determinado pela mão que desloca o copo. — Nossa época, que se julga absolutamente livre, também se chocará com limites determinados, mas tais limites serão deslocados "amanhã".

3. Essa liberdade aparentemente total e a intervenção do espírito decorrem do fato de que começamos a experimentar o espírito,

a *ressonância interior* em todas as coisas. Ao mesmo tempo, essa capacidade que começamos a possuir produz um fruto mais maduro pelo concurso da liberdade aparentemente total e da invenção do espírito.

4. Não tentaremos aqui especificar esses efeitos, tal como se manifestam nos domínios espirituais. Todavia, cada qual deve compreender que, mais cedo ou mais tarde, a colaboração entre a liberdade e o espírito haverá de refletir-se por toda parte[A].

5. Nas artes plásticas (especialmente na pintura), deparamos hoje com uma quantidade surpreendente de formas que ora aparecem como formas criadas por grandes personalidades isoladas, ora arrastam grupos inteiros de artistas numa grande corrente cuja direção é perfeitamente precisa.

Não obstante, por trás da grande diversidade dessas formas é fácil reconhecer uma aspiração comum. E é exatamente nesse movimento maciço que discernimos o espírito das formas que se impõem a toda uma época. De sorte que basta dizer: *tudo é permitido*. O que é permitido hoje tem, contudo, limites que não se podem transpor. O que é proibido hoje mantém-se inabalavelmente.

Não deveríamos fixar-nos limites, visto que tais limites existem de qualquer maneira. Isso é verdade não só para o emissor (o artista) como também para o receptor (o público). Este pode e deve seguir o artista e não deveria ter o mínimo temor de ser tangido para caminhos errados. O homem não é capaz de mover-se em linha reta, nem fisicamente (pensemos nas trilhas através dos campos...), nem, muito menos, espiritualmente. De todas as rotas espirituais, o caminho reto é quase sempre o mais longo, pois é o caminho errado, enquanto aquele que parece errado muitas vezes é o melhor.

O "sentimento" expresso de maneira elevada conduzirá, mais cedo ou mais tarde, o artista e o público ao caminho certo. O apego temeroso a *uma* forma leva inevitavelmente ao impasse, enquanto o sentimento sincero conduz à liberdade. No primeiro caso há obediência à matéria, no segundo ao espírito: o espírito cria uma forma e passa a outras formas.

6. O olhar dirigido para um ponto (quer se trate da forma ou do conteúdo) não pode abarcar uma grande superfície. O olhar que erra distraidamente sobre uma grande superfície percebe a totalidade dessa superfície ou uma parte dela, mas prende-se a disparidades exteriores e se perde em contradições. A causa de tais contradições

---

A. Tratei desse assunto de maneira mais pormenorizada em minha obra *Do espiritual na arte*.

reside na diversidade dos meios que o espírito atual extrai, aparentemente sem o menor plano, do estoque dos materiais disponíveis. Muita gente fala de "anarquia" para qualificar o estado atual da pintura. A mesma crítica é feita à música contemporânea. Tais pessoas acreditam assistir, erroneamente, a uma subversão desordenada. A anarquia implica método e ordem — método e ordem não produzidos por uma violência externa e, no fim das contas, decepcionante, mas criados pelo *sentimento do que é conveniente*. Também aqui vemos, pois, levantarem-se limites, mas limites que devemos qualificar de *interiores* e que devem substituir os limites exteriores. E tais limites são levados cada vez mais longe, do que resulta uma liberdade sempre crescente que, por seu turno, abre o caminho para novas manifestações. A arte atual, que cabe efetivamente qualificar de anárquica, não reflete, nesse sentido, apenas o ponto de vista espiritual já atingido, mas traduz por sua força materializante o espiritual suficientemente amadurecido para se manifestar.

As formas que o espírito retira do estoque dos materiais disponíveis ordenam-se facilmente em torno de dois pólos:
1. a abstração máxima,
2. o realismo máximo.

Esses dois pólos abrem *dois caminhos* que conduzem finalmente *a um único objetivo*.

Entre esses dois pólos se situam as inúmeras combinações entre o abstrato e o real em suas variadas harmonias.

Esses dois elementos sempre existiram na arte, devendo um ser designado como "puramente estético", o outro como "objetivo". O primeiro exprimia-se no segundo, enquanto o segundo estava a serviço do primeiro. Estava-se diante de uma dosagem variável que buscava aparentemente atingir o cimo do ideal num equilíbrio absoluto.

Hoje em dia, parece que esse ideal já não constitui um fim para nós, que o fiel que sustentava os pratos da balança desapareceu e que os dois pratos têm a intenção de levar uma vida independente. Também aqui, nessa destruição da balança ideal, pressente-se alguma coisa de "anárquico. Ao que tudo indica, a arte pôs fim à agradável complementaridade entre o abstrato e o objetivo.

Por um lado, o artista subtrai ao objeto abstrato o apoio anedótico que ele toma sobre o elemento objetivo e deixa o público na incerteza. Diz-se: a arte abandona a terra firme. Por outro lado, o artista descarta, pela abstração, toda idealização anedótica do elemento objetivo, de modo que o público se sente preso ao chão. Diz-se: a arte abandona o ideal. Essas queixas decorrem de o sentimento estar insuficientemente desenvolvido. O hábito de prestar uma atenção particular à forma e de apegar-se à forma tradicional do equilíbrio de que falamos extravia o sentimento do público, impedindo-o de sentir a obra de arte com um espírito livre.

O realismo máximo, que por enquanto só faz despontar, porfia em eliminar do quadro o elemento estético exterior a fim de expressar o conteúdo da obra pela simples (inestética) reprodução do objeto em sua singeleza e nudez.

O invólucro exterior do objeto — assim concebido e fixado no quadro —, assim como a concomitante eliminação da importuna beleza convencional, liberam mais seguramente a ressonância interior das coisas. Quando o elemento "estético" se vê reduzido ao mínimo, é precisamente por intermédio desse invólucro que a alma do objeto se manifesta com mais vigor; então, a beleza externa e lisonjeira já não vem desviar dele o espírito[A].

E isso só é possível porque somos cada vez mais capazes de entender o mundo como ele é, portanto sem acrescentar-lhe qualquer interpretação embelezadora.

O elemento estético reduzido ao mínimo deve ser reconhecido como o mais poderoso elemento abstrato[B].

A esse realismo opõe-se a abstração máxima, que porfia em eliminar de uma maneira aparentemente total o elemento objetivo (real) e procura traduzir o conteúdo da obra em formas "imateriais". Assim concebida e fixada num quadro, a vida abstrata das formas objetivas reduzidas ao mínimo, com a predominância evidente das unidades abstratas, revela o mais seguramente possível a ressonância

---

A. O conteúdo da beleza convencional já absorveu o espírito e não mais encontra nele alimento novo. A forma dessa beleza proporciona aos olhos corporais — que são preguiçosos — os gozos com os quais eles se acostumaram. O efeito da obra não procede do domínio corporal. A experiência espiritual torna-se impossível. Eis por que essa beleza constitui amiúde uma força que não conduz ao espírito, mas desvia do mesmo.

B. *A diminuição quantitativa do elemento abstrato equivale pois ao seu aumento qualitativo*. Deparamos aqui com uma lei essencial: a amplificação *exterior* de um meio de expressão pode diminuir sua força *interior*: 2 + 1 são então menos que 2 — 1. Essa lei se verifica naturalmente também na menor forma de expressão: uma mancha de cor perde com freqüência um pouco de sua intensidade e, portanto, de seu efeito, pelo aumento exterior de sua força. Para conferir às cores um movimento particularmente eficaz, muitas vezes é necessário entravar o ritmo; uma ressonância dolorosa pode ser obtida pela suavidade da cor, etc. Tudo isso resulta da lei dos contrastes e de suas conseqüências. Numa palavra: *a forma verdadeira nasce da combinação do sentimento com a ciência*. Assim, se me for permitida uma nova comparação culinária, um bom prato resulta da combinação de uma boa receita (na qual todas as quantidades são exatamente indicadas) com o sentimento do cozinheiro. O surto do saber é um dos grandes traços característicos da nossa época: aos poucos a ciência estética vai ocupando o lugar que lhe compete. Ela será, no futuro, o "baixo contínuo", conquanto seu desenvolvimento comporte um número infinito de vicissitudes.

interior da obra. Assim como o realismo reforça a ressonância interior pela eliminação do abstrato, a abstração reforça essa ressonância pela eliminação do real. No primeiro caso, era a beleza convencional, exterior e lisonjeira que impedia de ver; no segundo, o objeto exterior, ao qual os olhos estão acostumados e que serve de suporte ao quadro, que desempenha esse papel.

A "compreensão" desse gênero de quadros exige a mesma libertação que a "compreensão" dos quadros realistas: também na presença deles devemos ser capazes de entender o mundo inteiro tal como ele é, sem acrescentar qualquer interpretação ligada a objetos. Essas formas abstratas (linhas, superfícies, manchas, etc.) não têm importância enquanto tais, mas unicamente por sua ressonância interior, por sua vida. Do mesmo modo, nas obras realistas não é o próprio objeto ou seu invólucro exterior que contam, mas sua ressonância interior, sua vida.

Na arte abstrata, o elemento objetivo reduzido ao mínimo deve ser reconhecido como o mais poderoso elemento real[A].

Vemos pois, no fim das contas, que, se no realismo máximo o elemento real aparece como ostensivamente importante e o elemento abstrato como ostensivamente irrelevante — relação que parece inversa na grande abstração —, esses dois pólos são equivalentes em última análise, isto é, do ponto de vista do objetivo visado.

Realismo = abstração
Abstração = realismo.

A maior dessemelhança exterior torna-se a maior semelhança interior.

Alguns exemplos nos farão passar do domínio da reflexão para a ordem das coisas tangíveis. Se o leitor considerar com um novo olhar qualquer letra destas linhas, em outras palavras, se não a encarar como um signo conhecido que faz parte de uma palavra, mas como uma *coisa*, já não verá nessa letra uma forma abstrata criada pelo homem com vistas a um certo fim — a designação de um determinado som —, mas uma forma concreta que produz por si só uma impressão exterior e interior, independente de sua forma abstrata. Nesse sentido, a letra se compõe:
1. de uma forma principal — seu aspecto global — que aparece (muito imperfeitamente falando) como "alegre", "triste", "dinâmica", "lânguida", "provocante", "orgulhosa", etc.;
2. de diferentes linhas orientadas de diversas maneiras que produzem por seu turno uma impressão "alegre", "triste", etc.

A. Encontramos portanto, no pólo oposto, a lei já mencionada segundo a qual *a diminuição quantitativa equivale a um aumento qualitativo*.

Se o leitor tomar consciência desses dois elementos, logo experimentará a sensação que essa letra provoca enquanto *ser* dotado de uma *vida interior*.

Não vá alguém objetar que a letra em questão não agirá da mesma forma sobre cada um. Essa diferença é secundária; de um modo geral, todas as coisas agem de uma maneira sobre um indivíduo e de outra sobre outro. Constatamos que a letra se compõe de dois elementos que, no entanto, exprimem, no fim das contas, *uma única* ressonância. As linhas tomadas isoladamente podem ser "alegres", ao passo que a impressão global (elemento 1) pode produzir um efeito de "tristeza", etc. Os diferentes movimentos do segundo elemento são partes orgânicas do primeiro. Em qualquer melodia, sonata ou sinfonia, observamos a mesma subordinação dos elementos isolados a *um único* efeito global. E o mesmo podemos dizer de um desenho, de um esboço, de um quadro. Neles se manifestam as leis da construção. Mas, por enquanto, queremos sublinhar apenas um ponto: a letra produz certo efeito, e esse efeito é duplo:
1. ela age enquanto signo dotado de uma finalidade;
2. ela age, primeiro enquanto forma, depois enquanto ressonância interior dessa forma, por si mesma e de maneira totalmente independente.

Concluiremos daí que o *efeito exterior pode diferir do efeito interior*, produzido pela *ressonância interior*, o que constitui um dos *meios de expressão* mais *poderosos* e mais *profundos* de qualquer composição[A].

Tomemos outro exemplo. No mesmo livro vemos um travessão. Se ele estiver corretamente colocado — como faço aqui —, temos um traço que possui um significado prático e uma finalidade. Se prolongarmos esse tracinho, deixando-o no lugar correto, ele conservará o seu sentido, porém o caráter insólito desse prolongamento lhe conferirá uma coloração indefinível: o leitor se perguntará por que o traço é tão comprido e se esse comprimento não possui um significado prático e uma finalidade. Coloquemos o mesmo travessão num lugar errado (como — o faço aqui). Ele perderá seu significado e sua finalidade, despertará a sensação de um erro tipográfico, assumirá um caráter negativo. Coloquemos o mesmo traço numa página em branco, prolongando-o e arredondando-o, por exemplo. Esse caso assemelha-se bastante ao precedente, só que pensa-

---

A. Limito-me aqui a aflorar esses grandes problemas. Aprofundando-os, o leitor descobrirá por suas próprias forças o que esta última conclusão, por exemplo, comporta de misterioso e exaltante.

mos (enquanto subsistir a esperança de uma explicação) que o traço possui um significado e uma finalidade. Em seguida, se não lhe descobrimos nenhuma explicação, ele assume um caráter negativo. Mas, como o livro apresenta este ou aquele traço, não podemos excluir em definitivo que ele tenha um sentido.

Tracemos agora uma linha num meio que escape completamente à finalidade prática, por exemplo, numa tela. Enquanto o espectador (já não se trata de um leitor) a considerar como um meio de delimitar um objeto, continuará submetido à impressão da finalidade prática. Mas, no momento em que disser a si mesmo que, na pintura, o objeto prático desempenha com freqüência um papel meramente fortuito e não puramente pictórico, que a linha possui amiúde um significado apenas pictórico[A], sua alma tornar-se-á capaz de experimentar a *ressonância puramente interior* dessa linha.

O objeto, a coisa são, com isso, eliminados do quadro? Não. A linha, já o vimos, é uma coisa dotada de um sentido e de uma finalidade prática, tal como uma cadeira, uma fonte, uma faca, um livro. E, em nosso último exemplo, essa coisa é utilizada como meio puramente pictórico, com exclusão dos demais aspectos que ela possa possuir — portanto, em sua ressonância puramente interior.

Se, por conseguinte, uma linha é libertada da obrigação de designar uma coisa num quadro e funciona ela própria como um coisa, sua ressonância interior não se vê mais enfraquecida por nenhum papel secundário e ela recebe sua plena força interior.

Chegamos assim à conclusão de que a abstração pura, como o realismo puro, se serve das coisas em sua existência material. A maior negação do objeto e sua maior afirmação são equivalentes. E tal equivalência se justifica pela perseguição do mesmo objetivo: a expressão da mesma ressonância interior.

Vemos pois que, em princípio, *não tem importância que o artista recorra a uma forma real ou abstrata, já que elas são interiormente equivalentes.* A escolha há de ser deixada ao artista, que deve saber melhor que ninguém por qual meio ele é capaz de materializar mais claramente o conteúdo de sua arte. Em termos mais abstratos, podemos dizer que *em princípio não existe o problema da forma.*

Efetivamente, se houvesse em princípio um problema da forma, também ele poderia receber uma resposta. E quem conhecesse essa resposta estaria em condições de criar obras de arte, o que quer

---

[A]. Van Gogh utilizou a linha enquanto tal com uma força particular, sem intenção de delimitar o objeto.

dizer que a arte já não existiria. Em termos práticos, o problema da forma se converte numa outra questão: que forma devo utilizar em tal caso para chegar à expressão necessária de meu sentimento interior? Em tal caso, a resposta é sempre de uma precisão científica, absoluta, mas tem um valor apenas relativo para outros casos. Em outras palavras, a forma que é a melhor num caso pode ser a pior em outro: tudo depende da necessidade interior, que só pode ser proporcionada por uma forma correta. E uma forma só pode ter significado para um público se a necessidade interior a tiver escolhido, sob a pressão do tempo e do lugar, entre outras que lhe são aparentadas. Isso não altera em nada o significado relativo da forma, que pode ser correta num determinado caso e falsa em muitos outros.

Todas as regras que foram descobertas na arte antiga e as que o serão mais tarde — regras às quais os historiadores da arte atribuem uma importância exagerada — nada têm de geral: elas não conduzem à arte. Se eu conhecesse as regras da marcenaria, sempre seria capaz de fabricar uma mesa. Mas quem conhecesse as leis presumidas da pintura jamais estaria certo de criar uma obra de arte.

Tais regras, que logo constituirão o "baixo contínuo" da pintura, nada mais são que o conhecimento do efeito interior dos diferentes meios e de sua combinação. Mas nunca existirão regras que permitam, num dado caso, empregar a forma necessária para este ou aquele efeito e combinar os diferentes meios.

Resultado prático: *não se deve jamais acreditar num teórico (historiador da arte, crítico, etc.) quando ele afirma ter descoberto um erro objetivo numa obra.*

A *única coisa* que um teórico tem o direito de afirmar é que ainda não conhecia esta ou aquela aplicação de um meio. Os teóricos que criticam ou elogiam uma obra partindo da análise das formas já existentes são os intermediários mais perniciosos e mais enganadores, porque erigem uma parede entre a obra e aquele que a contempla ingenuamente.

Desse ponto de vista (não raro, infelizmente, o único possível), *a crítica de arte é o pior inimigo da arte.*

O *crítico de arte ideal* seria, pois, não aquele que procura descobrir os "erros"[A], os "defeitos", as "ignorâncias", os "empréstimos", etc., mas aquele que tentasse *sentir* como esta ou aquela forma age e que, em seguida, comunicasse ao público aquilo que experimentou.

A. Por exemplo, "erros contra a anatomia", "defeitos de desenho", etc., ou, mais tarde, as violações do "baixo contínuo" futuro.

Para isso, o crítico deveria obviamente possuir uma alma de poeta, já que o poeta deve sentir as coisas de maneira objetiva para traduzir de maneira subjetiva o seu sentimento. O crítico, numa palavra, deveria ser dotado de uma força criadora. Na realidade, porém, os críticos são com muita freqüência artistas fracassados, que malograram por não disporem eles próprios dessa força criadora e que, por essa razão, se sentem chamados a dirigir a dos outros.

O problema da forma tem repercussões funestas sobre os artistas por mais uma razão. Servindo-se de formas que lhe são estranhas, homens desprovidos de dons (isto é, homens a quem nenhum instinto *interior* impele a serem artistas) criam obras factícias que semeiam a confusão.

Precisemos o nosso pensamento. Para a crítica, para o público, e muitas vezes para os próprios artistas, a utilização de uma forma estranha constitui um crime, um embuste. Na realidade, isto só acontece quando o "artista" recorre a essa forma estranha sem ser impulsionado por uma necessidade interior, pois então ele cria uma obra factícia, sem vida. Em compensação, quando, para exprimir seus movimentos e sua experiência interiores, o artista usa de tal ou qual forma "estranha" correspondente à sua verdade interior, ele não faz mais que exercer o seu direito: o direito que lhe pertence de utilizar qualquer forma da qual ele experimenta a *necessidade interior* — quer se trate de um objeto de uso comum, de um corpo celeste ou de uma forma já materializada esteticamente por outro artista.

Todo esse problema da "imitação"[A] está longe de revestir a importância que a crítica lhe atribui[B]. O que está vivo permanece, o que está morto desaparece.

Com efeito, quanto mais o nosso olhar remonta ao passado, menos descobriremos nele obras factícias, mentirosas. Elas desapareceram misteriosamente. Só subsistem as criações autênticas da arte, as que possuem uma alma (conteúdo) em seu corpo (forma).

A. Nenhum artista ignora as aberrações da crítica nesse domínio. A crítica sabe que, sobre esse ponto sobretudo, ela pode formular as afirmações mais desprovidas de sentido com completa impunidade. Pouco tempo atrás, por exemplo, a *Negra* de Eugen Kahler[115], que é um bom estudo naturalista, foi comparada... a um quadro de Gauguin. A única coisa que podia autorizar semelhante paralelo é a pele escura do modelo (cf. *Münchner Neueste Nachrichten*, 12 de outubro de 1911). E coisas do estilo.

B. A exagerada importância que ela confere a essa questão lhe permite desacreditar impunemente o artista.

Se o leitor considerar um objeto qualquer colocado sobre sua mesa (uma ponta de charuto que seja), apreenderá seu sentido exterior ao mesmo tempo que experimentará sua ressonância interior, sendo um sempre independente do outro. Assim será em qualquer lugar e em qualquer tempo, na rua, numa igreja, no ar, na água, num estábulo, numa floresta.

O mundo está cheio de ressonâncias. Ele constitui um cosmo de seres que exercem uma ação espiritual. A matéria morta é espírito vivo.

Se extrairmos do efeito independente que resulta da ressonância interior as conseqüências relativas ao nosso assunto, veremos que esta se reforça quando o sentido exterior do objeto é deixado de lado. De fato, esse sentido está ligado ao mundo prático e por isso mesmo abafa a ressonância interior. Assim se explica a impressão profunda produzida por um desenho de criança sobre um espírito imparcial e sem prevenção. O mundo prático e seus fins são estranhos à criança, que olha todas as coisas com olhos ingênuos e ainda possui suficiente frescor para considerá-las em si mesmas. Só mais tarde, através de muitas experiências não raro penosas, é que ela aprenderá gradualmente a conhecer o mundo prático e seus fins. Em qualquer desenho de criança, sem exceção, a ressonância interior do objeto se revela por si mesma. Os adultos, notadamente os professores, empenham-se em inculcar na criança o conhecimento do mundo prático e criticam-lhe o desenho colocando-se do ponto de vista da vulgaridade: "teu homenzinho não pode andar porque só tem uma perna", "tua cadeira está torta, não se pode sentar nela", etc.[A] A criança zomba então de si mesma. Na realidade, ela deveria era chorar. Ademais, a criança bem-dotada possui não somente a faculdade de eliminar do objeto o que ele tem de exterior como também o poder de revestir sua alma com a forma ali onde ela se manifesta mais fortemente — pela qual ela age (ou "fala", como também se diz) com mais intensidade.

Toda forma comporta vários aspectos. Sempre se descobrem nela propriedades eficazes. Não quero sublinhar aqui senão um traço característico, mas importante, dos desenhos infantis bem-executados: sua composição. O que salta aos olhos nesses desenhos é a aplicação inconsciente, espontânea, do que afirmávamos acima a propósito da letra. Seu *aspecto global* é quase sempre muito preciso, de uma precisão que chega às vezes ao esquematismo, e as *for-*

A. Como sucede tantas vezes, ensina-se a quem deveria ensinar — e mais tarde estranha-se que as crianças bem-dotadas não dêem em nada.

mas particulares, constitutivas da forma global, são dotadas de uma existência própria (cf., por exemplo, os *Árabes* de Lydia Wieber). Há na criança uma imensa força inconsciente que se expressa em seus desenhos e faz deles obras que igualam as dos adultos (quando não as ultrapassam de longe)[A].

Todo fogo acaba em cinzas. Todo rebento demasiado precoce é ameaçado pela geada. Todo jovem talento, por uma academia. Isso não é um dito espirituoso, mas uma triste realidade. A academia é o meio mais seguro de dar o golpe de misericórdia no gênio infantil de que acabamos de falar. Ela bloqueia mais ou menos até mesmo um talento fora de série e poderoso. Quanto aos dons menos brilhantes, perecem às centenas. Um homem medianamente dotado que recebeu uma formação acadêmica pode caracterizar-se como um indivíduo que assimilou a prática mas se tornou surdo à ressonância interior. Confeccionará desenhos "corretos", mas sem vida.

Quando um indivíduo sem formação artística, portanto desprovido de conhecimentos artísticos objetivos, pinta alguma coisa, o resultado nunca é artificial. Temos aí um exemplo da ação da força interior, que só é influenciada pelo conhecimento *geral* do mundo prático e de seus fins.

Mas, como em tal caso esse conhecimento geral só pode intervir de uma maneira limitada, o elemento exterior do objeto se vê igualmente eliminado (menos que na criança, contudo em grande medida), e a ressonância interior torna-se mais intensa: nasce então uma coisa não morta, mas viva. Disse Cristo: "Deixai vir a mim as criancinhas, porque delas é o Reino dos Céus."

O artista, que se assemelha bastante à criança durante toda a sua vida, é freqüentemente mais apto que ninguém para perceber a ressonância interior das coisas. Desse ponto de vista, é interessante notar com que simplicidade e segurança o compositor Arnold Schönberg utiliza os meios da pintura. De um modo geral, ele se preocupa apenas com a ressonância interior. Deixa de lado todos os floreios e enfeites, e a forma mais "pobre" converte-se em suas mãos na mais rica (ver seu auto-retrato[116]).

Tocamos aqui na raiz do novo grande realismo. Mostrando simples e exclusivamente o invólucro externo de uma coisa, o artista o isola do mundo prático e de seus fins para revelar sua ressonância interior. Henri Rousseau, que devemos considerar como o pai desse

---

A. Encontramos esse assombroso dom da composição na "arte popular" (por exemplo, nos ex-votos dos pestíferos provenientes da Igreja de Murnau).

realismo, mostrou-lhe o caminho de um modo tão simples quanto convincente (ver o retrato e seus outros quadros)[A].

Henri Rousseau abriu o caminho para as possibilidades novas da simplicidade. Para nós, esse aspecto de seu talento tão diversificado é atualmente o mais importante.[118]

Uma relação qualquer deve unir entre si os objetos ou as partes do objeto. Este pode ser ostensivamente harmonioso ou ostensivamente desarmônico. O artista pode empregar um ritmo esquematizado ou oculto.

A direção atual da arte, que impele irresistivelmente os artistas a valorizar a composição de suas obras e a revelar as leis futuras da nossa grande época, é a força que os obriga a orientar-se no sentido de um objetivo único através dos mais variados caminhos.

É natural que em tal caso o homem se volte para o que é, ao mesmo tempo, o mais regular e o mais abstrato. Vemos, assim, que diferentes períodos artísticos utilizaram o triângulo como base da construção. Esse triângulo era amiúde eqüilátero, o que valorizava o número, isto é, o elemento abstrato dessa forma. Na procura das relações abstratas que se manifesta em nossos dias, o número desempenha um papel capital. Toda fórmula numérica é fria como um pico coberto de gelo e, por sua regularidade absoluta, firme como um bloco de mármore. É fria e firme, como toda necessidade. Na origem do que se denomina cubismo, há o desejo de reduzir a composição a uma fórmula. Essa construção "matemática" é uma forma que às vezes deve conduzir — e de fato conduz, quando metodicamente aplicada — à destruição completa dos nexos materiais que unem as partes de um objeto (cf., por exemplo, Picasso[119]).

Esse tipo de arte tem por fim a criação de obras que vivem por sua organização própria e se tornam, com isso, entes autônomos. Se, de um modo geral, se pode criticar alguma coisa em tal arte, é *unicamente* o fato de ela recorrer a um emprego restrito do número. Tudo pode ser traduzido por uma fórmula matemática, ou simplesmente por um número. Mas existem números e números: 1 e 0,3333... são seres semelhantemente legítimos, dotados de igual ressonância interior. Por que contentar-nos com 1? Por que excluir 0,3333...? A questão que se coloca é, pois, a seguinte: por que res-

---

[A]. A maior parte dos quadros de Rousseau reproduzidos aqui foi tirada do caloroso e simpático livro de Uhde (*Henri Rousseau*, Paris, Eugène Figuière et Cie). Aproveito a ocasião para agradecer, do fundo do coração, a bondade do senhor Uhde[117].

tringir a expressão artística pelo recurso exclusivo aos triângulos ou às formas geométricas análogas? Repitamo-lo: o esforço de composição dos "cubistas" está diretamente vinculado à necessidade de criar entidades puramente pictóricas que, por um lado, agem por intermédio do objeto representado e, por outro, atingem a abstração pura pelas variadas combinações de suas ressonâncias.

Entre a composição puramente abstrata e a composição puramente realista há lugar, num quadro, para a combinação dos elementos realistas e abstratos. Essas possibilidades de combinação são grandes e múltiplas. Em todos os casos, a obra pode viver com intensidade, impondo-lhe o artista livremente a sua forma.

O artista é e permanece livre para combinar os elementos abstratos e os elementos objetivos, para realizar uma escolha entre a série infinita das formas abstratas ou do material que os objetos lhe fornecem — em outras palavras, é livre para escolher seus próprios meios. Assim fazendo, ele obedece unicamente ao seu desejo interior. Uma forma hoje desprezada e desacreditada, que parece situar-se à margem da grande corrente da pintura, aguarda simplesmente o seu mestre. Essa forma não está morta, mas apenas em letargia. Quando o conteúdo — o espírito que só pode manifestar-se por essa forma aparentemente morta — alcança a maturidade, quando soa a hora de sua materialização, ele entra nessa forma e fala através dela.

O profano, em particular, não deveria abeirar-se de uma obra perguntando-se o que o artista *não fez*; ou seja, não deveria colocar esta questão: "Em que o artista se dá ao luxo de desprezar as *minhas* expectativas?" Ao contrário, ele deveria perguntar-se o que o artista *fez*, fazer esta pergunta: "Que desejo interior *pessoal* o artista expressou nessa obra?" Creio que chegará o tempo em que também a crítica considerará que sua tarefa é, não detectar os aspectos negativos, mas discernir e dar a conhecer os resultados positivos, os êxitos. Diante de uma produção de arte abstrata, a crítica contemporânea se pergunta antes de mais nada: "Como distinguir o verdadeiro do falso em tal obra?", ou seja: "Como se pode descobrir nela possíveis senões?" É esta uma de suas "principais" preocupações. Não deveríamos ter para com a obra de arte a mesma atitude que se tem para com um cavalo que queremos comprar. No caso do cavalo, o defeito importante reduz a nada todas as qualidades que ele possa ter e torna-o sem valor; com a obra de arte a relação é inversa: uma qualidade importante reduz a nada todos os defeitos que ela possa ter e torna-a preciosa.

Uma vez admitido esse ponto de vista, as questões de forma, colocadas em nome de princípios absolutos, cairão por si mesmas;

o problema da forma receberá o valor relativo que lhe convém, e o artista ficará finalmente livre para escolher o que lhe é necessário para cada obra.

Antes de terminar estas poucas considerações, infelizmente demasiado breves, acerca da questão da forma, gostaria de falar neste livro de alguns exemplos de construção. Serei obrigado, aqui, a sublinhar apenas um aspecto das obras, fazendo abstração de suas inúmeras outras particularidades, que não caracterizam somente uma obra, mas também a alma do artista.

Os dois quadros de Henri Matisse mostram como a composição "rítmica" (*A dança*) possui uma outra vida interior e, portanto, uma outra ressonância, além da composição em que as partes do quadro se justapõem de maneira aparentemente arrítmica (*A música*[120]). Essa comparação prova à saciedade que a salvação só pode residir num esquema claro, numa rítmica clara.

A forte ressonância abstrata da forma corporal não exibe absolutamente a destruição do objeto. O quadro de Marc (*O touro*) atesta que tampouco existe regra geral nesse domínio[121]. O objeto pode, pois, conservar perfeitamente sua ressonância interior e exterior, suas diferentes partes podem converter-se em formas abstratas de ressonância independente e produzir uma impressão global abstrata.

A natureza-morta de Münter mostra que a tradução desigual dos objetos numa tela não só se opera sem prejuízo como cria, se for corretamente efetuada, uma ressonância interior vigorosa e complexa[122]. O acorde exteriormente desarmônico é, nesse caso, a causa do efeito interior harmonioso.

Os dois quadros de Le Fauconnier constituem um exemplo particularmente instrutivo[123]. Formas análogas "em relevo" produzem aí dois efeitos interiores diametralmente opostos pelo simples fato da distribuição dos "pesos". *Abundância* traduz um som quase trágico pela sobrecarga dos pesos; *Paisagem lacustre* faz pensar num poema claro e transparente.

Se o leitor desta obra for capaz de esquecer por algum tempo seus desejos, pensamentos e sentimentos e folhear estas páginas — que o farão passar de um ex-voto a Delaunay, de Cézanne a uma gravura popular russa, de uma máscara a Picasso, de uma composição de vidro a Kubin, etc., etc. —, sua alma sentirá numerosas vibrações que o farão penetrar no domínio da arte. Ele não descobrirá em tais obras imperfeições revoltantes, defeitos irritantes, mas retirará delas um enriquecimento da alma, esse enriquecimento que só a arte é capaz de dar.

Mais tarde, o artista e o leitor poderão passar a considerações objetivas, a uma análise científica. Ver-se-á então que todas as obras examinadas obedecem a um impulso interior (composição) e que repousam numa base interior (construção). O conteúdo de uma obra pertence a um ou outro dos dois processos para os quais confluem hoje todos os movimentos secundários (só hoje? Ou se trata apenas de um fenômeno hoje visível?). Esses dois processos são:

1. a desagregação da vida material sem alma do século XIX, isto é, o abandono dos apoios materiais considerados como os únicos sólidos, a decomposição e a dissolução das partes isoladas;
2. a edificação da vida intelectual e espiritual do século XX, da qual já somos testemunhos e que já se manifesta, se encarna hoje em formas expressivas e vigorosas.

Esses dois processos constituem os dois aspectos do "movimento contemporâneo". Seria presunçoso qualificar o que já foi atingido, ou mesmo fixar um termo último para esse movimento: seríamos logo e cruelmente punidos pela perda da liberdade.

Como já afirmamos tantas vezes, não devemos tender à limitação, mas à libertação. Não devemos rejeitar nada sem um esforço *obstinado* para descobrir a vida.

Mais vale tomar a morte pela vida do que a vida pela morte. Uma só vez que fosse. Alguma coisa só poderá *crescer* num solo liberado. O homem livre empenha-se em enriquecer-se de tudo o que existe e em deixar agir sobre ele a vida de cada coisa — mesmo a de um fósforo meio consumido.

Só a liberdade nos permite acolher o *futuro*.

Desse modo não ficaremos à margem, como a árvore seca sob a qual Cristo percebeu a espada pronta.

Da composição cênica[124]

Cada arte tem sua linguagem própria, isto é, seus meios próprios.
Assim, cada arte é uma coisa fechada em si. Cada arte é uma vida própria[125]. É um domínio em si.
É por isso que os meios empregados para cada arte, vistos do exterior, são completamente diferentes: sonoridade, cor, palavra!...
Em último lugar e vistos do interior, esses meios são absolutamente semelhantes: o objetivo final suprime as diferenças exteriores e desvenda a identidade interior.
Alcança-se esse objetivo *final* (conhecimento) fazendo a alma humana vibrar mais finamente. Mas essas vibrações mais finas, se são idênticas ao nível do objetivo final, têm em si e por si movimentos interiores diversos que as diferenciam. Esse movimento[126] da alma, indefinível mas preciso (vibração) é o objetivo buscado pelos diferentes meios empregados pela arte.
Um conjunto complexo e preciso de vibrações — esse é o objetivo de uma obra.
Apurar a alma graças a esse conjunto, tornado preciso pela soma das vibrações — este é o objetivo da arte.
Por isso *a arte é* indispensável e *conforme a seu objetivo*.
Quando o artista encontra o meio justo, é uma materialização da vibração da sua alma que ele se vê obrigado a exprimir.
Se esse meio é justo, ele provoca uma vibração quase idêntica na alma daquele a quem se dirige.
É inevitável. Só que essa segunda vibração é complexa. Em primeiro lugar, ela pode ser fraca ou forte, dependendo do grau de evolução daquele a quem ela se dirige, assim como da influência do mundo exterior (alma absorvida). Em segundo lugar, essa vibração da alma também vai abalar outras cordas da alma. É o impulso dado

à "imaginação"[127] do público que "continua" a contribuir para a "criação" da obra[A].

As cordas da alma que vibram com maior freqüência farão, quase a cada toque, as demais cordas ressoar — e, às vezes, tão intensamente que submergirão a sonoridade inicial: há pessoas que a música "alegre" faz chorar, e vice-versa. É por isso que os diferentes efeitos produzidos por uma obra serão mais ou menos coloridos segundo seus diferentes públicos.

No entanto, nesse caso, a sonoridade inicial, longe de ser destruída, continua a viver e, ainda que imperceptível, realiza seu trabalho na alma[B].

Portanto, não há quem não seja acessível à arte. Cada obra e cada um dos meios empregados provoca em todo ser humano, sem exceção, uma vibração que, no fundo, é idêntica à do artista.

É com base na identidade interna (que se descobre em último lugar) de cada um dos meios utilizados pelas diferentes artes que nos baseamos para tentar sustentar uma sonoridade particular a uma arte pela sonoridade idêntica de outra arte, a fim de fortalecê-la e obter um efeito particularmente poderoso. É um meio de ação.

No entanto, a repetição de um dos meios próprios de uma arte (p. ex., a música) por um meio idêntico próprio a outra arte (p. ex., a pintura) é apenas um caso, uma possibilidade. Quando essa possibilidade também é utilizada como meio interior (p. ex., em Scriabin[C]), estamos no domínio do contraste e da composição complexa: primeiro, o inverso dessa repetição; mais tarde, toda uma série de possibilidades, que vão da ação conjugada à ação contrária. É um material inesgotável.

O século XIX caracteriza-se por seu distanciamento de toda criação interior. A concentração sobre as aparências e os aspectos materiais dessas aparências devia, logicamente, acarretar a baixa da força criadora no domínio da interioridade, o que parece tê-la levado ao ponto mais baixo do colapso.

Desse ponto de vista parcial deviam decorrer naturalmente outros pontos de vista parciais.

A. Atualmente, as encenações teatrais (entre outras coisas) levam particularmente em consideração essa "colaboração", que o artista utiliza sempre com naturalidade. Daí nasceu a exigência de certo espaço livre, que deveria assinalar uma distância entre a obra e seu último grau de expressão. É esse não-dizer-tudo que reivindicavam, por exemplo, Lessing, Delacroix e outros. Esse espaço dá livre campo ao trabalho da imaginação.

B. É assim que, com o tempo, uma obra é verdadeiramente "compreendida".

C. Cf. o artigo de Sabaneev neste livro[128].

Assim, no caso do teatro:
1. (Como em outros domínios) também se fazia sentir a necessidade da elaboração minuciosa de cada um dos elementos já existentes (criados antes) e que, por razões de comodidade, eram depois forte e definitivamente separados uns dos outros. Era o reflexo de uma especialização que sempre encontramos na ausência de novas formas.
2. O caráter positivo do espírito do século só podia levar a uma forma de combinação que era igualmente positiva. De fato, pensava-se "dois é mais que um" e procurava-se aumentar cada efeito através da repetição. No entanto, na ação interior, por vezes sucede o inverso, de modo que não é raro um ser mais que dois. Matematicamente, $1 + 1 = 2$. Para a alma, pode acontecer que $1 - 1 = 2$.

I

A primeira conseqüência do materialismo, ou seja, a especialização e a elaboração exterior das diferentes partes que lhe são ligadas, conduz à formação e à petrificação de três grupos de obras cênicas que foram isolados uns dos outros por muralhas elevadas.

a) O Drama;
b) A Ópera;
c) O Balé.

a) O Drama, no século XIX, é, em geral, o relato de um acontecimento de caráter mais ou menos pessoal, conduzido com maior ou menor refinamento e profundidade. É habitualmente a descrição de uma vida totalmente exterior, onde a vida da alma só entra em jogo na medida em que tem uma relação com a vida exterior[A].
Falta totalmente o elemento cósmico.
O acontecimento exterior e as relações exteriores da ação dão forma ao drama de hoje.

b) A Ópera é um drama a que a música vem se acrescentar como elemento principal, ressentindo-se vivamente disso a fineza e a profundidade da parte dramática. As duas partes são ligadas de maneira puramente exterior. Ou a música ilustra (ou, ainda, reforça) o acontecimento dramático, ou o acontecimento dramático vem socorrer a música e comentá-la.

A. As exceções são raras. Ainda assim, esses poucos exemplos (Maeterlinck, *Espectros* de Ibsen, *A vida do homem* de Andreiev, e alguns outros) vinculam-se ao acontecimento exterior[129].

Wagner viu muito bem esse ponto e tentou remediá-lo de várias maneiras. A idéia fundamental era ligar organicamente as diversas partes entre si e criar, desse modo, uma obra monumental[A].

Pela repetição de um só e mesmo movimento exterior sob duas formas substanciais, Wagner procurava obter um fortalecimento dos meios, ao mesmo tempo que dava ao efeito produzido um alcance monumental. Seu erro, nesse caso, foi pensar que dispunha de um meio universal. Na realidade, trata-se apenas de um meio entre o conjunto das possibilidades, por vezes mais ricas, que a arte monumental oferece.

Mas, à parte o fato de que uma repetição paralela não passa de *um* meio e de que essa repetição é apenas exterior, Wagner deu-lhe uma nova forma que devia engendrar outras. Por exemplo, antes de Wagner, o movimento teve na ópera um sentido puramente exterior e superficial (talvez apenas uma degeneração). Não era mais que um apêndice ingênuo da ópera: a mão no peito = amor, os braços erguidos para o céu = prece, os braços abertos = forte emoção, e assim por diante. Essas formas infantis (que ainda podemos ver todas as noites hoje em dia) tinham relações exteriores com o texto da ópera, que era novamente ilustrado pela música. Ora, Wagner estabeleceu uma relação direta (artística) entre o movimento e a medida musical — o movimento tornava-se subordinado à música.

No entanto, a natureza dessa relação permanece exterior. A sonoridade interior do movimento ainda está excluída.

É dessa mesma maneira artística, mas exterior, que Wagner subordina por outro lado a música ao texto, isto é, ao movimento tomado em sentido amplo. O chiado do ferro em fusão na água, as marteladas na forja foram representados musicalmente.

Mas essa dependência *mutável* também foi a ocasião de um enriquecimento dos meios, que devia redundar em novas combinações.

Portanto, de um lado, Wagner enriquecia a eficácia de um meio, de outro, empobrecia o sentido interior — a significação interior, puramente artística, do meio auxiliar.

Essas formas não são mais que reproduções mecânicas (e não uma colaboração interior) do desenrolar da ação de acordo com o plano estabelecido. Também da mesma natureza é a outra relação da música com o movimento (no sentido amplo do termo); é a "ca-

---

A. Foi necessário mais de meio século para que essa idéia de Wagner atravessasse os Alpes, onde assumiu a forma de um parágrafo impresso oficialmente. O "manifesto" musical dos "futuristas" afirmava: "Proclamar como uma necessidade absoluta que o músico seja o autor do poema dramático ou trágico que deve musicar" (Milão, 1911)[130].

racterística" musical de cada um dos papéis. A obstinação com que uma frase musical ressurge quando do aparecimento de um herói acaba fazendo com que ele perca um pouco de sua força e age sobre o ouvido como agiria sobre o olho um rótulo de garrafa bem conhecido. O sentimento é rebelde a um emprego tão conseqüente e sistemático de uma só e mesma forma[B].

Enfim, Wagner serve-se da palavra como meio de narração, ou para exprimir suas idéias. Mas não era um meio favorável a tais desígnios, porque, via de regra, as palavras são cobertas pela orquestra. Não há meio satisfatório para fazer as palavras serem ouvidas em numerosos recitativos. A tentativa de interromper a continuidade do canto já era um golpe rude na "unidade" do conjunto. No entanto, continuava intocado o acontecimento exterior.

À parte o fato de que, a despeito de seus esforços para criar um texto (movimento), ele não se separa em absoluto da velha tradição de exterioridade, Wagner também despreza o terceiro elemento, que é hoje empregado sob uma forma ainda primitiva: a cor e a forma pictórica ligada a ela (decoração).

O acontecimento exterior, as relações exteriores de cada um de seus elementos e dos dois meios, Drama e Música, dão à Ópera sua forma atual.

c) O Balé é um drama com todas as características e o conteúdo anteriormente descritos. Mas, neste caso, a seriedade do drama se perde ainda mais do que no caso da ópera. Na ópera, há outros temas além do amor: as relações religiosas, políticas, sociais, permitem a manifestação do entusiasmo, do desespero, da honestidade, do ódio e de outros sentimentos análogos. O balé contenta-se com o amor na sua forma infantil e feérica. Fora da música, ele recorre a movimentos isolados ou a conjuntos. Ele não vai além de uma forma ingênua de relações exteriores. Na prática, pode-se até acrescentar ou eliminar cada uma das danças, ao capricho de cada um. O "conjunto" é tão problemático, que tais operações passam totalmente despercebidas.

O acontecimento exterior, as relações exteriores entre cada um de seus elementos e os três meios cênicos, Drama, Música e Dança, proporcionam ao balé sua forma atual.

B. Essa programática impregna a obra de Wagner e pode ser explicada não só pelo caráter do artista, mas também pela preocupação em encontrar uma forma precisa para a nova criação, que o espírito do século XIX tinha marcado com seu cunho "positivista".

II

A segunda conseqüência do materialismo, a saber, a adição (1 + 1 = 2, 2 + 1 = 3), fez com que fosse empregada uma única forma de combinação (ou, ainda, de reforço), que exigia meios paralelos. Uma emoção intensa, por exemplo, é logo ressaltada na música com um *fortissimo*. *Esse princípio matemático dá às formas ativas uma base puramente exterior.*

Todas as *formas* de que acabamos de falar, e que chamo de formas substanciais (Drama = palavra, Ópera = sonoridade, Balé = movimento), assim como a combinação de cada um dos meios, que chamo de meios de ação, são construídas em vista de uma *unidade exterior. Porque todas essas formas nasceram do princípio da necessidade exterior.*

Daí decorre como conseqüência lógica o caráter limitado, unilateral (= empobrecimento) das formas e dos meios. Isso entra pouco a pouco na ortodoxia, e cada modificação de detalhe parece revolucionária.

Falemos, agora, da unidade interior. O estado das coisas é radicalmente diferente.

1. A aparência exterior de cada elemento dissipa-se de repente. E seu valor interior ressoa plenamente.

2. Fica claro que, desde que se toca nessa sonoridade interior, o acontecimento exterior já não é apenas acessório, ele se torna prejudicial, porque obscurece tudo.

3. O valor da relação exterior aparece sob seu aspecto verdadeiro: como um fator inútil, que limita e debilita a ação interior.

4. É evidente que o sentimento da necessidade da *unidade interior* se baseia nessa não-unidade exterior e, até mesmo, deve a ela sua existência.

5. Revela-se, para cada elemento, a possibilidade de conservar sua vida exterior própria, que se opõe, pelo menos exteriormente, à vida exterior de outro elemento.

Se, a partir dessas descobertas abstratas, fazem-se descobertas mais práticas, constata-se então que é possível:

   a) tomar a sonoridade interior de um elemento como meio;
   b) suprimir o acontecimento exterior (= ação);
   c) o que faz cair por si mesmo a relação exterior, assim como
   d) a unidade exterior e
   e) constata-se que a unidade interior permite que se disponha de uma série incontável de meios que não teriam podido existir antes. *A necessidade interior torna-se, assim, a única fonte.*

A pequena composição cênica que se segue tentou inspirar-se nessa fonte.

Há nela três elementos que servem de meios exteriores ao *valor interior*.
1. O som musical e seu movimento.
2. A sonoridade do corpo e da alma e seu movimento, que se exprimem através dos seres e das coisas.
3. A sonoridade das cores e seu movimento (uma possibilidade própria do teatro).

O drama compõe-se do conjunto das experiências interiores (vibrações da alma) dos espectadores.

a) Da ópera, tomou-se o elemento principal, a música, como fonte de sonoridade interior, que não poderia em caso algum ser subordinada à ação exterior.

b) Do balé, tomou-se a dança, tratada como movimento abstrato que age por meio da sonoridade interior.

c) A sonoridade das cores assume um significado autônomo e é tratada em pé de igualdade com os dois outros meios.

Esses três elementos representam o mesmo papel e têm a mesma importância, permanecem exteriormente independentes e são tratados da mesma maneira, isto é, cada um deles permanece submetido ao objetivo interior.

Pode acontecer, por exemplo, que a música seja totalmente eliminada, ou rejeitada para um segundo plano, quando o movimento, por exemplo, tiver um efeito suficientemente expressivo e correr o risco de ser enfraquecido por uma forte colaboração da música. Ao desenvolvimento do movimento na música pode corresponder um movimento decrescente da dança, e os dois movimentos (positivo e negativo) adquirem então um valor interior maior, etc, etc. Toda uma série de combinações é possível entre esses dois pólos: ação conjugada e ação contrária. Do ponto de vista gráfico, os três elementos podem seguir, cada um, seu próprio caminho, exteriormente independente.

Servimo-nos da palavra tomada em si ou ligada em frases para criar uma certa "atmosfera", que liberta a alma e a torna receptiva. Servimo-nos da sonoridade da voz humana em estado puro, isto é, livre do obscurecimento produzido pela palavra ou pelo sentido das palavras.

Que o leitor não atribua as fraquezas da pequena composição que segue à teoria, mas ao escritor.

A sonoridade amarela

Uma composição cênica[A]

Personagens:
cinco gigantes *um homem*
seres vagos *pessoas de roupas esvoaçantes*
tenor (atrás do palco) *pessoas de maiô*
uma criança *coro (atrás do palco)*

Introdução
Alguns acordes confusos na orquestra.

Sobe o pano

No palco, crepúsculo azul-escuro, a princípio esbranquiçado, depois de um azul-escuro intenso. Depois de certo tempo, começa-se a ver no meio do palco uma pequena luz que se torna mais viva quando o azul escurece.

Depois de certo tempo, música na orquestra. Pausa.

Atrás do palco, começa-se a ouvir um coro, disposto de modo que não se possa situar o lugar de onde vem o canto. Ouvem-se principalmente as vozes dos baixos. O canto é regular, sem caráter, com interrupções indicadas por pontos.

Vozes baixas primeiro:
— Sonhos com a dureza de pedra... E rochedos falantes...
— Gleba de questões que resolvem os enigmas...
— Movimento do céu... E ferro... pedras...
— Muralha.. invisível... crescendo rumo aos céus...

Vozes altas:
— Lágrimas e risos... Preces mescladas a maldições...
— Alegria da unificação e os mais negros combates.

[A]. A parte musical foi assumida por Thomas von Hartmann.

Todos:
— Luz escura do... dia... mais ensolarado
(Cessam brutalmente)
— Sombras de brilho estridente na noite mais escura!!
A luz desaparece. Escuridão súbita. Pausa bastante longa. Depois, introdução na orquestra.

Primeiro quadro
(à esquerda e à direita do espectador)
O palco precisa ter a maior profundidade possível.
Bem longe, no fundo, uma grande colina verde. Atrás da colina, uma cortina lisa, fosca, azul, de uma tonalidade bastante escura.
A música logo começa, primeiro nos agudos. Depois, ela passa diretamente e bastante depressa aos sons graves. Ao mesmo tempo, o fundo torna-se azul-escuro (seguindo o ritmo da música) e largas beiradas pretas cercam-no (como num quadro). Atrás do palco, um coro sem palavras torna-se audível; ele tem ressonâncias sem alma, secas como madeira e mecânicas. Terminado o coro, pausa geral: mais nenhum movimento, mais nenhum som. Depois, tudo se torna escuro.
Pouco mais tarde, a mesma cena iluminada. Da direita à esquerda, cinco gigantes amarelo-crus (tão grandes quanto possível) são projetados na cena (como se pairassem bem acima do chão).
Ficam de pé em fila indiana — alguns de ombros erguidos, outros de ombros abaixados, com curiosos rostos amarelos que o espectador distingue mal.
Viram a cabeça *muito* lentamente, uns em direção aos outros, e fazem movimentos simples com os braços.
A música torna-se mais precisa.
Nisso, o canto *muito* grave e sem palavras dos gigantes torna-se perceptível (*pp*) e os gigantes aproximam-se lentamente da ribalta. Da esquerda para a direita passam voando rapidamente seres vagos, vermelhos, que lembram *um pouco* passarinhos, têm cabeças grandes e uma semelhança distante com seres humanos. Esse vôo reflete-se na música.
Os gigantes continuam a cantar, e cada vez mais piano. Ao mesmo tempo, o espectador distingue-os cada vez menos. A colina, atrás, cresce lentamente e ilumina-se gradualmente. No fim, está branca. O céu torna-se preto.
Atrás da cena, volta-se a ouvir o mesmo coro, com sonoridades de madeira seca. Já não se ouvem os gigantes.
A frente do palco torna-se azul e cada vez mais opaca.

A orquestra luta com o coro e o sobrepuja. Um denso vapor azul mascara toda a cena.

Segundo quadro
O vapor azul cede pouco a pouco à luz, que se torna de uma brancura perfeita, crua. Atrás da cena, uma colina verde-cru, a maior possível, toda redonda. O fundo, violeta bastante claro.

A música é estridente, atormentada, com lá, si, lá, bemóis, repetidos com freqüência. Esses sons isolados acabam sendo absorvidos pela tempestade sonora. Súbito, faz-se um silêncio absoluto. Pausa de novo, o lá e o si gemem, chorosos, mas precisos e agudos. Isso dura bastante tempo. Depois, nova pausa.

Nesse momento, o fundo torna-se bruscamente marrom-sujo. A colina torna-se verde-sujo. E bem no meio da colina forma-se uma mancha preta, imprecisa, que parece ora nítida, ora esfumada. A cada modificação da nitidez, a luz branco-cru torna-se bruscamente cinzenta. À esquerda, na colina, percebe-se de repente uma *grande* flor amarela. Ela tem uma semelhança distante com um grande pepino curvo, e torna-se cada vez mais crua. O caule é comprido e fino. Uma só folha, estreita, em forma de aguilhão, brota do meio do caule, apontando para o lado. Longa pausa.

Em seguida, *num silêncio total*, a flor balança lentamente da direita para a esquerda. Mais tarde, a folha também, porém não ao mesmo tempo. Mais tarde ainda, ambas balançam num ritmo desigual. Depois, mais uma vez separadamente. Durante o movimento da flor, soa um si, bastante sustentado; durante o movimento da folha, um lá gravíssimo. Em seguida, elas balançam de novo juntas, e as duas notas soam em acorde. A flor estremece violentamente, depois fica imóvel. Na música, continuam-se a ouvir as duas notas. No mesmo momento, chega da esquerda um grupo de pessoas, de roupas cruas, compridas, disformes (a primeira é azul, a segunda vermelha, a terceira verde, etc... só falta o amarelo). As pessoas trazem na mão grandes flores brancas, semelhantes à flor da colina. Elas se comprimem o mais possível umas contra as outras, passam pertinho da colina e param do lado direito do palco, estreitamente apertadas umas contra as outras. Falam todas juntas e recitam:

— As flores cobrem tudo, cobrem tudo, cobrem tudo.
— Feche os olhos! Feche os olhos!
— Nós olhamos. Nós olhamos.
— Cubramos de inocência a concepção.
— Abra os olhos! Abra os olhos!
— Acabou! Acabou!

Dizem isso primeiro todas juntas, como em êxtase (bastante claramente). Depois repetem separadamente, uma depois da outra, e em direção a horizontes distantes — vozes de contraltos, baixos e sopranos. Em "nós olhamos, nós olhamos", ouve-se um si; em "acabou, acabou", um lá — aqui e ali, uma voz enrouquece. Aqui e ali, uma delas grita como um possesso. Aqui e ali, uma voz torna-se nasal, ora lentamente, ora bruscamente. No primeiro caso, a cena, banhada por uma luz vermelha e fosca, torna-se baça. No segundo, uma escuridão total alterna com uma luz azul-cru. No terceiro, tudo se torna bruscamente cinza-chumbo (todas as cores desaparecem!). Só a flor amarela ainda brilha com certa intensidade.

Pouco a pouco a orquestra cobre as vozes. A música torna-se agitada, salta do *ff* ao *pp*. A luz clareia um pouco e o espectador reconhece vagamente as cores das pessoas. Da direita à esquerda, figuras pequeninas atravessam a colina, vagas e de um tom cinza-esverdeado incerto. Elas olham para a frente. No momento em que aparece a primeira figura, a flor amarela balança, como que tomada de convulsões. Depois, desaparece subitamente. De maneira igualmente súbita, todas as flores brancas tornam-se amarelas.

A multidão vem lentamente, como num sonho, até o proscênio e se dispersa cada vez mais.

A música diminui e ouve-se de novo o mesmo recitativo[A]. Logo as pessoas param, como que maravilhadas, e voltam-se. Notam de repente as pequenas figuras que continuam a atravessar a colina numa seqüência ininterrupta. As pessoas se voltam e dão alguns passos rápidos em direção ao proscênio, parando de novo, depois tornam a se virar e ficam imóveis, como que acorrentadas[B].

Enfim, jogam para longe as flores, que estão como que cheias de sangue, e, libertando-se com violência da sua rigidez, correm para se agrupar na frente da cena. Olham freqüentemente para trás[C]. A escuridão se faz repentinamente.

Terceiro quadro
Atrás da cena, dois grandes rochedos marrom-avermelhados, um pontudo, o outro arredondado e maior que o primeiro. O fundo é preto. Entre os rochedos, estão os gigantes, de pé, cochichan-

---

A. Uma meia-frase é pronunciada pelo conjunto; no fim da frase, por *uma* voz bastante indistinta. Invertendo-se com freqüência.
B. Esses movimentos devem ser feitos como que sob comando.
C. Esses movimentos não devem ser compassados.

do alguma coisa inaudível. Ora cochicham dois a dois, ora todas as cabeças se aproximam. O corpo permanece imóvel. Alternando rapidamente, raios de cores cruas caem de todos os lados (o azul, o violeta, o vermelho e o verde mudam repetidas vezes). Depois, todos esses raios encontram-se no centro e misturam-se uns aos outros. Tudo permanece imóvel. Quase já não se vêem os gigantes. De repente, todas as cores desaparecem. Por um momento, fica escuro. Em seguida, uma luz amarela e fosca cai sobre a cena, intensifica-se progressivamente até todo o palco se tornar amarelo-limão cru. Enquanto a luz aumenta, a música vai para os graves e torna-se cada vez mais sombria (esse movimento lembra o de um caracol entrando na concha). Durante esses dois movimentos, não se deve ver nada além da luz no palco — nenhum objeto. A luz mais crua é alcançada, a música dissolveu-se de todo. Os gigantes voltam a tornar-se visíveis, estão imóveis e olham para a frente. Não se vêem mais os rochedos. Os gigantes estão sós em cena; agora mantêm-se mais afastados uns dos outros e cresceram. O chão e o fundo são pretos. Longa pausa. De repente, ouve-se atrás do palco uma voz de tenor, gritante, cheia de angústia, que berra com grande rapidez palavras perfeitamente indistintas. (Ouve-se muitas vezes o som *a*, por exemplo: kalasimunafakola!). Pausa. Fica escuro por um momento.

Quarto quadro
   À esquerda da cena, um pequeno edifício de través (semelhante a uma capela simplíssima), sem porta nem janela. Do lado do edifício (saindo do teto), um pequeno campanário estreito, de través, com um pequeno sino rachado. Do sino pende uma corda. A extremidade inferior da corda é puxada lenta e regularmente por uma criança de camisola branca, sentada no chão (virada para o espectador). À direita, na mesma linha, um homem gordíssimo está de pé, vestido de preto. O rosto é todo branco, bastante indistinto. A capela é vermelho-sujo. O campanário é azul-cru. O sino é de folha-de-flandres. O fundo é cinzento, regular, liso. O homem de preto está de pé, de pernas abertas, mãos nas cadeiras.
   O homem (corpulentíssimo, imperativo; voz bonita):
   — Silêncio!
   A criança larga a corda. Escuridão.

Quinto quadro
   A cena é progressivamente imersa numa fria luz vermelha, que aumenta lentamente enquanto se torna amarela, também lentamen-

te. No mesmo instante, percebem-se os gigantes, atrás (como no terceiro quadro). Vêem-se os mesmos rochedos.

Os gigantes cochicham de novo (como no terceiro quadro). No momento em que suas cabeças voltam a se reunir, ouve-se o mesmo grito atrás do palco, mas rapidíssimo e breve. Escuridão momentânea. O mesmo acontecimento se repete mais uma vez[A]. Quando tudo ficou claro (luz branca, sem sombras), os gigantes voltam a cochichar e, além disso, fazem leves movimentos com as mãos (esses movimentos devem ser diferenciados, mas fracos). Aqui e ali, um deles estende os braços (esse movimento também deve ser muito mais um esboço de movimento) e inclina um pouco a cabeça de lado, olhando para os espectadores. Por duas vezes, os gigantes deixam seus braços caírem bruscamente, crescem um pouco e fitam os espectadores sem fazer qualquer movimento. Em seguida, têm uma espécie de tremor (como a flor amarela) e voltam a cochichar, estendendo os braços aqui e ali, fracamente, como que se queixado. A música torna-se progressivamente mais estridente. Os gigantes permanecem imóveis. Da esquerda, chega uma porção de gente, vestindo maiôs multicores. Os cabelos estão ocultos, da mesma cor. Os rostos também. (Essas pessoas são como marionetes.) Primeiro vêm homens de cinza, depois de preto, de branco e, para terminar, de todas as cores. Os movimentos são diferentes em cada grupo: o primeiro avança depressa e em frente; o segundo, lentamente, como que com dificuldade; o terceiro pula alegremente aqui e ali; o quarto olha constantemente em torno de si; o quinto avança com um andar pomposo e teatral, com os braços em cruz; o sexto caminho na ponta dos pés com a mão erguida, na horizontal, etc...

Eles se repartem de diferentes maneiras no palco; alguns sentam-se em pequenos grupos fechados, outros isoladamente. Do mesmo modo, alguns estão de pé em grupos, outros solitários. A distribuição em seu conjunto não deve ser nem "bonita", nem precisa. Mas não deve dar a impressão de uma confusão *total*. As pessoas olham para diferentes direções, algumas de cabeça erguida, outras de cabeça baixa, ou baixíssima. Como se um langor as oprimisse, raramente mudam de posição. A luz é sempre branca. A música muda de andamento com freqüência, aqui e ali também se torna langorosa. Num desses momentos precisos, um homem de branco à esquerda (relativamente no fundo) faz movimentos incertos, porém muito mais rápidos, ora com os braços, ora com as pernas. Aqui e ali, ele conserva um movimento por um pouco mais tempo, e em seguida

---

A. Naturalmente, a música deve repetir-se a cada vez.

mantém a posição por algum tempo. É como uma espécie de dança. Só que seu tempo também muda com freqüência e, às vezes, acompanha a música, às vezes está em contratempo. (Esse simples acontecimento deve ser trabalhado com particular cuidado, para que o que segue seja expressivo e produza um efeito de surpresa.). Os outros começam pouco a pouco a fitar o homem de branco. Alguns espicham o pescoço. No fim, todos olham. Mas essa dança cessa brutalmente. O branco senta-se e estende um braço, como que para preparativos solenes, e, dobrando lentamente o cotovelo, aproxima o braço da cabeça. A tensão geral torna-se particularmente expressiva. Mas o branco encosta o cotovelo no joelho e pousa a cabeça na mão estendida. Fica escuro por um momento. Em seguida, vêem-se os mesmos grupos e as mesmas posições. Alguns grupos são iluminados mais ou menos vivamente com cores diferentes: um grupo sentado, bastante grande, é iluminado de vermelho; outro, de pé, de azul-lívido, etc... A luz amarelo-cru está concentrada apenas no branco, que está sentado (fora os gigantes, que agora se tornam particularmente distintos). De repente, todas as cores desaparecem (os gigantes continuam amarelos) e uma luz branca crepuscular invade a cena. Na orquestra, algumas cores começam a falar isoladamente. Paralelamente a isso, figuras isoladas levantam-se em diferentes lugares: depressa, precipitadamente, solenemente, lentamente, sempre olhando para cima. Algumas permanecem de pé. Outras tornam a sentar-se. Depois, um langor volta a abatê-las, e tudo permanece imóvel.

    Os gigantes cochicham. Mas eles também ficam imóveis e de pé agora, no momento em que, atrás do palco, o coro de sonoridades de madeira seca faz-se ouvir, mas por pouco tempo.

    Depois, ouvem-se de novo na orquestra cores isoladas. Acima dos rochedos, uma faixa de luz vermelha. Os rochedos estremecem. Em alternância com essa iluminação, os gigantes estremecem.

    Nas diferentes extremidades, percebe-se um movimento. Na orquestra, o si e o lá repetem-se várias vezes: isoladamente, em acorde, ora *fortissimo*, ora imperceptivelmente.

    Alguns abandonam seus lugares e dirigem-se, ora depressa, ora devagar, para outros grupos. Os que estavam de pé, isolados, formam pequenos grupos de dois ou três, ou se reúnem em grupos maiores. Grandes grupos se dispersam. Alguns abandonam a cena correndo e olhando em volta. Nessa ocasião, todos os homens de preto, cinza e branco desaparecem. No palco só ficam cores.

    Pouco a pouco forma-se um movimento arrítmico generalizado. Na orquestra, reina a confusão. O grito penetrante do terceiro

quadro faz-se ouvir. Os gigantes estremecem. Diferentes luzes afloram à cena e se cruzam.
 Grupos inteiros deixam o palco correndo. Uma dança geral começa. Primeiro em diversos lugares, depois se difunde e arrasta todo o mundo. Corrida, pulos, as pessoas correm umas para as outras, depois em sentido oposto. Tombos. Alguns mexem os braços, parados, outros as pernas, a cabeça, o tronco. Outros combinam todos os movimentos. *Às vezes*, são movimentos de grupo. Grupos inteiros fazem, *às vezes*, um só e mesmo movimento.
 No momento em que a confusão está no auge na orquestra, nos movimentos e na iluminação, a escuridão e o silêncio se fazem, súbitamente. Só os gigantes continuam visíveis no fundo da cena, sendo absorvidos bem lentamente pela escuridão. Dir-se-ia que os gigantes se apagam, como uma lâmpada, isto é, a luz ainda tem alguns sobressaltos, depois de a escuridão ser total.

Sexto quadro
(Este quadro deve vir o mais depressa possível.)
 Fundo azul-fosco, como no primeiro quadro (sem beiradas pretas).
 No meio do palco, um gigante amarelo-claro de rosto branco e impreciso, com grandes olhos pretos bem redondos. O fundo e o chão são pretos.
 Ele ergue lentamente os dois braços ao longo do corpo (as palmas para baixo), ao mesmo tempo que cresce.
 No momento em que atinge o alto da cena e em que sua figura fica parecida com uma cruz, a escuridão se faz bruscamente. A música é expressiva, semelhante ao que sucede no palco.

APÊNDICE

Fagott

Ganz grosse Häuser stürtzten plötzlich. Kleine Häuser blieben ruhig stehen.

Eine dicke harte eiförmige Orangewolke hing plötzlich über der Stadt. Sie schien an der spitzen Spitze des hohen hageren Rathausturmes zu hängen und strahlte violett aus.

Ein dürrer, kahler Baum streckte in den tiefen Himmel seine zuckenden und zitternden langen Äste. Er war ganz schwarz, wie ein Loch im weissen Papier. Die vier kleinen Blätter zitterten eine ganze Weile. Es war aber windstill.

Wenn aber der Sturm'kam und manches dickmäurige Gebäude umfiel, blieben die dünnen Äste unbeweglich. Die kleinen Blätter wurden steif: wie aus Eisen gegossen.

Eine Schar Krähen flog durch die Luft in schnurgerader Linie über die Stadt.

Und wieder plötzlich wurde alles still.

Die Orangewolke verschwand. Der Himmel wurde schneidend blau. Die Stadt gelb zum Weinen.

Und durch diese Ruhe klang nur ein Laut: Hufeisenschläge. Da wusste man schon, dass durch die gänzlich leeren Strassen ein weisses Pferd ganz allein wanderte. Dieser Laut dauerte lange, sehr, sehr lange. Und man wusste deswegen nie genau, wann er aufhörte. Wer weiss, wann die Ruhe entsteht?

Durch gedehnte, lang gezogene, etwas ausdruckslose, teilnahmslose, lange, lange in der Tiefe sich im Leeren bewegende Töne eines Fagotts wurde allmählich alles grün. Erst tief und etwas schmutzig. Dann immer heller, kälter, giftiger, noch heller, noch kälter, noch giftiger.

Die Gebäude wuchsen in die Höhe und wurden schmäler. Alle neigten sie zu einem Punkt nach rechts, wie vielleicht der Morgen ist. Es wurde wie ein Streben dem Morgen zu bemerkbar.

POEMAS[132]

Fagote

E súbito ruíram casarões imensos. Casinhas pequeninas permaneceram placidamente de pé.

E súbito pairou sobre a cidade uma nuvem alaranjada, espessa, dura, em forma de ovo. Parecia suspensa à ponta pontiaguda da alta lívida torre do paço municipal e emitia raios violetas.

Uma árvore seca, descarnada, erguia para o céu profundo os galhos longos, trêmulos, convulsos. Era toda negra, qual buraco em alvo papel. Por um momento as quatro folhinhas tremularam. Mas era a calmaria total.

E quando veio a tempestade e deitou abaixo mais de um edifício de largas paredes, imóveis ficaram os esguios galhos. As folhinhas enrijeceram, como fundidas no ferro.

Um bando de gralhas voou pelos ares em linha reta sobre a cidade.

E eis que tudo voltou à antiga calma.

Sumiu-se a nuvem alaranjada. O céu tornou-se de um azul cortante. A cidade, amarela de fazer chorar.

E através do silêncio um rumor ressoava: o martelar das ferraduras de um cavalo. Já se sabia então que pelas ruas totalmente vazias um cavalo branco trotava sozinho. O rumor alongou-se por muito, muito, muito tempo. E foi por isso que nunca se soube ao certo quando ele cessou. Quem sabe quando nasce o silêncio?

Os sons monótonos, longamente alongados, inexpressivos, indiferentes, longos no grave, movendo-se no vazio, de um fagote fizeram pouco a pouco tudo verdejar. Primeiro um verde profundo e meio sujo. Depois cada vez mais claro, mais frio, mais venenoso, mais claro ainda, mais frio ainda, mais venenoso ainda.

Os edifícios lançaram-se para o alto e encolheram-se. E todos se inclinavam para um ponto à direita onde fica porventura o levante. E viu-se como que uma tensão dos esforços em direção ao levante.

Und noch heller, noch kälter, noch giftiger grün wurde der Himmel, die gingen fortwährend, ununterbrochen, langsam, stets vor sich schauend. Und immer allein.

Eine grosse, üppige Krone bekam aber dementsprechend der kahle Baum. Hoch sass diese Krone und hatte eine kompakte, wurstartige, nach oben geschweifte Form. Diese Krone allein war so grell gelb, dass kein Herz es aushalten würde.

Es ist gut, dass keiner der da unten gehenden Menschen diese Krone gesehen hat. Nur das Fagott bemühte sich diese Farbe zu bezeichnen. Es stieg immer höher, wurde grell und nasal in seinem gespannten Ton. Wie gut das ist, dass das Fagott diesen Ton nicht erreichen konnte.

Anders

Es war eine grosse 3 — weiss auf dunkelbraun. Ihr oberer Haken war in der Grösse dem unteren gleich. So dachten viele Menschen. Und doch war dieser obere
ETWAS, ETWAS, ETWAS
grösser als der untere.

Diese 3 guckte immer nach links — nie nach rechts. Dabei guckte sie auch etwas nach unten, da die Zahl nur scheinbar vollkommen gerade stand. In Wirklichkeit, die nicht leicht zu bemerken war, war der obere
ETWAS ETWAS, ETWAS
grössere Teil nach links geneigt.

So guckte diese grosse weisse 3 immer nach links und ein ganz wenig nach unten.

Es war vielleicht auch anders.

E cada vez mais claro, cada vez mais frio, cada vez mais venenoso se fizeram o céu, as casas, a calçada e os homens que ali iam ter. Seguiam sem paragem, continuamente, vagarosamente, sempre olhando para a frente. E sempre sozinhos.

Mas isso valeu uma grande, luxuriante coroa à árvore descarnada. Alta era a coroa, e de forma compacta, qual salsicha curvada para cima. E era de um amarelo tão cru que coração algum lhe teria resistido.

Ainda bem que nenhum dos homens que ali iam ter viu essa coroa. Só o fagote se estafava em designar essa cor. Subia cada vez mais alto, fazia-se estridente e nasal em sua tonalidade tensa. Ainda bem que o fagote não conseguiu atingir essa tonalidade.

(extraído de *Sonoridades*)

Diferente

Era um grande 3, branco sobre fundo castanho-escuro. O arco de cima era em tamanho igual ao de baixo. Isso era o que muita gente pensava. Mas o de cima era
UM POUCO, UM POUCO, UM POUCO
maior que o de baixo.

Esse 3 olhava sempre para a esquerda — nunca para a direita. E ao mesmo tempo olhava um pouco para baixo, pois só na aparência o número era perfeitamente reto. Em verdade, e isso não era fácil de notar, a parte superior
UM POUCO, UM POUCO, UM POUCO
maior inclinava-se para a esquerda.

E assim esse grande 3 branco olhava sempre para a esquerda e um pouquinho para baixo.

Era talvez um pouco diferente.

(extraído de *Sonoridades*)

Bunte Wiese

Auf einer Wiese, auf der kein Gras war, sondern nur Blumen, die höchst bunt waren, sassen in gerader Linie fünf Manner.
Ein sechster stand seitwärts.
Der Erste sagte:
"Das Dach ist fest... Ist fest das Dach... Fest..."
Nach einer Weile sagte der zweite:
"Rühr mich nicht and: Ich schwitze... Schwitzen tu ich... Ja!"
Und dann der dritte:
"Nicht über die Mauer!
Nicht über die Mauer! Nein!"
Der Vierte aber:
"Reifende Frucht!"
Nach langem Schweigen schrie der fünfte mit greller Stimme:
"Weckt ihn! Macht ihm die Augen gross!
Es rolt herunter!... Macht ihm die Ohren gierig!
Oh macht ihm die Augen gross!
Macht ihm die Beine lang! Lang, lang... die Beine!"
Der Sechste, der weitwärts stand schrie auf kurz und stark:
"Schweigen!"

Pradaria multicor

Numa pradaria onde não havia relva, mas só flores de todas as cores, cinco homens estavam sentados em linha reta.
Um sexto estava de pé, ao lado.
Disse o primeiro:
"O teto é sólido... É sólido o teto... Sólido..."
Pouco depois disse o segundo:
"Não me toques: estou suando... suar, é o que estou fazendo...
... Sim!"
E o terceiro:
"Não pular o muro!
Não pular o muro! Não!"
Mas o quarto:
"Fruto amadurecido!"
Depois de longo silêncio, o quinto gritou com voz estridente:
"Acordem! Façam-no abrir os olhos!
Uma pedra está rolando da montanha.
Uma, pedra, uma pedra, uma pedra, uma pedra! Da montanha!...
Está rolando em nossa direção! Façam-no abrir ávidos ouvidos!
Oh! Façam-no abrir os olhos!
Façam-no ter longas pernas! longas, longas... as pernas!"
O sexto, que estava de pé ao lado, gritou com voz breve e forte:
"Silêncio!"

(extraído de Sonoridades)

Tisch

    Es war ein langer Tisch.
    Oh! ein langer, langer Tisch.
    Rechts und links von diesem Tische sassen viele, viele viele Menschen.
    Menschen, Menschen
    Menschen.
    Oh, lange, lange sassen an diesem langen, langen Tische Menschen.

Blick und Blitz

    Dass als sich der (der Mensch) ernähren wollte,
    entschlug der dichte weisse Kamm den Rosavogel.
    Nun wälzt sie die Fenster nass in hölzernen Tüchern!
    Nicht zu den entfernten, aber krummen. —
    Entlud sich die Kapelle — ei! ei!
    Halbrunde Lauterkreise drücken fast auf Schachbretter und! eiserne Bücher!
    Knieend neben dem zackigen Ochs will Nürnberg will liegen — entsetzliche Schwere der Augenbrauen.
    Himmel, Himmel, bedruckte Bänder du ertagen kannst - -
    Auch aus meinem Kopf könnte vom kurschwänzigen Pferd mit Spitzmaul
das Bein wachsen.
    Aber der Rotzacken, der Gelbhacken am Nordpollacken wie eine Rakete am Mittag!

Mesa

Era uma longa mesa.
Oh, uma longa, longa mesa.
À direita e à esquerda estava sentada muita, muita muita gente.
Gente, gente
Gente.
Oh, longamente, longamente estava sentada, à volta dessa longa, longa mesa gente.

(extraído de *Sonoridades*)

Olhar e relâmpago

Que quando ele (o homem) quis alimentar-se,
o pente denso baniu o pássaro-rosa.
Agora ela rola das janelas molhadas em estofos de madeira!
Não em direção aos que são longe mas corcundas. —
Explodiu a orquestra — eh! eh!
Purocírculos meio redondos apóiam quase sobre tabuleiros de xadrez e! livres de ferro!
Ajoelhada perto do boi denteado Nuremberg quer estar ali quer.
— terrível peso das sobrancelhas.
Céu, céu, fitas impressas podes suportar - -
De minha cabeça também a perna poderia empurrar do cavalo de rabo curto
e focinho pontudo.
Mas o dentilhão vermelho, o colchete amarelo sobre o Polack Norte, como um foguete ao meio-dia!

(extraído de *Sonoridades*)

Sehen

Blaues, Blaues hob sich, hob sich und fiel.
Spitzes, Dünnes, ptiff und drängte sich ein, stach aber nicht durch.
An allen Ecken hats gedröhnt.
Dickbraunes blieb hängen scheinbar auf alle Ewigkeiten.
Scheinbar, Scheinbar.
Breiter sollst du deine Arme ausbreiten.
Breiter. Breiter.
Und dein Gesicht sollst du mit rotem Tuch bedecken.
Und vielleicht ist esnoch gar nicht verschoben: bloss du hast dich verschoben.
Weisser Sprung nach weissem Sprung.
Und nach dieser weisser Sprung wieder ein weisser Sprung.
Und in diesem weissen Sprung ein weisser Sprung. In jedem weissen Sprung ein weisser Sprung.
Das ist eben nicht gut, dass du das Trübe nicht siehst: im Trüben sitzt es ja gerade.
Daher fängt auch alles an - - -
- - - es hat gekracht.

Ver

O azul, o azul subiu, subiu e caiu.
O pontudo, o fino sibilou e fez-se intruso, mas não traspassou.
Em todos os recantos a coisa ressoou.
O castanho espesso ficou suspenso aparentemente por toda a eternidade.
Aparentemente. Aparentemente.
Mais afastados os teus braços que afastas.
Mais afastados. Mais afastados.
E teu rosto cobre-o com um pano vermelho.
E pode ser que ele ainda não esteja em absoluto incomodado: só tu é que estás incomodado.
Salto branco após salto branco.
E depois desse salto branco de novo um salto branco.
E nesse salto branco um salto branco. Em cada salto branco um salto branco.
Justamente não é bom que vejas o tumulto: pois é no tumulto que a coisa reside.
É a partir daí que tudo começa - - -
- - - a coisa estalou.

(extraído de *Sonoridades*)

CARTAS[133]
(1913-1921)

Carta a Franz Marc (5 de junho de 1913)[134]

Caro Marc,
Como sempre, Piper é de grande magnificência. Mas deve chegar com números precisos. Também estou plenamente de acordo em contemporizar no tocante às contas de julho. Esperemos que Koehler obtenha dele mais que nós. Creio que para o 2? volume mal poderemos embrear antes do próximo inverno. Onde encontrar o material, e sobretudo bons artigos? Até aqui recebi propostas de Von Busse, Reuber (Berlim) e Larionoff. Pedi a todos eles que façam uma remessa, mas nada prometi. Wolfskehl publicaria de bom grado alguma coisa, e pode-se ter certeza de que não será nada mau. Além disso tenho dois russos em vista. Ambos podem, creio eu, escrever algo de bom. Mas se vão fazê-lo, e quando, é outra história! E a documentação fotográfica? Até agora só me acudiu uma idéia, que por enquanto lhe peço manter em absoluto segredo — com exceção, naturalmente, de sua mulher. Refiro-me a placas de lojas e a pinturas publicitárias, entre as quais incluo também as decorações pintadas das lojinhas (por exemplo, a pradaria de outubro). Gostaria de tentar chegar ao limite do kitsch (ou, como muitos hão de pensar, *além* desse limite). Relacionadas com isso, fotos — em particular de objetos isolados ou de partes de objetos. Etc. Mas e os *novos* quadros? A nova arte? A única coisa nova, verdadeiramente interessante e verdadeiramente viva, são os quadros de um jovem holandês que costumava visitar-me e que agora só aparece de tempos em tempos. Ah, você já sabe: é aquele que começou *à la Van Gogh**. Agora ele está pintando, e desde o princípio com uma nota inteiramente pessoal. Pena que me tenha esquecido de pedir-lhe para ir vê-lo. Portanto, uma coisa importante: ele permanece em Mu-

---

* Em francês no texto. (N.T. fr.)

nique. À parte isso, o que há são apenas imitações vazias ou brincadeiras (por ex., os sincronistas, que estão longe de ser gente sem talentos). Mas, por ora, fique tudo isso cá entre nós! Não é mesmo? Senão virá um Patético ou um Orfista que fará de meus planos um Goltz!
Cordialmente,

Kandinsky

Semana que vem vamos a Murnau — esperamos! Você não me reconhecerá. Fiz a barba e estou com um ar de pároco — *vocation manquée**.

Cartas a A. J. Eddy (1913)[135]

O título "Canhões", por mim escolhido *para meu próprio uso*, não deve ser entendido como se indicasse o "conteúdo" do quadro.

Tal conteúdo é efetivamente o que o espectador "vive" ou "sente" enquanto está sob o efeito da *forma e da disposição das cores* do quadro. Esse quadro tem praticamente a forma de uma cruz. O centro — um pouco abaixo do meio — é constituído por um vasto plano irregular de cor azul. (A cor azul contradiz por si só a impressão dada pelos canhões!) Sob esse centro encontra-se um segundo centro de um cinzento lamacento e retalhado, quase igual em importância ao primeiro. Os quatro cantos que estendem a cruz oblíqua até os cantos do quadro são mais pesados do que os dois centros, e sobretudo mais pesados que o primeiro, diferindo uns dos outros por suas características, linhas, contornos e cores.

Desse modo o quadro torna-se mais leve, ou mais frouxo, no centro e mais pesado ou mais denso nos cantos.

O esquema da construção se vê assim atenuado, quase tornado invisível aos olhos da maioria pela flexibilidade das formas. Resíduos maiores ou menores de *objetividade* (os canhões, por exemplo) produzem no espectador a tonalidade secundária que os objetos provocam em todos os homens capazes de sentir.

A presença dos canhões no quadro se explica sem dúvida pelas conversas que tivemos o ano inteiro a propósito da guerra. Mas longe

---

* Em francês no texto. (N.T. fr.) [Vocação frustrada.]

de mim a intenção de dar uma imagem da guerra; para tanto seria preciso dispor de meios pictóricos diferentes. De resto, essas tarefas não me interessam — pelo menos no momento.

Toda essa descrição é, essencialmente, uma análise do quadro que pintei num estado mais ou menos consciente de forte tensão interior. Sentia tão intensamente a necessidade de alguma dessas formas que me lembro de ter formulado para mim mesmo em voz alta certas diretrizes, como: "Mas é preciso que os cantos sejam pesados!" Em tal caso, é importante avaliar tudo — o peso, por exemplo — de acordo com o sentimento. Em regra geral, eu seria quase tentado a afirmar que, onde o sentimento existente na alma, no olho e na mão é bastante forte para determinar, sem erro, as medidas e os pesos mais precisos, não há motivo para temer o "esquematismo" e o escolho do "conscientismo"[136]. Ao contrário, nesse caso tais elementos se revelarão extraordinariamente benéficos.

Gostaria que julgassem todos os meus quadros unicamente desse ponto de vista e que os elementos não-essenciais fossem totalmente eliminados do juízo emitido a respeito deles.

*
* *

Tudo quanto poderia dizer de mim mesmo ou de meus quadros só *superficialmente* poderia relacionar-se com o *puro senso artístico*. O observador deve aprender a olhar o quadro como a representação gráfica de um *estado de espírito*, e não como a representação de determinados *objetos*.

*
* *

Tudo quanto se pode dizer dos quadros, tudo quanto eu próprio poderia dizer deles, *só superficialmente* pode referir-se ao conteúdo, ao *puro sentido artístico* de um quadro. Cada espectador deve aprender por si mesmo a ver no quadro *unicamente* a representação gráfica de um estado de espírito, desprezando os detalhes sem importância, como a representação ou a sugestão de objetos naturais. Isso o espectador pode fazer ao cabo de algum tempo — e, se um homem pode fazê-lo, todos podem.

*
* *

No tocante aos outros artistas, sou muito tolerante, mas ao mesmo tempo muito severo. Meu julgamento sobre os artistas é muito pouco influenciado por considerações de forma pura e simples. Espero do artista que ele traga interiormente pelo menos a "centelha" (se não a "chama") "sagrada". Não há em verdade nada mais fácil do que dominar a forma de alguma coisa ou de alguém. Cita-se a observação de Böcklin segundo a qual até um cachorro poderia aprender a desenhar — e nisso ele tinha toda a razão. Nas escolas que freqüentei, havia mais de cem colegas que tinham aprendido alguma coisa; muitos deles, depois de algum tempo, conseguiam desenhar muito corretamente, respeitando a correção anatômica — *no entanto* não eram artistas, não valiam um tostão. Em suma, *só* estimo os artistas que são de fato artistas; ou seja, os que, consciente ou inconscientemente, e numa forma *inteiramente original*, ou num estilo que traga sua *marca pessoal*, encarnem a expressão de seu eu interior; os que, consciente ou inconscientemente, trabalhem *apenas para esse fim* e não saibam trabalhar de outro modo. O número de tais artistas é muito limitado. Se eu fosse colecionador, compraria suas obras mesmo que houvesse pontos fracos naquilo que fazem. Tais pontos fracos diminuem com o tempo, acabam desaparecendo por completo e, ainda que sejam visíveis nas primeiras obras do artista, nem por isso tiram o valor dessas primeiras obras menos perfeitas. Mas o *outro* ponto fraco, o da *falta de alma*, esse jamais diminui com o tempo — ao contrário, piora e torna-se mais e mais visível, a ponto de tirar todo o valor de obras que *tecnicamente* podem ser muito satisfatórias. Toda a história da arte prova isso. A *união* dos dois tipos de força — a da inteligência ou da espiritualidade e a da forma ou da perfeição técnica — é coisa rara, o que a história da arte igualmente prova.

*
* *

Venho expondo há quase quinze anos, e durante esses quinze anos vêm-me dizendo (conquanto mais raramente nos últimos tempos) que fui longe demais no caminho que me propus trilhar; que, com o tempo, meus exageros haverão certamente de diminuir e que eu pintarei num "estilo inteiramente distinto"; que "retornarei à natureza". Da primeira vez que ouvi tais observações, expunha meus estudos, pintados segundo as concepções naturalistas com o chifre (espátula).

A verdade, neste particular, é que todo artista realmente dotado, vale dizer, todo artista que trabalha por força de uma impulsão ou de um ímpeto *vindo de dentro*, deve seguir um caminho que, de maneira um pouco mística, lhe está traçado desde o princípio. Sua vida nada mais é que a realização de uma tarefa que *lhe foi* designada, e não uma tarefa que ele próprio se impôs. Como ele se choca desde o início com a hostilidade, só de um modo vago e indistinto ele sente-se portador de uma mensagem para cuja expressão lhe é necessário descobrir um estilo *determinado*. É o período "da tempestade e da provação"[137]; segue-se a busca desesperada, o sofrimento, o grande sofrimento — até que, *por fim*, seus olhos se abrem e ele diz a si mesmo: "Eis o meu caminho." O resto de sua vida desenrola-se ao longo desse caminho. E cumpre segui-lo até a hora derradeira, *queira-se ou não*. E que ninguém imagine que se trate de um passeio dominical, para o qual cada um escolhe a gosto seu caminho. Aliás, não há domingo nesse caminho: trata-se de um dia útil, no sentido mais forte do termo. E, quanto maior é o artista, mais exclusivo ele se mostra em seu trabalho; certo, ele conserva a capacidade de realizar coisas bonitas em outros domínios (devido ao seu "talento"), mas em sua arte exclusiva ele só pode realizar obras que tenham um peso interior, uma profundidade insondável e uma seriedade infinita. O talento não é uma lanterna elétrica de bolso cujo facho pode ser dirigido à vontade para cá ou para lá; é uma estrela cuja trajetória foi prescrita por nosso caro Senhor.

No que me concerne pessoalmente, fui como que fulminado pelo raio no dia em que, pela primeira vez e de um modo ainda geral, comecei a entrever meu caminho. Fiquei terrificado. Pensei que essa inspiração não passava de uma ilusão, de uma "tentação".

Você compreenderá facilmente que dúvidas tive de superar antes de convencer-me da necessidade de seguir esse caminho. Certo, eu compreendia claramente o que queria dizer "rejeitar a objetividade". Quantas dúvidas sobre minhas próprias forças não me assaltaram! Pois compreendi imediatamente *quais* eram as forças que tal empresa exigia *absolutamente*. Como essa evolução interior se fez, como *tudo* me impeliu a esse caminho e como a evolução exterior se seguiu lenta mas logicamente (passo a passo), é que você lerá em meu livro a ser brevemente publicado (em inglês)[138]. Tudo o que percebo agora *diante de mim*, todas as tarefas, o domínio cada vez mais vasto das possibilidades, a profundidade cada vez maior da pintura, eu não seria capaz de descrever. E não se deve, não se *pode* descrever tais coisas: elas devem amadurecer interiormente, num parto secreto, e só podem exprimir-se na arte do pintor.

Se, com o tempo, você adquirir a faculdade de *viver* mais exatamente os meus quadros, haverá de convir que o elemento de "acaso" raramente se encontra nesses quadros e que ele é amplamente compensado por largos aspectos positivos — tão amplamente que se torna inútil mencionar esses pontos fracos.

Minhas formas construtivas, embora exteriormente pareçam indistintas, na verdade são fixadas com tanto rigor quanto se fossem talhadas na pedra.

Essas explicações não levam muito longe. Elas só seriam úteis se fossem ilustradas com exemplos. Mas esta carta já está longa demais. Creio ter-me exprimido claramente! Essas coisas são infinitamente complicadas, e tantas vezes me desvio de meu tema que, em vez de produzir "clareza", torno a confusão ainda mais confusa!

Cartas a Herwarth Walden (novembro de 1913)[139]

Munique, 12 de novembro de 1913

Caro senhor Walden,
(...) Se possível, não "empurre" particularmente os pintores futuristas. O senhor conhece o meu ponto de vista a respeito deles, e o último manifesto (pintura dos sons, dos ruídos e dos cheiros — sem cinza! sem castanho-escuro! etc.) é ainda mais estrambótico que os precedentes. Não me queira mal por isso, caro senhor Walden. Eu também não gosto de tocar no assunto. Mas a arte é efetivamente uma coisa sagrada que não pode ser tratada de maneira tão leviana. E os futuristas brincam com as idéias mais importantes que formulam aqui e acolá. Mas tudo isso é tão pouco refletido, tão pouco sentido! Tais coisas me contristam. Bem sei que tudo isso faz parte da nossa vida atual, que é infinitamente heterogênea e cria temas de uma variedade inaudita. Mas tenho o direito de não apoiar diretamente os elementos que me são antipáticos. Basta eu não combatê-los...

15 de novembro de 1913

(...) O senhor nunca "destacou particularmente" os futuristas. Reexaminei o "lado" desenho dos quadros no catálogo futurista. Pela terceira ou quarta vez. E de novo muito objetivamente. Não! as coisas não são desenhadas! Do ponto de vista da composição, somente *Solavancos do fiacre* presta — os outros quadros são de uma composição acadêmica, ou seja, como vemos nos museus, que é preciso "inundar". (Esta concepção já demonstra como os futuristas julgavam os museus.) ... Em toda a minha vida pude constatar que as pessoas que sabem fazer alguma coisa (não importa em que plano) se pronunciam criticando violentamente a perícia alheia de maneira menos pública e ainda menos no estilo de um colegial. Os desenhos apresentados no catálogo futurista são, sem exceção, superficiais. Sei o que é uma linha e quando ela foi desenhada por uma mão ao mesmo tempo fria e quente. Verdade é que um bom desenho (e mais especificamente a linha) é raro. Quando não se possui o dom necessário (a mão mágica), ou quando não se fica atrelado ao trabalho para se aperfeiçoar, o resultado é inevitavelmente um desenho morto. A cor, que em si é sempre bela, pode camuflar esse ponto fraco, mas a reprodução nunca mente. Nada tenho com o fato de eu ter "olho", pois o desenho foi para mim um problema extremamente difícil na arte — durante anos trabalhei nesse domínio de maneira por vezes irresoluta e lenta —, mas meu olho acabou adquirindo experiência. A leviandade e a pressa são hoje as características de muito artista radical; é nisso que os futuristas, como já disse, estragaram o lado bom de suas idéias. Se especifico assim meu pensamento — talvez demasiado prolixamente —, é para que o senhor saiba que eu, por mim, ignoro todos esses defeitos de que estou falando. Tais artistas podem felicitar-se por nossa crítica de arte ser impotente. Para falar francamente, muitas vezes tive de reprimir meu desejo de resmungar contra os elementos nocivos na arte: o melhor é não querer fazer o papel do tempo — ele trabalha melhor que nós.

Cordialmente,

Kandinsky

Cartas a Paul Klee (1914-1921)[140]

15.VIII.14

Caro senhor Klee, de um modo bastante inesperado e após provações não muito esperadas chegamos à sua pátria, que nos acolheu com hospitalidade. Um eclesiástico amigo deixou-nos aqui sua *villa* desocupada, onde vivemos o mais economicamente possível: nós três da Ainmillerstrasse, a Senhora Kandinsky, sua irmã, seu marido e sua filha. Nosso endereço é: Goldach am Bodensee, Mariahalde.

Onde está o senhor? Na Suíça também, espero, isto é, no único, ou quase, país da Europa onde a atmosfera do futuro não foi dissipada pelo ódio. Li com grande prazer um artigo de fundo da *Neue Zürcher Zeitung* no qual o espírito suíço se expressava numa belíssima forma. Esta foi uma voz da música futura de uma humanidade fraternalmente reunida.

Tem notícias de nossos amigos?

....

Se for à Alemanha, ficaríamos muito felizes em encontrá-lo quando de sua passagem por Rorschach (Goldach não passa, propriamente falando, de um prolongamento de R.).

Não sei se receberá esta carta. Vejo-me obrigado a terminar assim. Que prazer seria receber notícias suas!

A vocês dois e a Felix nossas sinceras amizades.

Seu Kandinsky

Goldach (St. Gallen) Mariahalde

10.IX.14

Caros amigos, que pode significar o seu silêncio? Onde estão vocês? Senhor Klee? Recebi ontem notícias de Mitricz. Ele está são e salvo. Hoje, uma carta de Walden de 29.VIII. Ele despediu seu pessoal de escritório, a situação financeira é lamentável. À parte isso, nenhuma notícia. Onde está Marc, isto é, em que fortaleza? Tem notícias da Senhora Marc? Que foi feito dos bens do irmão dela?

Receberam nossa carta com nossos sinceros agradecimentos pela pronta regularização da questão do dinheiro?

Há hoje dois grandes clamores de alegria entre nós: recebemos as *primeiras* notícias da Rússia — durante seis semanas ficamos sem saber nada. Possibilidades de comunicação, ao menos por cartas, formam-se lentamente.

Que felicidade quando essa época medonha tiver passado! Que virá depois? Um grande desencadeamento, acho eu, das forças mais puras, que há de levar também à fraternização. E igualmente, portanto, um grande desabrochar da arte, que por ora deve ficar oculta em obscuros recônditos.

Escrevam logo!

Com as melhores amizades de nós dois

Seu Kandinsky

Berlim W.
Motzstr., 21, térreo
tel. Kurfürst 6187
27.XII.21

Caro Klee, finalmente estamos em Berlim! Foi necessário muito tempo antes que eu pudesse afastar e vencer todos os obstáculos que se ergueram um após outro diante de mim. A paciência, todos sabem, produz rosas, mas o preço destas, para nosso espanto, aumentou incrivelmente desde 1914. Elas são provavelmente mais baratas em Weimar. Por enquanto, não sei quanto tempo ficarei aqui. Em primeiro lugar, quero examinar a situação e antes de mais nada recobrar um pouco de forças descansando seriamente. Mas gostaria absolutamente de ir a Weimar e estudar a fundo o novo sistema de ensino artístico. Falarei ali, se isso interessar aos colegas alemães, de nossas reformas escolares. Gostaria também de entrar em contato com os jovens artistas alemães. É o lado profissional. Mas, no que concerne ao lado pessoal, gostaria de ter o mais cedo possível a oportunidade de cumprimentá-los bem amigavelmente, ao senhor e à sua família, após uma interrupção de sete anos.

Mande notícias *logo*!

Recebeu minha carta de Moscou (a resposta à sua)?

No aguardo de uma resposta próxima e (como um russo escrevia um dia) de uma resposta polida, com minha sincera amizade.

Seu Kandinsky

A questão do alojamento é tão candente em Weimar quanto em Berlim? É fácil achar um quarto aí, ou é preciso reservá-lo antecipadamente?

Sabe onde Jawlensky está morando e quais dos nossos antigos amigos residem em Berlim?

ENTREVISTA POR C. A. JULIEN[141]
(1921)

Kandinsky: 10 de julho de 1921
Arte russa.

"Duas direções da arte russa. Uma que se vê interiormente, no sentido da teoria. Até aqui, não há uma ciência da arte. Publiquei um livro sobre as teorias da arte em 1912: *Do espiritual na arte*, em Munique (*The Art of Spiritual Harmony*, by Wassily Kandinsky, Constable, 1914)[142]. Fui o primeiro a romper com a tradição de pintar os objetos que existem. Fundei a pintura abstrata. Pintei o primeiro quadro abstrato em 1911[143]. Até então, desde os impressionistas, dizia-se que o ponto de vista artístico consiste menos em saber o que se pinta do que como se pinta. Digo no livro que o *que* prevalece sobre o *como*. Coloco-os agora em pé de igualdade. Meu ponto de vista inicial era oposto ao ponto de vista que perdia a alma da arte. Observei, por meu trabalho, que o 'como' é como o paletó para o corpo e que o equilíbrio constitui a verdadeira harmonia. Estudei a arte antiga — egípcia, que tanto aprecio, italianos do Renascimento veneziano e florentino, e a arte russa dos ícones.

"Pensa-se atualmente, em Moscou (não na Rússia), que a qualificação de 'como' tornou-se singularmente obsoleta. Em vez de fazerem-se obras, quadros, fazem-se experiências. Faz-se arte experimental, laboratórios. Penso que são duas coisas diferentes. Pinta-se preto sobre preto, branco sobre branco. Cor unida, muito bem colocada. Os que pintam assim dizem que fazem experiências e que a pintura é a arte de colocar uma forma na tela, de tal sorte que ela apareça colada à tela. Mas é impossível colar preto sobre amarelo sem que o olho o arranque da tela. Ora, na ciência, não se experimenta ao acaso, como fazem esses pintores que não têm direção alguma. Não é um movimento muito extenso. Aguardo uma reação que será, talvez, demasiado grande e acadêmica.

"Desde 1900, meu ideal: fazer um quadro excessivamente dramático, um quadro 'trágico'. Pintei muitos quadros desse gênero.

Assim até a Revolução. Em outubro, assisti à revolução de minhas janelas. Pintei de um modo totalmente diverso. Senti em mim uma grande serenidade de alma. Em vez do trágico, algo de tranqüilo e organizado. As cores tornaram-se, em mim, muito mais vivas e amáveis, em vez dos tons profundos e sombrios de antes.

"Discute-se na Rússia a questão da instrução na arte.

"Diz-se que não é necessário e que é até perigoso na arte ter intuição. Tal é o ponto de vista de alguns pintores jovens que levam ao absurdo o ponto de vista materialista. São uns puros do ponto de vista revolucionário, que pensam que o fim da pintura é público, que cada objeto de arte que não pode servir para nada é burguês, que o período da arte pura já passou. É curioso que eu, que sou contra esse ponto de vista, tenha sido o primeiro a fazer xícaras[144]. Eles não são muito numerosos. Steinberg fala assim, mas pinta de outro jeito. Penso que a teoria é necessária, como sempre, mas que ela é ótima para o passado, sendo apenas um dos elementos para o futuro. Tudo o que se faz teoricamente é morto. Deve subsistir um X que faz a vida da arte. A prática é uma coisa, a teoria outra. Cumpre trabalhar nos dois caminhos, sem misturá-los. Pessoalmente, faço muita teoria, mas nunca penso nelas quando estou pintando.

"O que falta aqui são as possibilidades de produzir. Estamos todos presos a um trabalho oficial. Pedimos à Krupskaia[145] a possibilidade de trabalhar em nossa profissão. Exercemos o ofício de professor. Eu, durante três anos, trabalhei para criar mais de trinta museus de província. O que é mais penoso é o papelório. Devemos manter as contas em dia, justificar o dinheiro de que precisamos. As xícaras, feitas desde dezembro, não estão pagas. Perdem-se horas em formalidades. Os pintores dispõem de poucos lazeres.

"Em 1913, mais de 30 quadros, 2 grandes composições de 5m precedidas de todo um trabalho de preparação; em 1918, nenhum quadro, apenas desenhos. O dia inteiro ocupado pelo trabalho oficial. Em 1919 pude dispor de alguns lazeres, comecei a pintar; em 1920: 10, em 1/2; 1921: 8, xícaras, bordados.

"Vai ser fundada uma academia para a ciência da arte, onde trabalharei.

"Darei um curso na primavera sobre pintura moderna[146].

"Os quadros: o Estado compra, e também os particulares — estes, sobretudo os pintores mortos. Pagam-se 300 mil R. Fixa-se a taxa segundo o número de horas empregadas na concepção do quadro, seu esboço, sua execução. É o prêmio aos medíocres. Rebaixam-se os grandes.

"Um desenho para uma xícara é pago a 30 mil R, qualquer que seja o autor. A maioria dos pintores trabalha para viver: cartazes (etc.). Portanto, conjunto de cartazes medíocres (pagam-se 10 mil R). Os novos-ricos não compram quadros, mas meias de seda, bibelôs.

"A União Profissional abrange todos os artistas de todas as categorias. É ela que fixa os preços. Os grandes pintores não trabalham mais no Soviete supremo; os atores ali permanecem porque mais livres, pois trabalham para sua arte à noite."

Notas

NB: A menção das obras citadas com mais freqüência é feita quase sempre de forma abreviada; encontrar-se-á facilmente o título completo com o auxílio da bibliografia. Ex.: Grohmann 1958 = W. Grohmann, V. Kandinsky, Paris, 1958.

OLHAR SOBRE O PASSADO 1913-1918

1. *Rückblicke*: literalmente, "olhar para trás". Preferimos conservar o título usual em francês. *Olhar sobre o passado* (Rückblicke) é o título que figura antes do próprio texto, na última parte do álbum publicado em Berlim em 1913 (cf. bibliografia); a primeira página do livro indica: *Kandinsky 1901-1913*. A da edição russa traz como título: *Texto do artista*, e em seguida, após o poema tirado de *Klänge* (cf. nota 2), o subtítulo: *Etapas* (no sentido de degraus, escalas, graus).

2. Esse poema de Albert Verwey é apresentado no início da edição alemã de 1913, logo após a página de título e antes das reproduções de quadros. Na edição russa, ele foi substituído pelo poema *Ver*, do próprio Kandinsky, "folha tirada de *Klänge*, 1913", acompanhado de uma vinheta em madeira igualmente tirada de *Klänge* (Röthel 1970, n.º 142, que omitiu a menção dessa nova publicação): cf. o texto e a tradução desse poema, pp. 162-6. Os principais textos biográficos sobre Kandinsky nada dizem das relações do pintor com o poeta, nem tampouco desse episódio, particularmente revelador do "clima" dos anos 1912-1913. Poeta e crítico neerlandês, Albert Verwey (1865-1937) estivera, com alguns jovens escritores, na origem do movimento *De Nievwe Qids* (O Novo Guia), que contribuiu, nos anos 1880, para a renovação da literatura holandesa. No momento em que escreveu seu poema "A Kandinsky" ele dirigia a revista de vanguarda *De Beweging* (O Movimento, 1905-1919), cujas intenções o título indica suficientemente. Sua obra oscila entre um ecletismo de elevada cultura e a preocupação pela perfeição formal, de um lado (admiração por Stefan George), e o desejo de uma expressividade "natural", que explica sua atração pelos movimentos expressionistas germânicos, de outro ("O verdadeiro inspirado busca a linguagem da natureza, não para ser bizarro ou diferente da turba, mas porque só com essa condição *poderá* falar como *deve* falar"): neste particular, ele não está isento das contradições que Kandinsky, cuja problemática não é fundamentalmente diferente, conseguirá superar. (Cf., em holandês, F. W. Van Heerikhuisen, *Albert Verwey*, Desclée de Brouwer, Ontruoetingen, 1963, com bibliografia, e o monumental estudo biográfico de Maurits Uyldert, *Wit het leven van Albert Ver-*

wey. C. V. Albert de Lange, Amsterdam, de 1948 a 1959, 3 vol.: em francês, ver P. Brachin, *Anthologie de la prose néerlandaise*, Aubier-Asedi, Paris-Bruxelas, 1971, Tomo I, pp. XXXVIII-XL, onde se encontrará igualmente a tradução de um importante ensaio sobre a poesia de 1907, e J. M. Delcour, *Verwey est-il un poète cérébral?*, em *Études Germaniques*, 1964, Tomo III, pp. 349-362, que fornece um apanhado de sua poesia.) A própria história do poema e de sua tradução é instrutiva. Verwey escreveu-o por ocasião de uma viagem a Paris, em novembro de 1912, e publicou-o em *De Beweging* no fim do ano (encontrá-lo-emos reproduzido em suas obras poéticas, *Oorspronkelijk Dichtwerk*, Amsterdam Santpoort, 1938, Tomo I, p. 838). A obra trazia então o título *De Schilder* (O pintor), seguido da dedicatória a Kandinsky. Foi um amigo comum dos dois, Karl Wolfskehl, que a deu a conhecer a este último (K. W., 1869-1948, cf. Lankheit, 1965, p. 279). Em dezembro de 1912, Verwey anunciava-lhe ter resolvido dedicar esse poema a Kandinsky, "cujas exposições em Rotterdam, Leiden e Amsterdam causaram-me forte impressão" (carta reproduzida, assim como as seguintes, na excelente coletânea *Wolfskehl und Verwey, Die Dokumente ihrer Freundschaft, 1897-1946*, herausgegeben von Mea Nijland-Verwey, Verlag Lambert Schneider, Heidelberg, 1968, pp. 108 ss.; essas exposições não são mencionadas na lista fornecida em Grohmann 1958, p. 424). Pouco depois de sua publicação, no começo de 1913, o poema foi impresso em alemão na revista *Der Sturm* (n.º 148-149, fevereiro de 1913, p. 269), numa tradução com a qual os principais interessados ficaram particularmente insatisfeitos. A 7 de abril de 1913, Wolfskehl escrevia a Verwey: "Kandinsky ficou muito feliz com seu poema, que lhe traduzi o melhor que pude; preferiria uma tradução poética, se a versão de *Sturm* não me tivesse estragado esse prazer. Seu poema é maravilhoso, expressivo, e se ilumina de dentro..." (*op. cit.*, p. 112); e Verwey respondia à mulher de Wolfskehl: "É justamente por causa da tentativa de *Sturm*, que eu ficaria muito feliz em ver aparecer agora mais uma boa tradução..." (*ibid.*, p. 113). Foi o que fez Karl Wolfskehl, e foi a sua tradução, assinada com as iniciais K. W. e colocada no início do álbum de Kandinsky, que encheu Verwey de satisfação: "Antes de tudo, fico contente com que Kandinsky tenha agora de fato a tradução que desejava [...] Será que essa tradução poderia ser impressa na Alemanha, de tal modo que a má edição de Zeck [o primeiro tradutor] não tenha mais curso? Isso me daria grande satisfação" (carta a Wolfskehl de 10 de maio de 1913, *ibid.*, p. 114). Numa preciosa carta de 31 de janeiro de 1913, o próprio Kandinsky expressara sua satisfação a Verwey: "Prezado Verwey, gostaria de agradecer-lhe do fundo do coração por seu belo poema, forte e expressivo, que o Doutor Wolfskehl traduziu-me ainda há pouco. Infelizmente, falta-me a possibilidade de apreciar a forma do poema, da qual Wolfskehl fala com grande entusiasmo [...] A homenagem de um artista (i.e., sob uma forma artística) é uma grande alegria que raro se tem ocasião de experimentar. Ela evoca uma afinidade de espíritos, e é em nome dessa afinidade que lhe aperto calorosamente a mão" (citado por M. Uylderts, *op. cit.*, Tomo II, p. 310, anexo XXXV). Seria demasiado longo analisar aqui a composição e o estilo do poema: não será difícil encontrar as analogias que ele apresenta, em sua tentativa de transposição, com as obras de Kandinsky dos anos 1910-1912 (notar-se-á, na 6.ª estrofe, a presença do "movimento" — Bewegung —, título da revista dirigida por Verwey). Wolfskehl acentuou o *flou* lírico e algo hermético dessa "composição", suprimindo praticamente toda a pontuação do original holandês. Ante a impossibilidade de dar uma versão satisfatória do que se torna a tradução de uma tradução, optamos por uma tradução tão literal quanto possível do texto alemão. A título de comparação, eis as duas versões, holandesa e alemã, da estrofe 5:

"Wat maakt het mij of er vormen zich klaren,
Of aan gedaanten uw kinderhart hangt,
Waar zich in kleuren voor't oog openbaren
Vondren waar ziel, dublel zalig, voor bangt.

"Was gilt es mir ob Formen sich klären
Ob Euer Kind-Herz Gewesenen anhangt
Wo sich in Farben dem Auge gebären
Wunder: das Seele swie seelig vor-bangt"

Ver também a nota 61.

3. Sobre o tema fundamental do cavalo, que poderia desempenhar, para Kandinsky, um papel comparável ao do célebre milhafre de Leonardo da Vinci (também apresentado como lembrança da infância), o leitor poderá reportar-se primeiro à própria obra, onde o motivo retorna com freqüência (cf. Grohmann 1958, pp. 112 ss.), notadamente no recente símbolo do "Cavaleiro Azul", para o qual Kandinsky desenhara uma capa de catálogo (1911) e depois a do almanaque (1912). Pode-se consultar, a propósito dessas duas obras, a documentação sobre o cavalo e as interpretações propostas por K. C. Lindsay para a primeira (*Genesis and Meaning of the Cover Design for the First Blaue Reiter Exhibition Catalog*, em *Art Bulletin*, Nova York, março de 1953, vol. 35, pp. 47-52), e, de maneira menos convincente, por Hideho Kishida para a segunda (*Genèse du Cavalier Bleu*, em *XXe siècle*, n.º 27, pp. 18-24). Nenhum desses dois autores se apóia na importância conferida ao cavalo em *Rückblicke*. Em breve observação posterior, o próprio Kandinsky indicou o lugar central que o cavalo ocupava então em sua obra (resposta à pesquisa de Paul Plaut, em 1928: "Amo hoje o círculo como há tempo amei, por exemplo, o cavalo — talvez ainda mais, pois encontro no círculo mais possibilidades interiores; eis por que ele tomou o lugar do cavalo", em *Die Psychologie der produktiven Persönlichkeit*, Stuttgart, 1929, pp. 306-308). Esses elementos e, sobretudo, as confidências de *Rückblike*, deveriam abrir o caminho para as análises psicológicas esboçadas por K. C. Lindsay (*Les thèmes de l'inconscient*, em *XXe siècle*, *ibid.*, pp. 46-52). Entre as obras, notar-se-á especialmente a pintura sobre vidro "Com o cavalo de pau", que faz parte de 17 pinturas sobre vidro executadas em Moscou em 1917 e onde figura no primeiro plano um menino com um cavalinho de pau (Grohmann 1958, p. 405, fig. 671). Ver também pp. 80 e 89.

4. Pode-se comparar esse começo com o do *Diário* de Paul Klee, cujas primeiras lembranças remontam à mesma idade (3 anos, em 1882) e giram, curiosamente, em torno dos mesmos temas (ed. fr., trad. de P. Klossvski, Paris, 1959, pp. 9 ss.). Os laços de amizade de Klee e Kandinsky são bem conhecidos, e as obras, que às vezes interferem, são freqüentemente confrontadas (ver, por ex., *Klee et Kandinsky, une confrontation*, Paris, 1959), mas o estudo comparado de seus escritos, em particular dos textos autobiográficos, ainda está por aprofundar-se. Ver também nota 94, e nota 14 *in fine*.

5. Apesar do que esta última indicação poderia dar a entender, Kandinsky alude com toda a certeza à colunata de Bernini, no exterior da Basílica, com sua quádrupla fileira de duas vezes 128 colunas, e não ao interior de São Pedro, que pode impressionar por sua imensidão, mas onde se acha apenas um número restrito de enormes pilares com pilastras (esses "**pés**-direitos maciços" que Boullée criticava no século XVIII, lamentando precisamente a ausência de "filas imensas de colunas"). A não ser que as duas impressões, e as duas imagens, se hajam sobreposto em sua

lembrança. Segundo as indicações de Grohmann 1958, foi durante essa estada em Roma que um artista italiano fez o retrato da mãe de Kandinsky (reproduzido na p. 18, fig. 3, de seu livro).

6. A palavra alemã designa um cavalo "pigarço", isto é, cujo pêlo se compõe de duas cores não-mescladas, no caso — após as explicações do parêntese — um cavalo de pêlo "alazão-pigarço"; em compensação, o termo empregado mais adiante na versão russa designa um cavalo de pêlo amarelo tirando a cinzento com cauda ou crina negra (bulanaia).

7. Ver a foto apresentada em Grohmann 1958, p. 19, fig. 6, e cf. também p. 104. A importância da dívida de Kandinsky para com sua tia sobressai muito bem na dedicatória de seu primeiro livro *Do espiritual na arte*, que ele lhe fizera, no ano anterior: "Dedicado à lembrança de Elisabete Tichejeff" (dedicatória omitida em várias edições posteriores, em particular na edição americana, 1947, rud. 1970).

8. Cf. carta a Gabriele Münter de 16 de novembro de 1904: "Eu cresci meio alemão: minha primeira língua, meus primeiros livros eram alemães" (citado em Grohmann 1958, p. 16).

9. A Maximilianplatz e a Lenbachplatz, pela qual Kandinsky a substituiu na versão russa, estão situadas no prolongamento uma da outra, no centro de Munique; a Promenadeplatz fica perto das duas precedentes; Schwabing é o bairro dos artistas, que se estende ao norte, para lá da Siegestor; Au é um subúrbio situado na margem direita do Isar, a sudeste da cidade. Entre as primeiras obras pintadas por Kandinsky, destaca-se um *Winter in Schwabing* (Inverno em Schwabing), de 1902 (n.º 7 de seu catálogo manuscrito; cf. Grohmann, p. 329, 345, e fig. 545, p. 394) e diversos pequenos estudos a óleo pintados no mesmo bairro: cf. p. 83, p. 95 e nota 56.

10. O termo russo, que pertence à linguagem popular, designa mais precisamente um bonde puxado por um cavalo (Konka).

11. O amarelo das caixas de correio fora tomado como exemplo nas análises de cores de *Do espiritual*: "O amarelo atormenta o homem [...] importuna-o com uma espécie de insolência insuportável. [E em nota]: Tal é, por exemplo, a ação exercida pelo amarelo sobre a caixa de correio bávara [...] Observemos, a propósito, [...] que o canário também é amarelo (canto agudo)" (reed. 1971, p. 122).

12. Para essa denominação corrente, ver, por exemplo, um emprego semelhante nas memórias de Bruno Walter (trad. fr., *Thème et variations*, Lausanne, s.d., p. 223: a propósito de Munique em 1913). No final do século, especialmente a partir de 1896, data da chegada de K., Jawlensky e Marianne Werefkin, a vida artística era particularmente ativa em Munique: ante as correntes acadêmicas, o movimento da Secessão fora lançado em 1892 por Fritz von Uhde e expunha anualmente desde 1893; a revista *Jugend*, órgão dos artistas do Jugendstil, começou a aparecer em 1896 e contribuiu rapidamente para fazer de Munique o centro alemão do Art Nouveau europeu, o que não deixou, aliás, de influenciar fortemente algumas das primeiras obras de K. Em 1899 um crítico observava, a propósito das diversas manifestações artísticas organizadas durante o verão na Alemanha, que "de todas essas exposições, a mais rica, a mais copiosa, a mais perfeita é a da 'Secessão', em Munique" (G. Keyssner, em *The Studio*, 15 de agosto de 1899, p. 180; ver igualmente E. Evans, *Artists*

and *Art Life in Munich*, em *The Cosmopolitan*, n.° 9, maio de 1890, e Ch. Bekay, *Munich as an Art Center*, ibid., n.° 6, out. 1892). Cf. Introdução, p. 21.

13. O sentido desejado por Kandinsky é mais provavelmente o do texto russo; para ter o mesmo significado, a versão alemã (begrüsste) teria de ser completada (mit Freude begrüsste).

14. Rothenburg, "uma das cidades mais curiosas e pitorescas da Alemanha", como a caracterizam os guias, é uma cidadezinha da Média Francônia situada a cerca de 90 km de Würzburg e de Nuremberg e a 230 de Munique. É uma das raras cidades antigas alemãs poupadas pela guerra: continua a ser hoje quase tal como era no século XVI e tal como a viu Kandinsky (além das monografias mais recentes, como a de A. Ress, *Stadt R.o.d.T.*, Munique 1959, e de numerosas plaquetas, pode-se consultar com interesse o importante álbum que o editor de K., Reinhard Piper, acabava de publicar para *Do espiritual*, no momento em que este escrevia o seu texto: T. Boegner, *R.o.d.T.*, Piper, Munique, 1912 (com 156 fotos). A viagem de Kandinsky é fácil de reconstituir: como a linha que liga Rothenburg a Dombühl ainda não existia nessa data, é provável que ele tenha vindo pelo expresso da linha Munique-Würzburg até Anspach (187 km), em seguida por trem parador até Steinach (32 km) e enfim pelo trem de Steinach a Rothenburg (11 km). Em 1892, este último trajeto era feito em 40 minutos (mais 30 em 1902), o que pode contribuir para explicar a impressão de irrealidade "dessa viagem interminável" (cf. K. Baedeker, *Süddeutschland, Handbuch für Reisende*, Leipzig, 1892, p. 226). Pode-se aproximar a evocação da locomotiva da célebre *Eisenbahn bei Murnau* (estrada de ferro perto de Murnau) da Städtische Galerie de Munique, que Kandinsky pintara alguns anos antes de escrever esse texto (1909, Grohmann 1958, n.° 600). A excursão, que constituiu certamente uma experiência capital para Kandinsky, pode ser comparada à que Klee realizou pouco depois (1899), também a partir de Munique, a Burghausen e Mühldorf, no vale do Inn (*Journal*, ed. cit., p. 29).

15. A versão russa especifica: ganidos, gritos de animal.

16. A descrição de Kandinsky é bastante precisa para que se possa retraçar o itinerário seguido: vindo da estação situada a 500 metros da cidade, entra-se pela Rödertor, conjunto fortificado cercado efetivamente por profundos fossos, e segue-se pela Rödergasse, passando sob a Markusturm, resto da muralha do século XIII, o que justifica a menção de várias portas. Os principais hotéis são, hoje, os mesmos de 1896: é possível que Kandinsky tenha escolhido o Eisenhut, situado no centro da cidade e descrito então no Baedeker como uma "altdeutsche Weinstube" (bar velho alemão).

17. *Alte Stadt* (velha cidade), óleo sobre tela, H. 52 x 78,5, col. N. Kandinsky, Paris, n.° 12 do catálogo manuscrito de suas obras redigido por K. (Grohmann 1958, p. 329). O quadro foi exposto pela primeira vez no grupo *Phalanx*, em 1902, depois no Salão de Outono em Paris, em 1906. K. Lindsay pôs em dúvida que o quadro atualmente conservado seja efetivamente a obra de que fala K. e que ele mencionou em seu catálogo: "Se compararmos essa obra com a *Velha cidade* exposta na Sociedade dos Artistas de Moscou, em São Petersburgo, em 1904, e reproduzida em *Mir Iskusstva*, 1904, n.° 4, p. 143, fica evidente, segundo o estilo das duas pinturas, que Grohmann substituiu inconsideravelmente por um estudo preparatório a versão definitiva, atualmente perdida" (*Art Bulletin*, dez. 1959, p. 350). Cf. também a nota, p. 221.

18. A tuba faz parte dos metais: "Sua extensão no grave é a maior que existe na orquestra [...] seu timbre [...] tem um pouco da vibração do timbre dos trombones [...] Não se pode fazer uma idéia do efeito produzido nas grandes bandas militares por uma massa de tubas baixo. Assemelha-se ao mesmo tempo ao trombone e ao órgão" (Berlioz, *Traité d'instrumentation*, 1844); Wagner, a quem K. alude várias vezes, generalizara seu emprego na orquestra sinfônica. Sabe-se que, segundo a correspondência das cores apresentada em *Do espiritual na arte*, é precisamente o vermelho-de-cinabre (vermelhão) que é comparado à tuba (o vermelho-saturno o é ao trompete, a laca vermelha ao violino ou ao violoncelo, o violeta, vermelho frio, ao corne-inglês ou ao fagote): "O vermelho médio (como o vermelho-de-cinabre) atinge a permanência de certos estados de alma intensos. Como uma paixão que arde com regularidade, ele possui uma força segura de si que não se deixa toldar facilmente"... (*Do espiritual*, cap. VI: a linguagem das formas e das cores). Ver também, em apêndice, o poema *Fagote* (p. 155). Tubas e, mais tarde, trombones iriam figurar entre os instrumentos evocados com maior freqüência pelos poetas expressionistas, só que em sentidos sensivelmente diferentes: "O poeta evita as harmonias radiosas, ele sopra em tubas, bate o tambor no agudo" (J. Becher, 1916; cf. John Willet, *L'Expressionisme dans les Arts*, 1970, p. 114).

19. Campanário-torre de múltiplas galerias cujos andares em recuo são coroados por uma cúpula; construído de 1505 a 1508 por um arquiteto italiano, ele domina de seus 80 metros toda a massa arquitetônica do Kremlin. Seu nome, Ivã, o Grande, refere-se a São João Clímaco, autor da *Escada do céu*. Teria figurado no centro do importante quadro *Moscou* (*Impressão 2*), pintado por Kandinsky no final de 1910 para glória de sua cidade natal, e sido queimado no fim da guerra em Berlim, no incêndio da coleção Bernhard Köhler (Grohmann 1958, n.º 114, prancha p. 269 e texto p. 106). Na foto da obra vêem-se igualmente as "demais cúpulas" de Moscou evocadas na frase seguinte, assim como um cocheiro com uma atrelagem, no alto à direita, que Grohmann aproxima do início de *Olhar*.

20. Traduzimos literalmente a frase alemã, mas a versão russa é mais satisfatória: é provável que ela expresse o sentido desejado desde o início por K.

21. Entre as primeiras obras pintadas por K., destaca-se um *Pôr-de-sol*, um *Entardecer*, um *Sol de outono* (1901-1902), perdidos, n.ºs 5, 8 e 14 do catálogo manuscrito) e, pouco depois, *Os últimos raios* e *Crepúsculo de inverno* (1904, n.º 28 e 32).

22. Lösung: a palavra, que retorna mais abaixo e por diversas vezes no texto, significa mais exatamente "solução", o que não se integra bem ao texto; a versão russa permite especificar que se trata do "achado" que marca a culminância de uma pesquisa; donde a tradução por "descoberta".

23. A versão russa é mais figurada: "olha à socapa, dá uma olhadela furtiva", em vez do simples "olhar" ou "olhadela" do texto alemão.

24. Nesse enunciado lapidar já se podem discernir algumas das idéias fundamentais que serão desenvolvidas mais tarde em *Punkt und Linie zu Fläche* (*Ponto, linha, plano*, 1926), notadamente no que concerne ao "significado interior" do ponto: "O ponto é um pequeno mundo à parte — isolado mais ou menos de todos os lados, e quase arrancado ao seu círculo social [...] é, interiormente, *a afirmação mais concisa e permanente*, que se produz com brevidade, firmeza e rapidez", e à análise da linha: "A linha geométrica é um ser invisível. É o traço do ponto em movimento,

portanto, seu produto. Ela nasceu do movimento — e isso pelo aniquilamento da imobilidade suprema do ponto [...] A linha é, pois, *o maior contraste* do elemento originário da pintura, que é o ponto" (em *Écrits complets*, Tomo II, Paris 1970, pp. 69, 68 e 93).

25. Em alemão respectivamente "Abstratkt" e "Gegenständlich"; em russo "predmietnoiê" e "abstraktnoiê". O emprego e a tradùção dos termos se prestaram a freqüentes controvérsias. A "Gegenständlich" (literalmente "objetivo") podem opor-se em verdade três termos: "Ungegenständlich" ("não-objetivo" ou "não-figurativo"), "abstrakt" ("abstrato") e "gegenstandslos" ("sem objeto"). O primeiro é pouco usado. Kandinsky prefere aqui "abstrakt", o que deve ser relacionado, entre outras coisas, com o emprego freqüente que ele faz, nesse texto, de termos de origem latina; mas lhe acontecerá também de opor a arte "sem objeto" à arte "objetiva" — por exemplo, em *Abstrakte Kunst* (Arte Abstrata), 1925 (*Écrits complets*, Tomo II, p. 311). As implicações ligeiramente pejorativas do primeiro desses dois termos (= "nada", "nulo"), porém, não lhe escaparam: depois de falar de arte "pura" ("reine") ou "absoluta" ("absolute"), como se verá aqui mesmo (p. 103), ele tentará, após 1935, resolver mais sistematicamente esse problema terminológico propondo sucessivamente os termos de arte "real" ("reale"), e depois "concreta" (o primeiro em *Abstrakte Malerei*, 1935, o segundo, em francês, em *Art concret*, 1936, e depois em *La valeur d'une oeuvre concrète*, 1943). Trata-se evidentemente muito mais que de uma questão de palavras: vêr, a propósito, o célebre artigo de Alexandre Kojève, *Pourquoi concret*, inspirado por K. (redigido em 1936, publicado em *XXe siècle*, 1966, pp. 63-65) e sobretudo os esclarecimentos do próprio K. — por exemplo, em *Abstrakte Malerei* (*Pintura abstrata*, 1935, em *Écrits complets*, Tomo II, pp. 339-345): "Não se tem em grande apreço a expressão 'pintura abstrata'. E não sem razão, já que ela não significa quase nada, ou pelo menos se presta à confusão. Eis por que os pintores e os escultores abstratos de Paris procuraram criar uma nova expressão: falam de 'arte não-figurativa', equivalente da expressão alemã 'gegenstandslose Kunst'. Os elementos negativos de tais expressões (não e 'los) não são muito felizes: eles excluem o objeto sem colocar nada em seu lugar. Já desde algum tempo procura-se substituir (o que fiz antes da guerra) abstrato por absoluto. A bem dizer, isso não melhora muito as coisas. A meu ver, o melhor termo seria arte 'real', já que essa arte justapõe ao mundo exterior um novo mundo da arte, de natureza espiritual. Um mundo como só a arte pode engendrar. Um mundo real. Mas a velha denominação de arte abstrata já tem direito de cidadania." Não se pode esquecer enfim, e sobretudo, para explicar essas buscas, que, após vários manifestos e debates, Malevitch publicara em 1927 um de seus textos fundamentais sob o título *Die gegenstandslose Welt* (Bauhausbücher, n.º 11, publicação original em alemão), título correspondente ao russo "Mir kak bespredmeitnost" (o mundo como não-objetividade): Kandinsky é um espiritualista, e nesse domínio, nas lutas renhidas em que se afrontam os artistas russos a partir de 1910-1911, ele se situa ainda mais "à direita", para retomar os termos empregados nos meios artísticos russos da época, do que Malevitch (que, no entanto, não pode ser assimilado aos construtivistas "materialistas"), donde o emprego de "abstrakt" ou "abstraktny" pelo primeiro, de "gegenstandslose" e "bespredmietny" pelo segundo...: a escolha dos termos é, aqui, fundamental (cf. o enfoque de A. B. Nakov, em Nikolai Tarabukin, *Le dernier tableau*, Paris, 1972, p. 22, com o qual concordamos totalmente sobre esse ponto). Kandinsky tornou a citar todo esse parágrafo, a partir de "Toda coisa morta...", num artigo publicado em 1935 na revista *Konkretion* de Copenhague (15 de setembro) e reproduzido em *Essays über Kunst und Künstler*, Stuttgart, 1955 (trad. fr. nas *Chroniques de l'art vivant*, fevereiro de 1972, n.º 27, p. 32).

26. A essa explicação dos transtornos "de origem deveras humana" (reinmenschliche) pode-se acrescentar, o que se esperaria após esse começo de parágrafo, que K. desposou em 1892 sua prima Ania Tchimiakin. Como sua discrição a respeito desses assuntos sempre foi extrema, é possível que ele lhes faça uma alusão indireta aqui.

27. Essa lei inscrevia-se no âmbito das medidas reacionárias tomadas por Pobiedonostsev ("Ortodoxia, autocracia, russificação") e pelo ministro da instrução pública Delianov (ministro de 1882 a 1897) sob o reinado do czar Alexandre III (1881-1894); no que concerne ao ensino superior, ela punha em prática os projetos repressivos de um ministro anterior, Tolstói: ab-rogação do estatuto liberal de 1863 sobre a autonomia das universidades, constituição de júris especiais nomeados pelo governo, disciplina reforçada, direitos universitários ampliados, proibição das associações estudantis. Essas medidas deviam provocar graves perturbações em 1887 e em 1890 em Moscou, Kazan e São Petersburgo: muitos estudantes foram excluídos e condenados ao degredo em províncias longínquas.

28. Em russo "otvlietchinnoiê": "abstrato" no sentido intelectual do termo, no lugar de "abstraktnoiê", que se aplicaria mais exatamente à pintura.

29. Tchuprov (Alexandre Ivanovich, 1842-1908), economista, estatístico e publicista de tendência liberal que se pronunciou contra a posse da terra pelos pomiechtchiki (proprietários fundiários) e em favor de sua compra pelas comunidades camponesas, mas a preços aceitáveis para esses pomiechtchiki. Em 1892 ele publicou uma História da economia política.

30. Cesare Lombroso (1835-1909), professor de medicina legal e de psiquiatria na Universidade de Turim, cujas teorias iam contra a criminologia clássica. Para ele, as condições independentes da vontade, físicas e fisiológicas sobretudo, tinham um papel determinante na psicologia do criminoso; este, pois, deveria ser assimilado mais a um doente irresponsável do que a um delinqüente consciente. Seu livro fundamental *L'uomo delinquente* (1875) foi traduzido para o francês em 1887 e para o alemão, por M. O. Fränkel, em 1887-1890, isto é, na época em que K. fazia seus estudos de direito. Este último talvez tenha lido também um dos primeiros estudos sobre a obra de Lombroso, publicada no ano em que ele fazia seus exames de direito: *Lombroso und die Naturgeschichte des Verbrechers*, por H. Kurella (1892). Nessa época, como notava pouco depois o doutor Hermann na *Grande Enciclopédia*, "suas teorias engenhosas mas demasiado absolutas [...], muito aplaudidas na Itália, encontravam-se violenta oposição no estrangeiro, sobretudo na França" (c. 1897). Nesse mesmo momento, um anarquista como Darien reprovava-lhe, ao contrário, negligenciar o aspecto social e político da criminalidade para enfatizar as explicações psicológicas e elogiava ironicamente "seu maior título de glória: sua tranqüila audácia de fornecer doutoralmente a explicação do crime sem se dar ao trabalho de defini-lo", deixando essa definição para a "madura experiência dos gendarmes, esses anjos da guarda da civilização" (*Le Voleur*, 1897, reed. de 1964, pp. 227-228). A partir desses poucos elementos, pode-se imaginar as razões do interesse de K. pelas "engenhosas" análises que deslocavam o problema jurídico do estudo do mecanismo das leis para o das motivações interiores. Kandinsky já citara Lombroso em nota do capítulo III de *Do espiritual* ("A mudança de rumo espiritual"): "... C. Lombroso, o criador do método antropológico em criminologia, assiste com Eusapia Palladino a sessões espíritas e reconhece a realidade dos fenômenos".

31. Alusão a um dos capítulos da "Lei Geral" de 1861, que abolia a servidão e previa simultaneamente o estabelecimento de instituições rurais que ficariam a cargo apenas dos camponeses. Este era, para o governo de Alexandre II, o meio de preencher o vazio administrativo deixado nos campos pelo desaparecimento dos direitos e deveres dos proprietários nobres em relação aos seus camponeses: direitos de polícia e de tutela sobre a comunidade camponesa, responsabilidade financeira do senhor pelos impostos devidos pelo camponês ao Estado e dever de assistência em caso de fome. A lei de 1861, tomando o "mir" como base, dotou os camponeses de uma administração fiscal, policial e judiciária até a escala do cantão.

32. A. N. Filippov (1853-1927): jurista russo especialista em história do direito; privat-dozent na Universidade de Moscou de 1885 a 1892; autor de diversas obras sobre a história do direito russo.

33. Essa importante variante da versão russa indica muito explicitamente uma das "fontes" da teoria da "necessidade interior", para a qual se recorreu com muita freqüência e abusivamente a doutrinas filosóficas complexas, porém estranhas, com toda a evidência, à realidade da vida de K. e à problemática de sua arte. O "retorno à interioridade" encontrava um ponto de apoio mais próximo nas teorias jurídicas que K. teve então a oportunidade de estudar cotidianamente: ver mais acima a alusão a Lombroso (e a nota 30). Kandinsky teve oportunidade de desenvolver alguns aspectos dessa concepção da justiça ministrada "por dentro" em sua enquete sobre as populações sirianas do governo de Vologda (1889): cf. p. 81 e nota 46.

34. Convém aproximar dessa passagem a notícia autobiográfica que Kandinsky redigira para suas primeiras exposições pessoais, no final de 1912 (cf. nota 9 da introdução): ela trata essencialmente desse momento de sua existência e completa as indicações dadas em *Olhar* (citamos a tradução de Michel Seuphor, que pela primeira vez republicou esse texto em seu livro fundamental, *L'art abstrait*, Paris, 1949, p. 298): "Nasci a 5 de dezembro de 1866 em Moscou. Desde o meu terceiro ano de idade desejei ser pintor, porque amava a pintura mais que qualquer outra coisa e não me era fácil combater esse desejo. Parecia-me então que a arte era um luxo interdito a um russo.

Eis por que, na Universidade, escolhi a economia nacional para minha especialização. A Faculdade propôs-me a carreira de cientista. Para isso, aliás, recebi os recursos oficiais como adido da Universidade de Moscou.

Após seis anos de exercício, dei-me conta de que minha antiga fé na virtude das ciências sociais e, afinal de contas, na verdade absoluta do método positivo havia desaparecido. Finalmente, resolvi jogar pela janela a aquisição de tantos anos. Parecia-me que todo esse tempo tinha sido perdido. Hoje sei o que, durante todo esse período, se acumulou em mim, e sinto-me reconhecido por isso.

Ocupara-me principalmente do problema teórico do salário dos operários. Agora eu queria abordar o lado prático da mesma questão, e aceitei uma posição numa das maiores tipografias de Moscou. Minha parte consistia na impressão dos clichês, o que me colocava em contato com a arte. Minha roda compunha-se de operários.

Mas fiquei ali apenas um ano, pois aos trinta anos uma idéia se impôs ao meu espírito: agora ou nunca. O trabalho interior, inconsciente, chegara a um ponto de maturidade que me fazia sentir com muita nitidez minha força de artista. Ao mesmo tempo eu me encontrava moralmente bastante evoluído para que o direito de ser pintor se apresentasse com clareza ao meu espírito.

Foi assim que encontrei o caminho de Munique, cujas escolas gozavam então de alta reputação na Rússia."

35. Ilia Repin (1844-1930), um dos mais ilustres representantes do movimento dos Ambulantes e, mais geralmente, da pintura russa no fim do século XIX. Suas inúmeras viagens ao exterior, notadamente uma temporada na França de 1870 a 1873, haviam-no colocado a par da pintura européia. Era acadêmico desde 1876. Em sua obra copiosa, da qual se pode dizer sumariamente, do ponto de vista da forma, que participa de um realismo moderado, os retratos ocupam um lugar essencial: os de Tolstói e Mussorgsky em particular bastaram para tornar seu nome conhecido fora de seu país de origem. O retrato de Liszt não figura, ao que sabemos, em nenhum dos livros fundamentais sobre Repin, nem tampouco nos trabalhos mais recentes sobre sua obra. Apenas se lhe faz alusão no monumental trabalho de I. E. Grabar e I. S. Zilberstein: *Repin*, Moscou-Leningrado, Akademia Nauk, 1948, tomo II, pp. 574 ss. (em russo). Encontrar-se-á, entretanto, uma reprodução dele na preciosa coletânea de Robert Bory, *La vie de Franz Liszt par l'image*, Paris, 1936, p. 233. O quadro estava então em Moscou. Assinado e datado de 1886, data portanto do último ano da vida do músico, representado de pé em seu traje eclesiástico, apoiado a um piano de cauda, breviário na mão. A iluminação vem de cima, da direita, e um dos efeitos mais notáveis se deve ao jato de luz projetado sobre a mão esquerda, apoiada à cintura, e que produz uma mancha luminosa na batina escura. É provavelmente a isso que Kandinsky alude. A variante russa menciona uma das obras mais célebres de Repin, atualmente conservada na Galeria Tretiakov em Moscou: *Não o esperavam*, ou ainda *O egresso inesperado* (óleo sobre tela, 160,5 x 167,5, assinado e datado de 1884, reproduzido por último no álbum antológico das coleções da galeria, *A arte russa, 1850-1917*, Moscou, 1970, fig. 45). O quadro representa, de maneira bastante melodramática, o regresso ao seio da família de um militante revolucionário deportado e procura descrever as reações que sua chegada provoca; ele reflete com bastante clareza as convicções e o engajamento político de Repin (cf. a análise de A. Besançon em *La dissidence de la peinture russe 1869-1922*, em *Annales*, março-abril de 1962, p. 258). O pintor multiplicou os estudos e as variantes para essa obra, à qual atribuía grande importância e que permanece como o símbolo de uma das principais correntes da pintura russa na segunda metade do século XIX (cf. O. A. Liaskuskaia, *I. E. Repin*, Moscou, 1962, cujo capítulo VI é inteiramente dedicado a esse quadro).

36. Isaac Levitan (1860-1900), membro do movimento dos Ambulantes e principal paisagista da pintura russa no fim do século XIX: dirigiu o curso de pintura de paisagem na Escola de Pintura de Moscou de 1898 até sua morte. Muito popular na Rússia, onde exerceu uma função cultural importante, sua pintura deve muito aos franceses, em particular à Escola de Barbizon, que ele descobrira na Exposição Internacional de Paris, em 1889. Não encontramos nenhum quadro com o título dado por Kandinsky no catálogo da obra exaustiva de A. A. Fedorov Davydov, *Isaak Ilitch Levitan*, Moscou, 1966, 2 vol. (em russo). Duas obras célebres, em compensação, correspondem à descrição sumária que é dada aqui: *Aprazível mosteiro* (Tikhaia obitel; óleo sobre tela, 87 x 108, c. 1890, Moscou) e sobretudo *Os sinos do entardecer* (Vetcherni zvon; óleo sobre tela, 87 x 107,6, assinado e datado de 1892, Galeria Tretiakov, Moscou, nº 369 do catálogo Fedorov-Davydov, no qual figura uma barca que atravessa o rio "a femo", o que poderia explicar o título dado por Kandinsky (quadro freqüentemente reproduzido, por último no álbum antológico da Galeria Tretiakov, *A arte russa, 1850-1917*, Moscou, 1970, fig. 68). Um concurso de circunstâncias, aliás bastante significativo, quis que alguns quadros de Kandinsky figurassem numa exposição juntamente com obras de Levitan, no "Salão" organizado em 1908-1909 em São Petersburgo por Serge Makovski (cf. V. Marcadé, 1971, pp. 172-174). Notar-se-á enfim a predileção de Levitan pela representação das horas do

entardecer, nesses dois quadros por exemplo, predileção que se junta à que Kandinsky afirma aqui mesmo (cf. p. 73 e nota 21).

Quanto aos dois precedentes, V. D. Polenov (1844-1927) é uma figura de importância secundária, ativo sobretudo no centro cultural de Abramtsevo, em torno do mecenas S. I. Mamontov (artes decorativas, cenários de teatro e de ópera nos anos 1880-1890). Não encontramos em sua obra, que não obstante é muito eclética, nenhum quadro correspondente ao título dado por Kandinsky; uma figura de Cristo, aliás, faria pensar antes no pintor N. N. Gay (1831-1894), cujas principais obras têm por tema exatamente Cristo: *O Gólgota* (1892), *A Crucifixão* (1894)... Todavia, uma das obras mais importantes de Polenov tem como tema *Cristo e a mulher adúltera*, quadro cujos primeiros esboços remontam a 1873, mas que acabou sendo pintado em 1886-1887: trata-se de uma grande cena histórica na qual o cenário arquitetônico, o pitoresco da multidão e a variedade das expressões desempenham o papel principal, mas onde a figura de Cristo, que deu lugar a vários estudos, é particularmente realçada pelo jogo das luzes. É possível que seja a ela que Kandinsky alude (óleo sobre tela, 325 x 611, Museu Russo, Moscou; cf. T. B. Iurova, V. P. Polenov, Moscou, 1961, pp. 86-93).

37. *O objeto*: *gegenstand* (em russo *predmet*), palavra que designa igualmente o "assunto" de uma peça, de um livro...: o que permite aqui jogar com os dois sentidos do termo.

As medas de Monet (15 telas) tinham sido expostas pela primeira vez nas galerias Durand-Ruel em Paris, de 5 a 20 de maio de 1891. O romancista, crítico e amigo do pintor G. Geffroy escrevera nessa ocasião um prefácio no qual insistia não apenas no interesse, puramente formal, do estudo das variações luminosas sobre um mesmo tema tomado em diferentes horas do dia mas também, a partir daí, no valor expressivo de cada uma dessas telas e, de um modo mais geral, no que a pintura de Monet contribuía, além da mera descrição, para o conhecimento da natureza profunda dos seres e das coisas: "De todas essas fisionomias de um mesmo lugar evolam-se expressões que se assemelham a sorrisos, a lentos escurecimentos, a gravidades e estupores mudos, a certezas de força e de paixão, a violentas ebriedades [...] pela densidade, pelo peso, pela força que vem de dentro para fora, ele evoca sem cessar, em cada uma de suas telas, a curva do horizonte, a redondeza do globo, a marcha da terra no espaço. Ele revela os retratos cambiantes, os rostos das paisagens, as aparências de alegria e desespero, de mistério e fatalidade com que revestimos à nossa imagem tudo o que nos circunda [...] é um grande poeta panteísta" (republicado em *La vie artistique*, 1.ª série, 1892, pp. 22-29). Ponto de vista original, raramente retomado, que faz passar para o segundo plano o "problema luz e ar" e que, por isso, pode ajudar a compreender as reações de Kandinsky. Essa série, com efeito, que precede a das *Catedrais*, dos *Choupos* e das *Ninféias*, assinala uma reviravolta sensível na obra de Monet: ela anuncia um "além do impressionismo" que por vezes desconcertou os admiradores da primeira fase do pintor e onde se tentou ver algumas das "origens" da arte abstrata (cf. J. Rewald, *Histoire de l'impressionnisme*, 1946, reed., Paris, 1965, tomo II, pp. 215-216, e, entre outros, os ensaios de J. L. Faure, *Les sources impressionnistes de l'abstraction moderne*, em Bul. de la Fac. des Lettres de Strasbourg, maio-junho de 1968, pp. 741-746 — que cita K., mas não esse texto fundamental —, e de W. Seitz, *Monet and Abstract Painting*, em *College Art Journal*, outono de 1956, tomo XVI, I, pp. 34-36. Este último autor é um dos raros historiadores do impressionismo, e de Monet em particular, que valorizaram devidamente o testemunho essencial de Kandinsky (cf. também seu *Monet*, Nova York, 1960, p. 138, a propósito da *Meda ao sol* do Museu de Boston, onde os empastamentos são comparados aos de Rembrandt, o que nos reconduz ao texto de *Olhar*, pp. 81-82); ver também as páginas de Léon Degand em D. Rouart — L. Degand, *Monet*, Genebra, 1958, pp. 111-112); não se devem esquecer, enfim, a título de comparação, o célebre artigo de André Masson, *Monet le fondateur*, em *Verve*, n.º 27-28, 1952, e as numerosas declarações de um artista como Camille Bryen (catálogos da exposição do C.N.A.C., Paris, 1971, p. 60, e da do Museu Nacional de Arte Moderna, Paris, 1973, pp. 24-25). As principais fontes publicadas sobre Kandinsky ou sobre a vida artística russa mencionam simplesmente essa exposição de impressionistas franceses em Moscou em 1895, sem contudo fornecer outra especificação, o que deixa subsistir uma ligeira incerteza quanto a essa data (cf. K. Lindsay 1959, p. 350). As obras sobre o impressionismo ou sobre Monet a mencionam. Sabemos, em compensação, que foi nessa época que Durand-Ruel contribuiu, com suas exposições, para dar a conhecer a obra do pintor no estrangeiro: Estados Unidos, Alemanha e, depois, Veneza e Estocolmo, em 1897 (L. Venturi, *Archives de l'Impressionnisme*, Paris, 1939, tomo I, p. 96 sq.). Foi precisamente em 1897 que o grande colecionador russo Chtchukin fez em sua galeria sua primeira compra, e tratava-se exatamente de um Monet (*Lilás de Argenteuil*; cf. J. Tugendhold na revista russa *Apolo*, 1914, n.º 1-2); Chtchukin costuma ser considerado como o introdutor de Monet na Rússia, o que parece estar em contradição com o texto de *Olhar* (cf. ainda, ultimamente, C. Gray, *The Russian Experiment in Art 1863-1922*, Londres, 1962, reed. 1971, p. 78). Em 1914, em todo caso, sua coleção contava 13 Monet, incluindo precisamente uma *Meda de feno* (cf. Tugendhold, *op. cit.*, e, do mesmo autor, *Le musée d'art moderne occidental*, Moscou-Leningrado, 1923 — em russo —, onde essa *Meda* é reproduzida). Tratar-se-á da mesma tela vista por Kandinsky? Isso não é impossível, mas uma certa contradição subsiste entre a data citada pela exposição (1895) e a que se dá para as primeiras aquisições de Chtchukin (1897). A história das *Medas* de Monet atualmente conservadas na Rússia é difícil de ser traçada, por falta de precisões suficientes nos catálogos antigos e em razão, notadamente, das mudanças de título: se nos referirmos à última publicação em data, que é também a mais bem documentada, nenhuma das *Medas* expostas e estudadas recentemente pode convir (*From Van Gogh to Picasso, Nineteenth and Twentieth Century Paintings and Drawings from the Pushkin Museum in Moscow and the Hermitage in Leningrad*, Otterlo, 1972: o n.º 37, *Meda perto de Giverny*, 1886, que vem da coleção Chtchukin, não parece poder ser admitido em virtude do lugar reduzido ocupado pela meda; o n.º 39, *Paisagem com medas*, 1889, procede da coleção Morosov, o rival de Chtchukin, mas só veio a incorporá-la em 1907, encontrando-se anteriormente na coleção Faure em Paris...); existem outras *Medas*, mas não foram publicadas nos catálogos editados na época. É possível também que a *Meda* vista por K. não tenha permanecido na Rússia: outros quadros de Monet sobre esse tema figuram nos museus de Boston, Chicago e Nova York, assim como em coleções particulares americanas e francesas (cf. a reprodução em cores da de Boston em W. Seitz, *op. cit.*, p. 138, e da de Paris em Rouart-Degand, *op. cit.*, p. 86). A identificação precisa do quadro visto por Kandinsky é ainda menos indiferente porquanto a maneira de Monet evoluiu sensivelmente no curso da pintura das *Medas* (de 1886 a 1893, aproximadamente). Mas, no estado atual da documentação, não é possível pronunciar-se com mais exatidão, e não é certo sequer que a descoberta do catálogo a que Kandinsky alude traga sobre esse ponto uma informação suficiente.

O interesse do pintor russo por Monet pode ser confirmado pela homenagem que lhe prestou fazendo figurar 16 de suas obras na sétima exposição do grupo *Phalanx*, que ele dirigia em Munique, em maio de 1903 (cf. o cartaz desenhado nessa ocasião em Röthel, 1970, p. 65). Finalmente, a Sra. Nina Kandinsky menciona, sem fornecer a data nem outra especificação, uma nota importante dos cadernos de notas inéditos, que se referiria igualmente à descoberta de Monet tal qual ela é relatada em *Olhar*: "Tive a impressão de que aqui a própria pintura vinha para o primeiro plano; perguntei-me se não seria possível ir mais longe nessa direção. A partir desse momento passei a ver a arte dos ícones com olhos diferentes; isso não queria dizer que eu tinha 'adquirido o olho' para o abstrato na arte" (*Some Notes on the Development of Kandinsky's Painting*, na edição americana de *Do espiritual: Concerning the Spiritual in Art and Painting in Particular*, Nova York, 1947, reed. 1970, p. 10).

38. Alusão ao livro de Paul Signac, *D'Eugène Delacroix au néo-impressionnisme* (1899), que Kandinsky já citara no capítulo III de *Do espiritual na arte*: "Em pintura, ao ideal realista sucedem as tendências impressionistas. Puramente naturalistas, essas tendências resultam, em sua forma dogmática, na teoria do neo-impressionismo, que já chega ao abstrato. Essa teoria (que os neo-impressionistas vêem como universal) não consiste em fixar na tela um fragmento da natureza tomado ao acaso, mas em mostrar a natureza inteira em sua magnificência e esplendor" (reed. 1969, pp. 67-68). Kandinsky mencionava, então, a segunda edição da tradução alemã, publicada em Charlottenburg em 1910: é possível que o "mais tarde" se refira a essa data, mas a primeira edição alemã fora publicada em 1903 (trad. da Sra. C. Hermann, revista pelo barão de Bodenhausen, Krefeld) e longos trechos dos capítulos I e VII já estavam traduzidos em 1898 na revista *Pan*, fundada em 1895 (n.º de maio-outubro), logo após sua publicação na *Revue blanche* (cf. a reed. de F. Cachin, Hermann, Paris, 1964). Aliás, o grupo *Phalanx*, fundado por Kandinsky em 1901, já tinha exposto obras neo-impressionistas, notadamente de Signac e de Van Rysselberghe, em 1904, ano de sua dissolução (Grohmann 1958, p. 36).

39. Crepúsculo: a palavra alemã, um tanto surpreendente (*Vorabendstunde*, por *Dämmerstunde* ou *Dämmerung*, que seriam de esperar), é na verdade a tradução literal da expressão russa (*predvetchernii tchas*), que não é tampouco o termo russo usual. Sobre os instrumentos de sopro e o crepúsculo, cf. a tuba, p. 73 (e nota 18), e entre as demais referências os poemas *Oboé* e *Fagote* em *Klänge* (1913) (o primeiro texto reproduzido em Röthel 1970, n.º 109, o segundo reproduzido e traduzido aqui, p. 155).

40. *Da composição cênica*: cf. nota 124. É por um equívoco que Kandinsky data o almanaque do *Cavaleiro Azul* de 1913: ele apareceu em maio de 1912 (cf. Introdução p. 28 e nota 85). O *Anel* designa a *Tetralogia* ou *O anel de Nibelung*, composto de quatro óperas: *O ouro do Reno*, *A Valquíria*, *Siegfried* e *O crepúsculo dos deuses*.

41. Sobre a vida musical na Rússia nessa época, ver antes de tudo Rimsky-Korsakov, *Journal de ma vie musicale*, 1932, trad. fr., Paris, 1938. Conhece-se a posição reservada dos russos, do Grupo dos Cinco e notadamente de Tchaikóvski, com relação a Wagner. No entanto, este fora a São Petersburgo em fevereiro de 1863, mas só a sua *Abertura de Fausto* (1839-1840, remodelada em 1855) agradava aos russos e era executada de vez em quando (Rimsky, *op. cit.*, p. 64). A primeira apresentação de *Lohengrin* no Teatro Maria, a 4 de outubro de 1868, foi acolhida com muita frieza por músicos que se sentiam muito mais próximos de Liszt e dos franceses, sobretudo de Berlioz: "Acolhemos *Lohengrin* com perfeito desprezo e Dargomijski deu livre curso ao mais amargos sarcasmos. Nesse momento os *Nibelungen* já estavam quase terminados, os *Mestres Cantores* já tinham sido compostos e Wagner, nessas obras, abria para a arte caminhos muito mais avançados que os que nós seguíamos, nós, a vanguarda russa" (*ibid.*, p. 80). Em 1873-1874, porém, Rimsky fazia uma transcrição do prelúdio da mesma *Lohengrin* (*ibid.*, p. 110). Mas foi somente em 1888-1889,

no momento em que Kandinsky fazia seus estudos de direito em Moscou e ia a São Petersburgo ver os Rembrandt do Ermitage, que uma importante série de representações da *Tetralogia* nesta última cidade, no Teatro Maria, trouxe verdadeiramente a revelação das óperas de Wagner. Os músicos ficaram fortemente impressionados e as repercussões não tardaram a se fazer sentir nas suas obras: modificação da orquestração em Rimsky-Korsakov, utilização do *leitmotiv* em Tchaikóvski (*A Dama de Espadas*, 1890). Por volta de 1892, contudo, Rimsky ainda não estudara o *Tristão* (terminado em 1859, estreado em 1865, cf. R. M. Hofmann, *Rimski-Korsakov*, Paris, 1958, p. 134), o que explica *a fortiori* a ignorância de Kandinsky. O público, com efeito, é mais lento: "... o wagnerismo não estava tão profundamente arraigado no público da capital quanto o esteve mais tarde, no final dos anos 90" (Rimsky, *op. cit.*, p. 225). Contrariamente, pois, ao que pode parecer à primeira vista, a posição de Kandinsky é relativamente original e avançada. Rimsky, que, não obstante, menciona outras representações de Wagner, não cita a de *Lohengrin*. Sabemos, porém, que *Lohengrin* e *Tristão* foram apresentados em São Petersburgo pelo menos durante o inverno de 1897 (portanto, se as datas são exatas, após a partida de Kandinsky), sob a regência de Hans Richter e Felix Mottl; as memórias da cantora Félia Litvinne (nascida em São Petersburgo em 1863) testemunham o sucesso dessas representações junto à alta sociedade russa. Após *Tristão*, o próprio imperador Nicolau II lhe teria declarado: "Você me revelou Wagner e quero que venha todos os anos cantar-me esse papel"... (Félia Litvinne, *Ma vie et mon art*, Paris, 1933, pp. 80-82; cf. também pp. 53-59).

42. O sentido do texto russo é sensivelmente diferente, o que suscita problemas. Pode-se notar, porém, que em russo as palavras "tentação" (*iskuchenie*) e "procura" (*iskanie*) começam do mesmo modo, enquanto em alemão, inversamente, a diferença de prefixo é mínima (respectivamente *Versuchung* e *Untersuchung*): um erro de tradução da parte de Kandinsky não é, pois, impossível. A versão russa é, como sempre, mais satisfatória e o adjetivo do texto alemão (*stark*, literalmente "forte") se aplica, de resto, muito mal a uma "procura". Como quer que seja, o sentido geral é claro: as primeiras tentativas empreendidas, apesar de tudo, nesse caminho, não deram resultado.

43. As expressões de Kandinsky não são suficientemente claras aqui para que se possa dizer com certeza a qual "acontecimento científico" preciso ele se refere, nem em que data se deve situar esse acontecimento. Pode-se, contudo, aproximar essas linhas de uma passagem de seu livro anterior, *Do espiritual*: no triângulo espiritual, nos níveis superiores, "verdadeiros cientistas escrutam a matéria, passam nela a sua vida, nenhuma questão os assusta. E, finalmente, conseguem pôr em dúvida a existência dessa matéria na qual, ainda ontem, tudo repousava, na qual todo o universo se apoiava. A teoria dos elétrons, isto é, da eletricidade dinâmica, que deve substituir integralmente a matéria, encontra atualmente ousados pioneiros. Eles seguem em frente, esquecidos de toda prudência, e sucumbem na conquista da cidadela da nova ciência, como os soldados que, tendo feito o sacrifício de sua própria pessoa, perecem no assalto desesperado a uma fortaleza que não querem capitular. Mas 'não existe fortaleza inexpugnável'" (cap. III, *Mudança de rumo espiritual*, trad. fr. Volboudt, reed. 1969, pp. 57-58). Por "desintegração do átomo" Kandinsky entende, pois, a descoberta dos elétrons. Embora ele faça alusão, em *Do espiritual*, ao que se faz "atualmente", essa descoberta é muito mais antiga. É efetivamente em 1895 que, após os trabalhos de Faraday e de Maxwell sobre os fenômenos eletromagnéticos, os físicos H. A. Lorentz e J. J. Thomson formulam suas teorias relativas ao elétron: explicação da emissão da luz pela aceleração do movimento de um

elétron (Lorentz, 1895), definição do elétron como partícula eletrizada em movimento (J. J. Thomson, 1897, que imagina um primeiro modelo de átomo). Não nos parece, pois, se deva ver no texto de *Olhar* uma alusão aos trabalhos de Planck e à teoria dos quanta (em torno de 1901), nem aos de Einstein (*Zur Elektrodynamik bewegter Körper*, 1905; cf. F. W. Whitford, *Some Notes on Kandinsky's Development Towards Non Figurative Art*, em *Studio*, janeiro de 1967, t. 173, pp. 12-17), e, *a fortiori*, ao modelo planetário do átomo proposto por Rutherford em 1911 (ao qual, em compensação, pode referir-se o "atualmente" de *Do espiritua*): trata-se muito mais provavelmente do questionamento da indivisibilidade do átomo, retomado no fim do século XIX, e esse "acontecimento" se encadeia muito diretamente com a descoberta de Monet e a audição de *Lohengrin* (1895-1897). A distinção é importante na medida em que, à série Schönberg e o atonalismo / a relatividade e o modelo planetário do átomo / primeiras tentativas no caminho da pintura abstrata (1910-1911), ele substitui a série, *a priori* menos sedutora mas anterior e mais decisiva, Wagner / descoberta do elétron / Monet e a pintura pura, no momento de sua partida para Munique (1895-1897). O texto de K. traz um testemunho capital para a importante questão da relação entre as ciências e as artes no fim do século XIX e no primeiro quartel do XX (cf. o breve ensaio de J. Guilherme, *Esta fúria do geometrismo plástico (as ciências em 1913)*, em *L'Année 1913*, Paris, 1971, t. I, pp. 73-95, que não cita essa passagem). Neste sentido, é bem evidente que a posição de Kandinsky não é de modo algum "científica" e que está muito mais próxima da visão que tinha da ciência um Avenarius, um Mach ou um Ostwald (*Energetische Grundlagen der Kulturwissenschaft*, 1909; cf. M. Pleynet, *Le Bauhaus et son enseignement*, em *L'enseignement de la peinture*, Paris, 1971, p. 139). Comparar-se-á com interesse o paralelo estabelecido por K. e o de Naum Gabo em *L'idée constructiviste en art* (publicado pela primeira vez em inglês em *Circle*, 1937, trad. fr. em *Naum Gabo*, Neuchâtel, 1961, pp. 165-170; ver, notadamente, pp. 165-166). Enfim, e sobretudo, não se deve deixar de confrontar essa interpretação idealista da "crise da matéria" com o capítulo 5 do livro de Lênin *Materialismo e Empiriocriticismo* (1908), em particular em sua segunda parte, cujo título parece responder de antemão às conclusões de Kandinsky: "A matéria desaparece". Aí se encontrarão, em particular, várias referências importantes a teorias vizinhas das que se desenvolvem aqui e que não deixam talvez de estar em relação com as reflexões de Kandinsky (cf. por ex. Augusto Righi, *Die moderne Theorie der physikalischen Erscheinungen*, Leipzig, 1905, e *Über die Struktur der Materie*, Leipzig, 1908). Sobre essa questão, ver nosso artigo *"La matière disparaît": note sur l'idéalisme de Kandinsky*, em *Documents III*, Saint-Étienne.

44. Como se sabe, Kandinsky continuou a escrever poemas ao longo de toda a sua vida. Sua principal coletânea (*Sonoridades*) foi publicada por Piper, em Munique, no mesmo ano que *Olhar*, donde, provavelmente, a supressão dessa frase na versão russa. Ver os poemas incluídos em apêndice e a nota 113.

45. O pai de Kandinsky era diretor de uma casa de chá russa. Faleceu em Odessa, na época do Bauhaus. Sobre suas origens e personalidade, ver as importantes elucidações trazidas por Kandinsky no fim de *Olhar* e completadas ainda na versão russa, p. 131. Encontrar-se-á sua fotografia no livro de Grohmann, p. 18, fig. 4, e um outro clichê no de J. Eichner 1957, na frente da página 16.

46. Após a Revolução, a denominação "siriana" desapareceu. Trata-se atualmente da República Autônoma dos Komi. Sobre essa viagem, ocorrida em 1889, ver pp. 85 ss. O relatório de Kandinsky foi publicado em seguida na revista "Trabalhos

da seção etnográfica da Sociedade Imperial dos Amigos das Ciências Naturais, da Antropologia e da Etnografia", t. LXI, livro IX, pp. 13-19. Kandinsky fora igualmente encarregado de inquirir "sobre as penas infligidas pelos tribunais de cantão do governo de Moscou". Segundo o resumo que de seu relatório nos dá V. Marcadé (*Le renouveau de l'art pictural russe*, 1971, pp. 139-140), Kandinsky explica as razões das punições corporais infligidas por esses tribunais ("As vergastas nada fazem perder, nem ao camponês, nem à sociedade") e toma partido contra a regulamentação amigável dos conflitos, "baseando seu ponto de vista no fato de que a conciliação deixa a falta impune, o que desenvolve a irresponsabilidade e a imoralidade". Teríamos pois, aqui, um novo esclarecimento particularmente revelador sobre determinados aspectos dessa concepção da justiça ministrada "por dentro": essa "forma extremamente flexível e liberal" com que sonha Kandinsky não o é precisamente senão em sua "forma", mas o conteúdo das penas não depende menos de um "rigor" moral que nada tem a invejar ao do, todo exterior, *jus strictum* (cf. p. 76).

47. A coleção dos Rembrandt do Ermitage é uma das mais importantes do mundo. Atualmente, e levando-se em conta as últimas revisões de atribuição, o museu conserva 22 telas do pintor, o que o coloca no terceiro lugar, após o Berlin Staatliche Museum (26) e o Metropolitan Museum de Nova York (26), mas à frente do Louvre (18) e do Rijksmuseum de Amsterdam (18). Deve-se, porém, levar em conta os quadros depositados no Museu Puchkin de Moscou e as vendas que foram feitas, por razões financeiras, pelo governo soviético (10 quadros, entre os quais o *Retrato de Tito* do Louvre), assim como revisões de atribuição feitas por Bredius em 1935 (5 quadros excluídos) e depois por Gerson, em 1968-1969 (*Rembrandt, the complete edition of the paintings*, revised by H. Gerson, Londres 1969; ver também *Musée de l'Ermitage, les grands maîtres de la peinture*, Paris, 1958, texto de Germain Bazin, com a colaboração de H. Gerson, para as obras holandesas). Tudo isso perfaz em cerca de 43 o número das obras estudadas por Kandinsky, o que confirma, de resto, uma publicação editada quinze anos antes (Massaloff, *Os Rembrandt do Ermitage Imperial de São Petersburgo*, 40 pranchas gravadas à água-forte por Nicolas Massaloff, Leipzig, 1872). O primeiro catálogo foi estabelecido na própria época em que Kandinsky estudava esses quadros (Somoff, *Ermitage Imperial, Catálogo da Galeria de Quadros*, t. II, Escolas Neerlandesas e Alemãs, 1ª edição, 1889-1895). Ainda que essa coleção não inclua nenhuma das três grandes obras do pintor, encontram-se nela pelo menos dois quadros de primeira importância: *Dânae* (1636-1650) e *A volta do Filho Pródigo* (c. 1668), assim como oito quadros maiores (ver, por último, Paolo Lecaldano, *Tout l'oeuvre peint de Rembrandt*, Paris, 1971, que leva em conta as revisões de Gerson). A reunião dessas obras remonta ao século XVIII, em particular às aquisições de Catarina II feitas na França por intermédio de Diderot (aquisição em 1771 da coleção Crozat, que compreendia a *Dânae*). Cumpre sublinhar que os quadros são igualmente distribuídos por toda a carreira do pintor, da qual fornecem um excelente panorama geral (de 1630 a 1668), e que seu estado de conservação, devido notadamente à ausência dos reenvernizamentos abusivos do século XIX, é excepcional. Sabe-se enfim que um dos primeiros boatos propalados no Ocidente após 1917 pelos adversários do novo regime soviético foi o de que "o Ermitage teria sido saqueado; um mujique do exército vermelho teria rasgado uma tela de Rembrandt para remendar um par de botas..." (Louis Réau, *L'Art russe*, 1922, reed. 1968, t. III, p. 222: "Les destructions d'oeuvres d'art"), rumor que se revelou totalmente inexato, como Kandinsky pôde talvez constatar antes da reedição de *Olhar na Rússia*. Para a "grande separação do claro-escuro", ver em particular *O sacrifício de Abraão*, 1635 (Gerson, nº 74), *Dânae*, freqüentemente reproduzido, 1635-1650 (Gerson, nº 270) e o *Retrato de Jeremias de Decker*, 1666 (Gerson, nº 413). Grohmann

1958, p. 242, afirmou que o *Sacrifício de Manoe* de Rembrandt, quadro de Dresden, tinha sido a "primeira e mais forte emoção artística" de Kandinsky, mas sem provas (o que lhe foi censurado por K. Lindsay no *Art Bulletin*, dez. 1959, p. 350).

48. A versão russa, na qual Kandinsky se mostra manifestamente mais à vontade no manejo das palavras, permite fixar sem ambigüidade o sentido dessa expressão algo obscura. O mesmo sucede com a distinção das seguintes palavras: "fusion" [fusão], no sentido químico do termo, e "fondu" [fusão, esbatimento], no sentido corrente e figurado da palavra, e pouco depois com a indicação "qualquer que seja a distância".

49. Pode-se comparar essa breve notação sobre os contrastes com as obras e os textos contemporâneos de R. Delaunay, que tratam do "contraste simultâneo". Ambos, aliás, se apóiam explicitamente nas teorias de Seurat e de Signac sobre o assunto: cf. Kandinsky, aqui mesmo, p. 78, e R. Delaunay, *Du cubisme à l'art abstrait*, Paris, 1957 — por exemplo pp. 188 ss., 116 ss. (por outro lado, afastamo-nos totalmente da apresentação de P. Francastel, pelo menos no tocante às passagens polêmicas em relação a Kandinsky, em particular p. 20). Ver também o longo desenvolvimento de *Do espiritual* sobre os dois pares de contrastes: quente/frio, branco/preto de um lado (contrastes "de caráter interior enquanto ação psíquica") e vermelho/verde, alaranjado/violeta (contrastes "de caráter físico enquanto cores complementares"), resumidos nos Quadros I e II do capítulo VI (Linguagem das formas e das cores).

50. Essa importante passagem deve ser comparada em primeiro lugar com um texto de *Ponto — linha — plano* (publicado em 1926, mas que Kandinsky considera como o "desenvolvimento orgânico" de seu livro *Do espiritual na arte*, publicado em 1912). Em sua análise do ponto, Kandinsky aborda a questão de seu valor temporal: "A estabilidade do ponto, sua recusa a mover-se no plano ou além do plano, reduzem ao mínimo o tempo necessário à sua percepção, de modo que o elemento tempo é quase excluído do ponto, o que o torna, em certos casos, indispensável à composição. Ele corresponde à breve percussão do tambor ou do triângulo na música, aos golpes secos do pica-pau na natureza." E Kandinsky desenvolve mais genericamente: "O problema do tempo na pintura é autônomo e complexo. Faz somente alguns anos que também aí se começava a demolir um muro [em nota: "Os primeiros esforços nessa direção datam do ano de 1920, por exemplo na Academia Russa de Estética, em Moscou"]. Esse muro separava até então dois domínios da arte: a pintura e a música. A distinção aparentemente clara e justificada: Pintura — Espaço (Plano) / Música — Tempo tornou-se subitamente discutível por um exame mais aprofundado (embora ainda superficial) — e isso em primeiro lugar para os pintores [em nota: "Por minha passagem definitiva à arte abstrata, encontrei a evidência do elemento tempo na pintura e utilizei-a em seguida na prática"]. O fato de ignorar-se geralmente, ainda hoje, o elemento tempo na pintura mostra bem a leviandade das teorias dominantes, longe de qualquer base científica" (*Écrits complets*, tomo II, pp. 70-71, trad. de S. e J. Leppien).

A comparação dos dois textos (e o segundo esclarece o que pode haver de um pouco elíptico no de *Olhar*) permite especificar vários pontos:

1) O texto de *Ponto — linha — plano* deve ser interpretado em função dos trabalhos efetuados na Rússia por diversos membros da vanguarda russa, como o indica claramente, aliás, a primeira nota de Kandinsky. A data fornecida permite inclusive citar o *Manifesto realista* de Gabo, publicado em 1920: "Proclamamos: para nós o espaço e o tempo nasceram hoje [...] A realização de nossas percepções do mundo

sob as espécies do espaço e do tempo, tal é a meta de nossa criação plástica [...] Proclamamos nas artes plásticas um elemento novo: os ritmos cinéticos, formas essenciais de nossa percepção do tempo real." E essas declarações devem ser relacionadas com as primeiras realizações cinéticas de Gabo, como a *Construção cinética* de 1920 (vareta metálica vibrando por meio de um motor) (cf. *Naum Gabo*, Neuchâtel, 1961, fig. 15 e p. 154). Mas, ao lado dessa descoberta do tempo como "categoria pura" da percepção (o "real" segundo Gabo), existem também pesquisas sobre o tempo na "arte" inspiradas pelo materialismo dialético, como o mostra em particular, de Tátlin, a *Torre para a III Internacional* (maqueta de 1919-1920; cf. catálogo da Exposição Tátlin, Estocolmo, 1968), onde volumes, materiais, espaço e tempo guardam entre si uma relação dialética: o manifesto produtivista de Tátlin e de seus amigos veio, aliás, opor-se violentamente ao manifesto realista de Gabo (sobre esses diferentes pontos, e notadamente sobre a questão do tempo como ponto crucial da "crise da realidade" em 1920-1922 na vanguarda russa, ver a 5.ª parte de nossa exposição sobre *Le Cubisme et l'avant-garde russe*, em *Le Cubisme*, Saint-Étienne, 1973). É em relação a esses conflitos quase sempre muito agudos, e que ele conheceu pessoalmente, que se deve situar a posição de Kandinsky em *Ponto — linha — plano*.

2) Nestas condições, percebe-se melhor como esse segundo texto só faz retomar, para confirmá-las, as idéias expressas em 1912-1913, desta feita opondo-as tacitamente às de Gabo ou Tátlin. Ao mesmo tempo, a constante neo-romântica, ou antes, neo-simbolista, das duas tomadas de posição aparece melhor, a despeito das afirmações de "cientificidade" da segunda (a variante russa do texto de *Olhar* é a este respeito muito característica): trata-se, em suma, de "retomar à música o seu bem" permanecendo no domínio da percepção subjetiva e recusando tanto o "real" de Gabo quanto à realidade "verdadeira" de Tátlin. O texto de *Olhar* tem aqui o mérito de enfatizar fortemente os elementos subjetivos dessa percepção do tempo (duração).

3) É entre essas duas posições extremas que se poderá situar os textos dos cubistas ou de seus comentadores na, nesmo momento que *Olhar* ou pouco antes, colocam a questão do tempo na pintura. Este é um dos aspectos da "quarta dimensão", de que Apollinaire dá em 1913 um eco tardio e algo confuso (*Les peintres cubistes*, reed. Hermann, Paris, 1965, p. 52 e comentário pp. 102-106), e que remonta a 1910-1911; R. Allard: "Uma arte que oferece os elementos essenciais de uma síntese situada na duração" (1910); J. Metzinger: "O quadro possuía o espaço, ei-lo que reina também na duração" (1911); A. Gleizes: "Ao espaço ele juntará a duração" (1911). Essa duração cubista é, porém, muito menos bergsoniana ou proustiana do que positivista e cientificista: esses pintores, unidos por uma disciplina exemplar [...], permitiram-se girar em torno do objeto para dar dele, *sob o controle da inteligência*, uma representação *concreta* feita de vários aspectos *sucessivos*" (Metzinger, *Cubisme et Tradition*, Paris-Journal, 16 de agosto de 1911, reproduzido em Edward Fry, *Le Cubisme*, Bruxelas, 1968, pp. 66-67; grifos nossos).

Mesmo sem recorrer ao tempo (velocidade — movimento) dos futuristas italianos (manifestos de 1909-1910), vê-se portanto que, longe de dar provas de originalidade ao mencionar, em *Olhar*, a "utilização do tempo" na pintura, Kandinsky comparte aqui as preocupações de seus contemporâneos. O que é original, em compensação, e que merece toda atenção, é sua recusa de qualquer solução "moderna", ou "modernista", para o problema que acaba de colocar-se abertamente para toda a pintura européia de vanguarda, e seu recurso a uma experiência pessoal e subjetiva da duração, vivida *outrora* e rememorada pela *lembrança*: isso equivale a responder à questão do tempo pelo próprio tempo, posição intacável no plano em que ela escolheu situar-se. A questão do tempo, capital nas artes plásticas entre 1910 e 1914, foi abordada rapidamente por P. Francastel, *L'expérience figurative et le temps*, em *XXe siècle*, n.º 5, junho de 1955, pp. 41-48.

51. A imprecisão das datas (quadros de 1901-1903 segundo a versão alemã, de 1903-1906 segundo a versão russa) torna difícil a identificação desses "três ou quatro" quadros, supondo-se que tenham sido conservados. Pode-se pensar em obras como *O Cavaleiro Azul*, 1903 (coleção Bührle, Zurique, catálogo Grohmann nº 18), cujos empastamentos podem lembrar a técnica de Rembrandt. Grohmann aproxima esse quadro dos Monet de 1873, o que nos parece menos pertinente, mas nota com razão, em todo caso, que ele é "um pouco isolado na seqüência dos projetos de Kandinsky" (*op. cit.*, p. 51): isso poderia ser a confirmação da identificação aqui proposta (cf. também nota 94 *in fine*).

52. Essa indicação questiona a afirmação corrente segundo a qual o texto de *Do espiritual* reflete unicamente as posições de Kandinsky em 1909-1910. Ele próprio, aliás, fornecia indicações ligeiramente diversas no primeiro prefácio de *Do espiritual* ao falar de "observações e experiências interiores acumuladas pouco a pouco ao longo dos últimos cinco ou seis anos".

53. A expressão alemã é um pouco surpreendente: o texto russo apresenta provavelmente o sentido desejado desde o princípio.

54. A versão russa permite precisar: "angustiante" em vez de simplesmente "inquietante" (*unheimlich*).

55. "*das Verstecke, die Zeit und das Unheimliche*". A predileção de Kandinsky pelo "oculto", pelo secreto, pelo misterioso manifestou-se diversas vezes em sua vida e em seus escritos: "Falar do secreto por meio do secreto é uma máxima decisiva e que data da juventude do pintor", lembra Grohmann (*op. cit.*, p. 10), que cita outras declarações significativas: "Detesto que os outros vejam o que sinto realmente" (a Gabriele Münter, *ibid.*, p. 32). A aproximação do "oculto" e do "angustiante" que se faz aqui é um elemento determinante para uma abordagem analítica da personalidade de Kandinsky. Ver ainda o prefácio do catálogo da última exposição da *Neue Künstleervereinigung München*, datado de Murnau, agosto de 1910, que seria preciso citar integralmente: "Numa determinada hora, de uma fonte que nos permanece oculta ainda hoje, mas inelutavelmente, a obra vem à luz [...] Almas sofredoras, inquiridoras, atormentadas, trazendo a profunda ferida que nelas deixa o choque do espírito em contato com a matéria [...] A linguagem do que é secreto pelo que é secreto" (citado em Grohmann 1958, p. 64).

56. Sobre Schwabing, cf. p. 71, a nota 9 e p. 95. Kandinsky repertoriou seus estudos a óleo numa seção particular de seu catálogo (108 números): o nome de Schwabing é aí mencionado diversas vezes, mas a ausência de indicações precisas torna difícil a identificação das obras (cf. Grohmann 1958, pp. 343-344). Sobre suas atividades em Schwabing e a importância desse bairro na vida artística muniquense e alemã em geral, ver em primeiro lugar o testemunho do próprio Kandinsky, *Der Blaue Reiter: Rückblick* em *Das Kunstblatt*, nº 14, fevereiro de 1930, pp. 57-60: "O Schwabing tão ruidoso e tão pouco tranqüilo de então tornou-se hoje calmo [...] Pior para a bela Munique e pior ainda para o Schwabing um pouco cômico, bastante excêntrico e muito consciente de si mesmo, em cujas ruas um homem ou uma mulher sem paleta, sem tela ou no mínimo sem pasta longe chamaria a atenção [...] Todo mundo pintava — ou fazia versos, música, ou começava a dançar. Em cada imóvel encontravamse pelo menos dois ateliês no sótão, onde por vezes não se pintava precisamente, mas discutia-se muito, brigava-se, filosofava-se e bebia-se conscienciosamente (o que de-

pendia mais do estado da bolsa que da moral). 'Que é Schwabing?', perguntava um dia um berlinense em Munique. 'É o bairro norte da cidade', diz um muniquense. 'Nada disso', diz outro, 'é um lugar espiritual.' O que era verdade. Schwabing era uma ilha espiritual no vasto mundo, na Alemanha, a maior parte do tempo na própria Munique. Ali vivi por muito tempo. Ali pintei o primeiro quadro abstrato [*abstrakte*]. Ali alimentei meus pensamentos sobre a pintura 'pura', a arte pura. Tentava proceder analiticamente, descobrir relações sintéticas, sonhava com a futura 'grande síntese' e era impelido a partilhar meus pensamentos não só com a ilha que me cercava mas também com os homens que se achavam fora dessa ilha..." (citado novamente em Röthel 1966, pp. 138-139).

57. Sobre o sentido da palavra "composição", ver o capítulo conclusivo de *Do espiritual*. Para lá do sentido corrente do termo, que já o "transtornava", Kandinsky foi levado, em razão do próprio transtorno e da emoção de que ele fala, a dar-lhe um sentido mais restrito e mais elevado. Seus quadros pertencem então (1910) a "três gêneros distintos:

1) Impressão direta da 'Natureza Exterior', sob uma forma desenhada e pintada. Chamei a esses quadros *Impressões*.

2) Expressões, em parte inconscientes e com freqüência formadas repentinamente, de acontecimentos de caráter íntimo, portanto impressões da 'Natureza Interior'. Chamo-lhes *Improvisações*.

3) Impressões que se formam de maneira semelhante mas que, lentamente elaboradas, foram retomadas, examinadas e longamente trabalhadas a partir dos primeiros esboços, de forma quase pedante. Chamo-lhes *Composições*. A inteligência, o consciente, e intenção lúcida, o objetivo preciso desempenham aqui um papel capital; mas o que prevalece não é o cálculo, é sempre a intuição" (*Do espiritual*, reed., 1971, pp. 182-83). Kandinsky começou a pintar "Composições" em 1910, data para a qual remete, portanto, o "mais tarde". Ao todo pintou apenas 10 quadros com esse título: 3 em 1910, 2 em 1911, 2 em 1913, 1 em 1923, 1 em 1936 e 1 em 1939 (encontrar-se-ão suas reproduções reunidas, sob uma forma cômoda, em Max Bill, *Wassily Kandinsky*, Paris, 1951, pp. 124-134). O texto de *Olhar* deve, pois, ser lido em função das 7 "Composições" então executadas ou em andamento. O importante acréscimo da versão russa especifica as condições dessa passagem da expressão "em parte inconsciente e com freqüência formada repentinamente, de acontecimentos de caráter interior", à *Composição* "lentamente elaborada": *Composição II* (1910, 200 x 275, outrora em Berlim, catálogo Grohmann nº 98, que não se deve confundir com o estudo do Solomon Guggenheim de Nova York) se enriquece assim com as visões sucessivas da *Chegada dos mercadores* (*Ankunft der Kaufleute*, 1905, 90 x 135, cat. Grohmann nº 4) e da *Vida variegada* (*Buntesleben*, 1907, 145 x 160, cat. Grohmann nº 46, hoje no Museu de Haia). A relação não se evidencia à primeira vista e a maioria dos críticos, entre eles Grohmann, omitiram assinalá-lo, provavelmente por ignorância da versão russa de *Olhar*. Isso é ainda mais revelador: sobre o processo de elaboração da Composição em primeiro lugar, e sua duração excepcional que sublinha mais que nunca a continuidade que preside ao trabalho de Kandinsky; sobre a significação de *Composição II* em seguida, cujas aparências tumultuosas e "improvisadas" resultam portanto, ao contrário, do aprofundamento, ao longo dos anos, da "visão" inicial: nada poderia mostrar melhor a importância predominante da prática e a importância, deveras relativa, da ideologia e das "teorias".

58. Os termos da versão russa aludem à decomposição das cores pelo prisma.

59. Obras do pintor francês Eugène Carrière (1849-1906) tinham sido apresentadas em Munique quando da exposição da *Secessão* de 1905. Quatro quadros de Carrière figuravam também nas coleções de Chtchukin em Moscou (cf. nota 37). Sua prática sistemática do *camaïeu* castanho-ocre era evidentemente o oposto das pesquisas de Kandinsky sobre a cor. Este parece ter conservado por mais tempo sua admiração por Whistler (1834-1903), a crermos numa carta a Grohmann em que ele escreve, a propósito de um espetáculo de bruma, que "Whistler não conseguiu pintar nada de semelhante e Monet também" (1925, citado em Grohmann 1958, p. 199).

60. Entenda-se: qualquer que seja a opinião dos críticos de arte que a opinião pública contribuiu para formar.

61. Os ataques da crítica alemã contra Kandinsky começaram no momento das primeiras exposições da *Neue Künstlervereinigung München* (N.K.V.) (dezembro de 1909; depois, setembro de 1910). Kandinsky fez eco às reações hostis suscitadas por essas exposições em suas "Cartas de Munique", escritas para a revista russa *Apolo* (1910). A resenha publicada no *Münchner Neuesten Nachrichten* de 10 de setembro de 1910 dá o tom: "Para explicar essa oposição absurda, há duas possibilidades: é preciso admitir ou que a maioria dos membros e dos convidados da associação é incuravelmente demente, ou que se está diante de infames enganadores que não ignoram a sede de sensações dessa época e que tentam tirar proveito das circunstâncias. De minha parte, inclino-me para este último ponto de vista, apesar das garantias contrárias e sagradas, mas quero, por bondade, aceitar o primeiro" (citado em H. K. Röthel, *Der Blaue Reiter*, Munique, 1966, p. 38). Após a crise interna da N. K. V. e sua demissão (fim de 1911), Kandinsky é mais diretamente visado pela crítica, que oscila geralmente entre o ceticismo irônico e a injúria violenta. Como exemplo do primeiro pode-se citar a resenha de uma exposição coletiva organizada em Berlim por Herwarth Walden, diretor da revista *Der Sturm*, publicada em *Die Kunst*, revista mensal muniquense de tendência moderada ("pela arte livre e engajada"): essa exposição "é uma tentativa na qual há mais boa vontade que sucesso [...] vêem-se nela as fantasias de tapeceiro de Wassily Kandinsky, cujo sentido não gostaríamos de precisar aprofundar com a ajuda do programa teosófico do pintor..." (*Die Kunst*, 1912, pp. 361-362). Quanto às injúrias violentas, elas culminam na revista muniquense *Der Zwiebelfisch* em 1912 e num artigo do *Hamburger Fremdenblatt* publicado por ocasião de uma pequena exposição na galeria de Bock em Hamburgo, em janeiro de 1913, e assinada por certo Kurt Küchler. Na primeira, Kandinsky é tratado de "fracassado", de "diletante", de "intelectual maluco" cuja doutrina é "oca e vazia" (citado por C. Giedion-Welcker, em *W. Kandinsky*, apresentado por Max Bill, Paris, 1951, p. 103). No segundo ele é qualificado de "infeliz monômano" e sua pintura de "pseudo-arte"; fala-se também, ali, da "arrogância com que o Sr. Kandinsky reivindica que se leve a sério seus mamarrachos (*Pfuscherei*)", de seu "atrevimento antipático", etc. Este último ataque devia suscitar uma vigorosa resposta da revista *Der Sturm*. Cartas de apoio foram recolhidas e uma petição, "Für Kandinsky, Protest", foi publicada em março de 1913: era subscrita por vários nomes conhecidos nos meios artísticos europeus, em particular Hans Arp, Apollinaire, Delaunay, Gleizes, Klee, Léger, Franz Marc, Marinetti, Schönberg, Cendrars... (mas um único testemunho de simpatia vinha da Rússia, o de Alexandre Smirnov, professor da Universidade de São Petersburgo; *op. cit.*, n.º 150-151, p. 279, e continuação da petição no n.º 152-153, p. 288). Entre as cartas de apoio, a do diretor-adjunto do Museu de Amsterdam, W. Steenhoff, que publicara um ensaio sobre Kandinsky em *De Amsterdammer Weekblad voor Nederland*, fazia eco às polêmicas suscitadas na Holanda pela obra de Kandinsky: "Informo que Albert Verwey, um dos princi-

pais escritores holandeses, publicou um poema sobre Kandinsky no semanário 'de Beweging'. Também aqui Kandinsky foi violentamente atacado pelos críticos." *Olhar* devia sair alguns meses depois, no fim de outubro: a publicação desse poema no início do Álbum reveste-se assim de todo o seu sentido (cf. também nota 2). Vê-se, pois, que, no momento em que denuncia assim a crítica, Kandinsky se beneficiava de sólidos apoios contra os ataques daquela. Contudo, mesmo fora da vanguarda e mesmo em Munique, encontram-se na imprensa alguns testemunhos de simpatia ou pelo menos de atenção benévola. Para citar uma revista "moderada" como *Die Kunst*, acima mencionada, que, no entanto, só reproduz obras das diferentes *Secessões* ou de pintores ligados às principais correntes do fim do século XIX, Kandinsky é mencionado pelo menos duas vezes de maneira bastante favorável no final de 1912: numa resenha de Curt Glaser sobre sua exposição de Frankfurt ("a pintura absoluta [...] não poderia ser senão a pintura mais abstrata, por assim dizer um caso-limite da arte. Kandinsky demonstrou a possibilidade de tal arte, teórica [...] e praticamente..."; *op. cit.*, p. 434), e num artigo de Hans Tietze sobre o *Blaue Reiter* (*ibid.* p. 549).

No exterior, conhecem-se as tomadas de posição de Verwey na Holanda e, em menor grau, de Apollinaire na França. É na Rússia, finalmente, que a acolhida parece ser a mais fria. Kandinsky, aliás, o indica claramente e o precisa ainda mais na versão russa de seu texto. Aqui ele se choca, com efeito, tanto com os ataques dos pintores mais tradicionais como com os das novas vanguardas, que desde 1910-1911 defendem ferozmente a independência e a originalidade dos pintores que trabalham na Rússia, no exato momento, porém, em que estes se mostram mais atentos às experiências estrangeiras. Para a primeira categoria, pode-se destacar a maneira pela qual o pintor Igor Grabar, que conhecera Kandinsky em Munique, o evoca em suas memórias: "A infelicidade de Kandinsky era que todas as suas 'elucubrações' vinham do cérebro e não do sentimento, do raciocínio e não do talento. Em tudo o que faz ele é um cerebral típico e *feiner Konditor*, como dizem os alemães" (*Minha vida*, 1937, citado em Marcadé, 1971, p. 144). A vanguarda utiliza para fins opostos a mesma acusação de germanismo: Larionov e Gontcharova falam da "decadência de Munique" (C. Gray, 1962, reed., 1971, p. 122) e as relações de Kandinsky com a ala esquerda do movimento serão cada vez mais difíceis (cf. Introdução, pp. 23 ss.). A acolhida da versão russa de *Olhar* devia, aliás, justificar as observações amargas de Kandinsky: foi uma ocasião para acusar o pintor de "falta de espontaneidade" ou de criticar seus trabalhos por "não exprimirem suas teorias sobre a pintura abstrata de forma convincente" (P. Ettinger, em *Khudojestvennaia jizn* n? 2, 1919, p. 49, citado por T. Andersen 1966, p. 108, nota 1; em 1912, P. Egginter apresentava ao público muniquense o artista Boris Kustodiev (1878-1927), pintor folclorizante oriundo do *Mundo da Arte* e mais tarde ligado às tendências mais conservadoras do novo regime, como um representante típico da arte russa, precisamente em *Die Kunst, op. cit.*, pp. 305-309). Este breve panorama crítico justifica pois, em parte, as linhas que Kandinsky consagra aqui à crítica de arte. No entanto, ele nos leva a sublinhar que no exato momento em que as escreve o artista está se tornando um dos mais divulgados na Alemanha, um dos mais expostos (nunca o foi tanto), um dos mais apaixonadamente comentados (cf. Introdução, pp. 6-7). Essa glória nascente pode contribuir para explicar o seu "sangue frio".

62. A província e a cidade de Vologda estão situadas cerca de 480 km ao norte de Moscou. O Sukhonia corre mais ao norte, de oeste para leste.

Ao longo dessa viagem, Kandinsky tomou notas e fez alguns esboços numa agenda que foi conservada: ver em Grohmann 1958, p. 20, fig. 8, um desenho, datado de 2 (14) de fevereiro de 1889, que representa uma paisagem semelhante à que é descrita aqui.

Sobre as razões da viagem de Kandinsky e o relatório que ele precisava fazer, cf. p. 81.

63. A *tulup* é uma espécie de peliça.

64. Os zemstvos datam das reformas de Alexandre II (de 1859 a 1864): são assembléias locais eleitas que contrabalançam um pouco o poder da administração central e podem ter uma ação eficaz nos domínios da agricultura, da educação e da assistência pública.

65. O texto não é muito claro: parece que "a Rússia futura" se rejubila em ver indivíduos trabalharem assim para sua salvaguarda, com abnegação, cada qual em seu domínio próprio ("complexidade variegada"). A fragmentação do trabalho e seu alcance prátido reduzido contam menos, aos olhos de Kandinsky, que o valor moral "interior" de sua ação, o que está totalmente de acordo com o que ficou dito mais acima a propósito da forma "interior" do direito dos camponeses (cf. p. 76, nota de Kandinsky), mas que assume na Rússia de 1918 uma ressonância muito particular.

66. Trata-se do banco de madeira que corre ao longo da isbá e sobre a qual a pessoa se deita. Cf. B. H. Kerblay, *L'isba d'hier et d'aujourd'hui*, Lausanne, 1973.

67. Espécies de estampas sobre casca de bétula, representando em particular os heróis de que se trata em seguida, isto é, os "bravos" dos cantos populares épicos russos (*byliny*).

68. Aquele para onde se conduzem os hóspedes para honrá-los (canto oposto ao fogão): cf. por ex. Tolstói, *Guerre et paix*, livro III, 3.ª parte, cap. 4 (ed. Pléiade, p. 1080).

69. O Kremlin é na realidade uma colegiada (isto é, uma igreja de maior importância que as outras) e não uma catedral (sede do bispado).

70. Alta planta herbácea com a qual se fabrica um substituto do chá.

71. Mais precisamente: espécie de pequena arca para a louça.

72. Poder-se-á comparar essa intenção à dos futuristas italianos decorrente de móbeis totalmente diferentes: "Nossa necessidade crescente de verdade já não pode contentar-se com a Forma e a Cor tal como elas foram compreendidas até aqui [...] Nossos corpos entram nos canapés sobre os quais no sentamos, e os canapés entram em nós [...] Os pintores sempre nos mostraram os objetos e as pessoas colocadas à nossa frente. Doravante colocaremos o espectador no centro do quadro" (*Manifesto dos pintores futuristas*, 11 de abril de 1910). A agitação totalmente exterior e os movimentos violentos e caóticos dos futuristas italianos são os antípodas da busca da "duração" interior em Kandinsky. E sabe-se de seus severos julgamentos a respeito da pintura deles: "... os futuristas jogam com as idéias mais importantes que formulam aqui e acolá", "a leviandade e a pressa são hoje as características de muito artista radical; é nisso que os futuristas [...] estragaram o lado bom de suas idéias" (cartas a Walden, novembro de 1913, reproduzidas aqui pp. 170-1). As duas buscas correspondem porém à mesma vontade de suplantar o quadro-superfície,

objeto de contemplação "exterior": indício de uma crise de época, que ultrapassa largamente as individualidades.

73. Este ponto fora amplamente desenvolvido no final do capítulo VII de *Do espiritual*: entre os dois "perigos" que ele assinalava no caminho que conduz à pintura, Kandinsky incluía "o emprego inteiramente abstrato, totalmente emancipado, da cor numa forma 'geométrica' (perigo de degenerescência em arte ornamental exterior)" (reed. 1971, p. 162).

74. Cf. nota 3.

75. É o caso notadamente de *Velha cidade*, particularmente característica (cf. nota 17).

76. Pela expressão alemã "desenhos em cores" (*farbige Zeichnungen*) Kandinsky entende, na verdade, como o indica claramente a versão russa, pinturas "a têmpera" (a água); ele próprio fez uma lista delas, independente das pinturas a óleo: esse catálogo compreende 132 obras, datadas dos anos 1901 a 1907 (cf. Grohmann 1958, pp. 344, 345 e 347 para o suplemento). Entre essas obras conta-se com efeito certo número de temas holandeses ou tunisianos (n.º 54, 55, 59, 67, 68, 69, 70 para a Holanda, 71 e seguintes para a Tunísia): Kandinsky fizera uma viagem à Holanda e depois a Túnis (dezembro de 1904-abril de 1905) após a dissolução do grupo *Phalanx* em Munique (1904). Algumas dessas obras eram reproduzidas, antes de *Olhar* no Álbum Kandinsky de 1913: é o caso, por exemplo, de *Fête de Muton* (sic: fête des moutons [festa dos carneiros]), conservado no Museu Guggenheim em Nova York (catálogo das têmperas n.º 88).

77. Arnold Böcklin (1827-1901), pintor suíço cujas mitologias simbólicas e variegadas sempre suscitaram muitas reservas na França, mas cuja influência foi considerável em toda a Europa Central do fim do século XIX. Kandinsky citava-o juntamente com Stuck, no final do capítulo III de *Do espiritual*, como um dos "mais característicos entre os pesquisadores em busca de domínios imateriais", aquele que "escolheu o domínio da mitologia e da lenda mas revestiu suas figuras abstratas de formas materiais fortemente pronunciadas"... onde, com efeito, hoje seríamos tentados a reconhecer esse peso de "carregador". Mas Böcklin era, então, muito estimado em Munique. E um pintor latino como Chirico foi fortemente marcado por sua obra quando de seus estudos nessa cidade: "Eu mal completara dezessete anos e no entanto já compreendera — e tanto quanto as compreendo hoje — a profundidade e a metafísica das obras de Böcklin, Klinger, Segantini, Previati..." (*Mémoires*, trad. fr., Paris, 1962, p. 57). Cf. ultimamente o catálogo da Exposição Böcklin, Londres, Hayward Gallery, 1971.

78. Entenda-se: sobre a paleta. Para a análise dessa passagem, cf. Introdução, pp. 40 ss. Poder-se-á comparar essa evocação com os severos preceitos de um "técnico" contemporâneo, em que, aliás, é pouco provável se faça diretamente alusão ao texto de Kandinsky: "Convém opor-se com a maior energia à atitude absurda de certos pintores que se gabam de jamais limpar a paleta: quanto mais suja está sua paleta, mais eles a acham 'inspiradora'. Que uma paleta suja, ou, se se prefere, patinada, possa ter seu encanto no plano da poesia pura, quem pensaria em contestar? Mas, do ponto de vista que aqui nos interessa, a paleta nada mais representa que um instrumento de trabalho; nesta qualidade, ela deve estar rigorosamente limpa no come-

ço de cada sessão de trabalho" (Xavier de Langlais, *La technique de la peinture à l'huile*, Paris, 1959, p. 393). O fato é que, apesar de tudo, Kandinsky era pintor...

79. O texto alemão é ambíguo (traduzimos literalmente): ele poderia fazer crer que se trata de uma "experiência química" que se "ouve" no laboratório de um alquimista; mas então seria de esperar *Erfahrung*, e não *Erlebnis*. Na verdade, o texto russo permite compreender que se trata de "fazer a experiência de ouvir" e o sentido completo é, pois: "era algo de semelhante ao que se pode experimentar ouvindo..."

80. As versões alemã e russa parecem dar aqui sentidos opostos que, não obstante, em cada uma das línguas, são indiscutíveis. Para compreender a versão alemã, deve-se considerar que este último membro da frase ("deixando de ver...") se refere ao que o precede imediatamente ("a não prestar atenção nela..."), enquanto a versão russa exige que ele se ligue ao verbo principal ("aprendi a..."). Ou Kandinsky cometeu um erro, em alemão, quanto ao sentido da conjunção *statt* (em vez de), o que é pouco provável, ou modificou o texto alemão por considerá-lo pouco claro. Como quer que seja, o sentido geral não parece contestável: aprender a ver, não o branco da tela, mas as cores que a cobrirão (russo), salvo em breves momentos, quando se deixa de "ver" essas cores (alemão) para controlar as relações com o branco (alemão).

81. Nova obscuridade, agravada desta vez pela confrontação das duas versões. Talvez se deva entender, julgando-se o texto russo mais preciso e mais satisfatório: aprender a ver ora a brancura, ora as cores.

82. Em russo, obra se diz: *proizviedenie*.

83. Um dos temas centrais das teorias de Kandinsky: encontramo-lo formulado, em forma semelhante, já em seu importante artigo teórico, *O conteúdo e a forma* (*Sodierjanie i forma*), publicado no catálogo do segundo Salão de Arte Internacional de Vladimir Izdebski (1910-1911): "A forma é a expressão material do conteúdo abstrato... Uma obra é bela quando sua forma exterior corresponde absolutamente ao conteúdo interior..." (citado por Camilla Gray em apêndice à primeira edição de seu livro *The Great Experiment: Russian Art 1863-1922*, Londres, 1962, ed. fr., pp. 269-270). Nesse artigo, que representa uma primeira versão de *A pintura enquanto arte pura* (publicado antes de *Olhar*, em setembro de 1913), encontramos o mesmo encadeamento com o segundo tema fundamental: o princípio da necessidade interior (*vnutrienniaia nieobkhodimost*, em alemão *innere Notwendigkeit*), "em sua essência a única lei imutável da arte". Temos aqui o exemplo dessa junção "espontânea" das idéias de que fala Kandinsky pouco mais acima, a propósito de *Do espiritual* (onde os mesmos temas são abundantemente desenvolvidos).

84. Este último membro da frase se refere ao que precede imediatamente: essas obras são muito semelhantes às suas, "como se me fossem aparentadas pelo espírito", o que elas não são na realidade. Por "arte realista" pode-se entender, de uma maneira geral, a arte figurativa tradicional, mas cumpre lembrar que, no fim do capítulo VII de *Do espiritual*, Kandinsky qualificava como "realistas" os dois "perigos" "de esquerda" no caminho da pintura: "à esquerda, o emprego mais realista, mais entravado pelas formas exteriores, da cor numa forma corporal (perigo da vulgaridade para a arte "fantástica") ..." e, ainda mais à esquerda, "o realismo puro" (isto é, um 'fantástico' mais notório, um 'fantástico' feito da matéria mais dura)". Essas observações da versão russa têm muito provavelmente por alvo os outros artis-

tas "abstratos" da vanguarda russa (ver a Introdução); mas poderiam aplicar-se já a alguns dos russos de Munique no momento da N. K. V. e do *Blaue Reiter*: Jawlensky, Werefkin e Bekhtieiev.

85. Essa passagem muito obscura (a palavra russa *Pomelo* vem da raiz do verbo "varrer") parece aludir às conseqüências e ao futuro imediato da Revolução de Outubro.

86. "Arte pela arte": em francês no texto.

87. *Sobre a questão da forma*, texto publicado no Almanaque *Der Blaue Reiter*.

88. Anton Azbe (1859-1905). Possuímos sobre esse pintor e seu ensino em Munique uma documentação considerável e recente, infelizmente pouco acessível ao leitor francês. A princípio negociante, estudara ele em Viena e em Munique antes de abrir nesta última cidade uma escola que se tornou particularmente célebre em razão sobretudo da personalidade de seu diretor: "Como homem, era uma das personalidades artísticas mais originais e mais conhecidas de Munique" (artigo necrológico da *Kunstchronik*, Neue Folge, tomo XVI, n.º 31, 18 de agosto de 1905, p. 506). As fotos e as caricaturas fornecem dele, com efeito, uma imagem bastante pitoresca: baixinho, de bigodes, lornhão, colarinho *cassé*, lencinho de bolso, piteira... (ver a documentação reunida por N. Zupanic, *Spomini na slikarja Antona Azbeta* (Reminiscências sobre o pintor Anton Azbe) em *Zbornik za umetnostno zgodovino* (Arquivos de História da Arte), tomo V-VI, Liubliana, 1959, pp. 603-633: fotos e caricaturas de M. Zarnik, E. Thöny e Olaf Gulbransson). Parece que ele esteve em evidência nas cervejarias e cabarés de Schwabing e Munique, onde o vemos fotografado no meio de seus alunos, notadamente no ponto de encontro dos artistas Simplicissimus (cf. Bötticher, *Simplicissimus, Künstler-Kneipe und Kathy-Kobus*, Munique, 1911). Seus aspectos pitorescos explicam em parte sua popularidade junto aos numerosos alunos que vinham freqüentar o ateliê da Georgenstrasse, 16 (rua que separava Munique do subúrbio de Schwabing), em particular os eslavos: "Os russos eram, na escola de Azbe, o elemento mais forte, quer fossem numerosos, quer não. Não tardaram a dominar tudo e arrastaram consigo o próprio Azbe..." (Ludvik Kuba, *Zaschla Paleta* (A paleta seca), Praga, 1958, p. 195, citado por V. Marcadé, 1971, p. 141). E foi efetivamente ali que Kandinsky, que se inscrevera no começo de 1897, travou conhecimento com Jawlensky e Marianne von Werefkin, que chegaram da Rússia quase no mesmo momento que ele (Grohmann 1958, p. 33). O ensino de Azbe parece ter sido particularmente aberto e liberal, mas também bastante tradicional: "Azbe considerava o estudo das leis da natureza como uma base da formação de cada pintor, negligenciando um pouco a necessidade de contar com a superfície do quadro na representação do objeto" (N. Molieva e E. Beliutine, *Chkola Azbe* (A escola de Azbe), Moscou, 1958, p. 23, citado por V. Marcadé, *ibid.*). Sua maior audácia teria sido a utilização dos toques separados, sem mistura na paleta (I. Grabar, *Moiá jizn* (Minha vida), Moscou, 1937, p. 128, segundo V. Marcadé, que não cita o texto). "Professor de numerosos artistas hoje reconhecidos, ele próprio não chegou, em virtude de sua proverbial modéstia pessoal, a alcançar uma celebridade própria. Mas sua ação, e a entrega sem reservas que ele fazia de si mesmo aos seus alunos e amigos, lhe valeram ricas bênçãos" (*Kunstchronik, op. cit.*; ver também, em último lugar, *Anton Azbe in njegova skola* [Azbe e sua influência], Liubliana, 1962).

89. Sobre essa repugnância pelo nu, ver também, na mesma época, Paul Klee na escola de pintura de Knirr: "A sala de estudos do nu causou-me uma impressão específica desse tipo de ambiente. A mulher vulgar de carnes esponjosas, seios inchados como odres e pêlos repelentes — eis o que eu precisava desenhar agora com a ponta do lápis!" (*Journal*, trad. fr., P. Klossovski, Paris, 1959, p. 24, com, p. 128, a reprodução de um estudo de nu feita no ateliê de Knirr).

90. Sobre Schwabing e esses estudos, cf. acima, p. 71 nota 9, e p. 83 e nota 56.

91. Trata-se em verdade do professor Mollier, "cujo curso de anatomia era muito apreciado por todos os artistas" (H. K. Röthel, que fez a retificação em seu livro *Kandinsky, Das graphische Werk*, Colônia, 1970, p. 436). Kandinsky fez confusão com o pintor suíço Louis Moilliet (1880-1962), que fazia parte do *Cavaleiro Azul* (e acabava de partir para a Tunísia com Klee e August Macke). Os cadernos de esboços de Kandinsky contêm estudos de nu e de anatomia, "desenhos sóbrios e conscienciosos que não vão de modo algum além do nível médio" (Grohmann 1958, p. 36).

92. Em 1925 Kandinsky precisa as razões profundas dessa reprovação num *curriculum vitae* destinado à municipalidade de Dessau: "Eu me inebriava com a natureza, procurando incansavelmente, a princípio, dar a ênfase principal e, mais tarde, toda a ênfase à cor [...] O que me parecia particularmente difícil e enigmático nessa época era o problema do desenho não-objetivo. Procurava minha salvação no lugar errado, e fui punido por isso: apresentei-me para o exame da classe de desenho e fui reprovado" (citado por Grohmann 1958, p. 34).

93. Sobre o nervosismo, cf. a nota acrescentada à versão russa, p. 89.

94. No momento em que Kandinsky escrevia essas linhas, Franz von Stuck (1863-1928) estava em plena glória. Duas monografias já lhe haviam sido dedicadas, a de Otto Julius Birbaum (1908, na coleção dos *Künstler Monographien* das edições Velhagen e Klassing) e um luxuoso álbum consagrado à sua *Obra completa* (prefácio de F. von Ostini, Munique, s.d.). Em 1912, ele ainda expunha na *Secessão* de Munique os quadros alegóricos ou mitológicos que lhe fizeram a reputação na virada do século (*Inferno*, reproduzido em *Die Kunst*, 1912, p. 489): ou seja, sua posição relativamente à vanguarda, desde o momento em que atraía a Munique alunos como Klee ou Kandinsky, mudara muito. E, com efeito, em 1912 ele é objeto de um ataque extremamente vigoroso em *Der Sturm*, precisamente no mesmo número em que Kandinsky publicava um capítulo de *Do espiritual* (n.º 106, abril de 1912, p. 14): "O guia da Alemanha artística, o líder 'consciente de seu objetivo' do gosto alemão e da estética alemã podia dar-se a esse luxo [...] ele é tudo, menos um pintor [...] Não há nada de artístico em sua pintura. Ela é falsa e enganadora como a poesia de Hugo von Hofmansthal. Classicismo? O mais triste que jamais se viu em Arnold Böcklin! [...] Desenho superficial, concepção superficial e execução violenta, decorativa, de iluminador. E nessas cores se banha a 'Scholle' dos senhores Erler, Eichler e Cia., no ideal entusiasmo de despojar Böcklin de todos os modos e por todos os modos..." Essa filípica assinada por Curt Seidel realça, ao mesmo tempo, a moderação de Kandinsky, que já em *Do espiritual* citava com indulgência "Böcklin, e Stuck, que procede dele" (fim do capítulo III). Numa importante passagem de seu *Diário*, onde aliás ele menciona o texto de Kandinsky, Klee mostrou-se mais severo: "Era de bom tom ser aluno de Stuck. Na realidade, este não era assim tão brilhante. Em vez de levar toda minha razão a ele, fui apenas com mil dores e mil preconceitos. Na cor,

progredia penosamente. E, como em meu domínio da forma a ênfase afetiva predominava fortemente, tentei pelo menos tirar o melhor partido. E, de fato, havia em Stuck muitas coisas a descobrir sob esse aspecto. Naturalmente, no domínio do colorido o defeito não era só meu. Mais tarde, Kandinsky, em sua monografia dedicada a essa escola [?; na verdade, o texto de *Olhar*], julgou-o de maneira análoga. Se esse mestre me tivesse explicado a essência da pintura, como fui capaz de fazê-lo mais tarde depois de havê-la panetrado cada vez mais, não me teria encontrado em situação tão desesperadora.'' Klee acrescenta que, apesar "desse homem que gozava de uma influência considerável'', não pôde vender as ilustrações que o mestre tivera a benevolência de achar "originais" (trad. P. Klossovski, Paris, 1959, p. 46). Como Kandinsky, Klee enfatiza portanto as qualidades de desenhista de Stuck, de quem também se conhecem surpreendentes caricaturas (cf. por exemplo *Die Kunst*, 1912, pp. 27-48). Era o que sublinhava igualmente André Germain em 1903, num dos raros estudos publicados em francês a respeito do pintor de Munique e que é também um dos mais pertinentes (e dos mais úteis, indiretamente, para o estudo das relações Stuck-Kandinsky): "Seu desenho é quase sempre de uma segurança impecável, e é um prazer ver como ele se precisa e se afirma ao passar de estudos vigorosos para os quadros acabados. Mais discutível é o seu colorido [...] o artista propende a dar-lhe uma importância exagerada e a esquecer que é antes de tudo um maravilhoso desenhista'' (*Les idées dans la peinture allemande contemporaine*, Franz Stuck e Léo Samberger, em *Le Correspondant*, 1904, p. 8; encontrar-se-ão no mesmo artigo notas interessantes sobre o simbolismo das cores, que provam, uma vez mais, como o projeto de Kandinsky em *Do espiritual* tem atrás de si uma longa tradição). Parece-nos, enfim, que Kandinsky foi muito mais sensível às idéias e mesmo ao estilo de Stuck do que se costuma admitir (Grohmann 1958, p. 46): compare-se em particular o famoso *Cavaleiro Azul* de 1903 com um quadro como a *Visão de Santo Huberto* de Stuck, datado de 1890 (*Franz von Stuck*, Gesamtwerk, Munique, s.d., p. 19).

95. Pode-se aproximar essa surpreendente comparação do que se sabe do simbolismo da noz e de sua casca para os doutores da Igreja e na iconografia da arte cristã da Idade Média: "Adam de Saint-Victor, no refeitório de seu convento, segura com uma das mãos uma noz e reflete: 'Que é uma noz', diz ele, "senão a imagem de Jesus Cristo? O envoltório verde e carnudo que a recobre é sua carne, é sua humanidade. A madeira de sua casca é a madeira em que essa carne sofreu. Mas o interior da noz, que é para o homem um alimento, constitui sua diversidade oculta'' (simbolismo que já figura em Santo Agostinho e que remonta a Orígenes; citado em E. Mâle, *L'art religieux du XIIIe siècle en France*, 1898, reed. 1958, tomo I, p. 79).

96. Kandinsky emprega a palavra *Bukett*, transcrita do francês, em lugar do alemão *Strauss* (ou ainda *Büschelfeuerwerk*, no caso de um fogo de artifício).

97. É freqüente apoiar-se nesse termo, e de maneira mais geral em toda essa passagem, para sublinhar as relações estreitas existentes entre o pensamento místico de Kandinsky e a teosofia de Rudolf Steiner (cf. Grohmann 1958, p. 84, e em todo lugar o estudo muito aprofundado de S. Ringbom, *Art in the Epoch of the Great Spiritual, Occult Elements in the Early Theory of Abstract Painting*, em *Journal of the Warburg and Courtauld Institute*, tomo 54 (1966), pp. 386-418). A relação é incontestável, e aliás Kandinsky não escondeu o seu interesse pelas idéias de Steiner, estendendo-se longamente, no terceiro capítulo de *Do espiritual*, sobre "o grande movimento espiritual de que a 'Sociedade de Teosofia' é hoje a forma visível''. O estabelecimento de uma relação de "filiação'' parece-nos todavia extremamente discutível em seu próprio projeto (cf. Introdução, p. 48). Grohmann observou justa-

mente que o interesse que Kandinsky dedicava a esses problemas "diminui à proporção que ele vai fazendo uma idéia mais clara do concurso do racional na arte" (*op. cit.*, p. 84). Mesmo que ela possa ser suscitada por causas totalmente exteriores, a supressão dessa passagem na versão russa orienta-se nesse sentido (ver a supressão da mesma expressão mais adiante, p. 102). Sem que se trate de voltar mais uma vez a essa questão aqui, poder-se-á medir o fosso que separa a prática de Kandinsky da de Steiner (que se interessou diretamente pela arte) consultando um dos textos do teósofo mais próximos dos de Kandinsky nessa data: *Rumo a um estilo novo na arquitetura* (*Wege zu einem neuen Baustil*), conjunto de conferências pronunciadas em junho e julho de 1914 no momento da construção do Goetheaneum de Dornach. Embora de "tonalidade" vizinha, os textos de Steiner permanecem num nível de generalidade e, mesmo, então, de banalidade extremamente superficial: "Sem imitar a natureza, a arte abebera-se na mesma fonte [...] Temos com a cor um vínculo espiritual [...] Chegar a esse gênero de realidades será portanto a tarefa e o privilégio dos artistas do futuro [...] Missão sagrada da ciência espiritual", etc. (R. Steiner, *Vers un style nouveau en architecture*, em *Triades*, suplemento do n.º 28, primavera de 1969, *passim*.).

98. Essa nota deu matéria a um dos raros textos redigidos por Kandinsky entre 1914 e 1918, publicado em Estocolmo em 1916: *Om Konstnärem* (Estocolmo, Gummesons Konsthandels Förlag, 1916, reproduzido no catálogo da Exposição Kandinsky, Estocolmo, Moderna Museet, abril-maio de 1965). Grohmann forneceu um resumo desse texto (assim como de uma parte não-publicada): o artista-virtuose é o homem das sugestões exteriores, o ser receptivo que "populariza o sonho do original... O artista criador, em compensação, vem ao mundo com o sonho que ele traz em sua alma" (*op. cit.*, p. 166).

99. Sem embargo do que parecem exigir o sentido e a ordem das palavras, esse membro da frase se refere gramaticalmente à "alma puramente russa", e não ao direito popular.

100. Isto é, como um móvel oscilante (seqüência de imagens evocada mais acima.

101. Kandinsky ali voltara várias vezes: em 1903, 1904, 1905, 1910, 1912. E ali retornará em 1914. A cidade conhecera uma atividade artística considerável com os dois Salões de Arte Internacional organizados em 1909-1910 e depois em 1910-1911 por Vladimir Izdebski, que também fazia parte dos "russos de Munique". Kandinsky participou das duas exposições, com dez obras na primeira e mais de cinqüenta na segunda (cf. V. Marcadé 1971, pp. 147-148, 300 e 311). Foi para esse segundo Salão que ele escreveu seu primeiro artigo teórico importante, *O conteúdo e a forma* (cf. nota 83).

102. Alusão ao final do III ato da peça, em que três irmãs exprimem sua saudade da capital repetindo: "Vamos para lá! Vamos para lá!"

103. A expressão, tradicional, remonta à Idade Média: cf. por ex. Tolstói, *Guerre et paix*, livro II, 5.ª parte, cap. I (ed. Pléiade, p. 700). Um dos primeiros desenhos conservados de Kandinsky representa a igreja da Natividade da Virgem em Moscou (1886; reproduzido em Grohmann 1958, p. 15).

104. Cf. seu retrato pintado na Itália e sua fotografia, em 1869, em Grohmann 1958, pp. 18 e 19 (a fotografia está igualmente reproduzida em *XXe siècle*, 1966, p.

83). Outra fotografia dela, idosa, em Eichner 1957 (em frente à página 16). Sobre "nossa mãe Moscou", cf. Tolstói, *Guerre et paix*, livro III, 3.ª parte, cap. 19 (ed. Pléiade, p. 1137): "Todo russo que contempla Moscou sente nela uma mãe; todo estrangeiro que a observa, embora sem conhecer-lhe o significado maternal, fica impressionado com o caráter feminino dessa cidade" (trad. fr. H. Mongault).

105. Na versão russa a assinatura vem seguida das datas: "Munique, junho-outubro de 1913, Moscou, setembro de 1918".

106. No álbum de 1913 esses comentários sucedem imediatamente ao texto de *Olhar* sob o título geral de *Notizen* (Notas) e eles próprios só são precedidos pelo título de cada quadro, como aqui.

107. *Composição IV*, óleo sobre tela, 159,5 x 250,5 cm, assinado e datado, embaixo à esquerda, Kandinsky 1911, catálogo Kandinsky n.º 125 (Grohmann 1958, p. 332), coleções Nordrhein-Westfalen de Düsseldorf. O quadro foi exposto inicialmente na Nova Secessão de Berlim em 1911. Um esboço preparatório foi em seguida publicado por Kandinsky no Almanaque do *Cavaleiro Azul*, em 1912 (repr. em preto e branco na reedição de K. Lankheit, 1965, p. 121). Existem outros estudos, dois desenhos, duas aquarelas e um quadro (conservado na Tate Gallery de Londres) que dá a metade esquerda da obra (datado e assinado 1910, Grohmann 1958, n.º 119, fig. 52, p. 353). Grohmann, que reproduz igualmente dois desenhos e uma aquarela preparatória, retraçou e gênese da obra e comentou-lhe a iconogafia, que ele resume assim: "É uma paisagem de montanha: no meio uma montanha azul com uma cidadela, à esquerda uma encosta, entre ambas um arco-íris e, em cima, um combate de cavaleiros; à direita, um casal deitado,e sobre a aresta de uma colina duas formas em pé, tudo atravessado por dois troncos de árvores que invadem as bordas superior e inferior do quadro" (Grohmann 1958, p. 122).

108. No sentido de "inteligibilidade".

109. *Composição VI*, tela a óleo, 195 x 300 cm, assinado e datado, embaixo à direita, Kandinsky 1913, catálogo Kandinsky n.º 172 (Grohmann 1958, p. 333), Museu do Ermitage, Leningrado, URSS (ao que sabemos, só foram publicadas medíocres reproduções em branco e preto. Ver, por exemplo, *W. Kandinsky*, apresentado por M. Bill, Paris, 1951, p. 130). O quadro foi exposto inicialmente no Primeiro Salão de Outono alemão, em Berlim, 1913. Kandinsky fê-lo figurar no início das reproduções do álbum editado por *Der Sturm*, o que prova a importância que ele atribuía a essa obra. Ela é, com a *Composição VII*, um de seus maiores quadros. Existem pelo menos dois esboços e um quadro preparatório com o título de "dilúvio", que Kandinsky explica em seu comentário: *Improvisação, Dilúvio*, 95 x 150, na Städtische Galerie de Munique, que pode dar uma idéia da obra, embora lhe falte o terceiro centro de que fala Kandinsky; suplemento Grohmann, p. 347, repr. em cores em H. K. Röthel 1966, p. 68). A pintura sobre vidro mencionada e descrita no texto é desconhecida de Grohmann (pp. 134-136). Este, aliás, ressalta a pertinente aproximação feita por Vantongerloo em seu livro *L'art et son avenir* (1924), entre *Composição VI* e *A queda dos anjos rebeldes* de Brueghel, o Velho (1562, Museus Reais de Belas-Artes, Bruxelas). A partir de 1911, várias obras de Kandinsky apresentavam os temas vizinhos do Dilúvio, do Apocalipse, do Juízo Final, que estão novamente presentes, antes de *Composição VI*, nos dois "Dilúvios" de 1912 (Grohmann n.º 151a e 159 e texto pp. 110-111). O motivo dos anjos com trombetas e tubas e o dos cavaleiros (do Apocalipse) permitiam, aliás, o tratamento de temas caros a Kandinsky

(cf. *Olhar*). A pontuação, por essas obras, da progressão dos anos 1911-1914 (em 1914, *Sem título*, denominado *Dilúvio*, Städtische Galerie, Munique) permite ver aí o anúncio (Cavaleiros do Apocalipse) do "Hino à nova criação que sucede à destruição" de que falava Kandinsky no fim de seu comentário: ao mesmo tempo a guerra de 1914 (cf. os canhões em *Improvisação 30*, 1913, a Revolução de 1917 e a passagem a uma arte inteiramente nova, "abstrata" (cf. Introdução e as cartas a A. J. Eddy traduzidas pp. 166 ss.).

110. O esboço da coleção Bernard Koehler (cuja sobrinha se casara com o pintor August Macke e sustentava financeiramente Kandinsky nessa época) foi queimado em Berlim em 1945.

111. *Quadro com orla branca*, tela a óleo, 138,51 x 198 cm, assinado e datado à esquerda Kandinsky, 1913, catálogo Kandinsky n.º 173 (Grohmann 1958, p. 333), Museu Guggenheim, Nova York (repr. em cores por ex. em Arturo Bovi, *W. Kandinskij*, Florença, 1970, fig. 15). O quadro foi inicialmente apresentado ao mesmo tempo que *Composição VI*, no primeiro Salão de Outono alemão em Berlim, 1913. Kandinsky fê-lo figurar no fim da primeira seção das reproduções do álbum *Der Sturm* (quadros de 1913); pertencia então à col. Kluxen. Os dois esboços a óleo de que fala Kandinsky foram conservados: um está em Washington (cat. Kandinsky n.º 162) e o outro, que fora apresentado juntamente com o quadro no Salão de Berlim, encontra-se na URSS (cat. Kandinsky n.º 163); ambos estão reproduzidos em Grohmann, pp. 276 e 356, fig. 82; ver também uma aquarela da Städtische Galerie de Munique, que corresponde à parte esquerda do quadro (Grohmann 1958, fig. 695, p. 407). Vários outros quadros, notadamente durante o ano de 1914, devem ser associados a essa obra decisiva, como notou Grohmann (p. 140): ver por ex. *Quadro com orla azul* (cat. Kandinsky n.º 195); e mais tarde encontraremos *Orla cinzenta* (1917, cat. Kandinsky n.º 217), *Orla vermelha* (1919, cat. Kandinsky n.º 219), *Orla verde* (1920, cat. Kandinsky n.º 230), obras nas quais a orla é utilizada da mesma maneira que no quadro de 1913.

112. O motivo da tróica retorna em várias obras, desde o começo da produção de Kandinsky: *Tróica*, 1906 (cat. Kandinsky n.º 45), *Quadro com tróica*, 1911 (cat. K. n.º 120), etc. Ele se liga ao mesmo tempo à infância (cf. começo de *Olhar*) e ao próprio coração da Rússia, cf. o fim da primeira parte das *Almas mortas* de Gogol, que é indispensável citar a propósito desse tema fundamental de Kandinsky: "Oh tróica, pássaro-tróica, afinal quem te inventou? Não podias nascer senão de um povo ousado, nessa terra que não fez as coisas pela metade [...] O cocheiro não usa botas fortes à estrangeira [...] mas, assim que ele se levanta e gesticula entoando uma canção, os cavalos saltam impetuosamente, os raios da roda tornam-se uma superfície contínua, a terra treme, o transeunte assustado solta uma exclamação e a tróica foge, devorando o espaço... E já ao longe se percebe algo que perfura e fende o ar. E tu, Rússia, não voas qual ardente tróica que não se consegue ultrapassar? Tu passas com fragor numa nuvem de poeira, deixando tudo atrás de ti! [...] Ó corcéis, corcéis sublimes! Que turbilhões agitam vossas crinas? [...] Assim voa a Rússia sob a inspiração divina [...] tudo o que se encontra sobre a terra é ultrapassado e, com um olhar de inveja, as outras nações se afastam para lhe dar passagem" (trad. fr. H. Mongault).

DER BLAUE REITER 1912

113. O almanaque *Der Blaue Reiter* foi publicado em maio de 1912, pouco depois da segunda edição de *Do espiritual*. A idéia remontava ao final de 1910, no momento da N. K. V. Kandinsky, com o assentimento de Franz Marc, trabalhou nele durante o verão de 1911 e a redação definitiva foi feita no outono. Em setembro, Franz Marc escrevia a August Macke: "Vamos fundar um almanaque que há de tornar-se o órgão de todas as idéias válidas de nossa época. Pintura, música, palco, etc. Tratar-se-á antes de tudo de explicar muitas coisas com a ajuda de documentos comparativos... Esperamos um ganho tanto mais salutar e sugestivo, diretamente útil também ao nosso próprio trabalho, ao esclarecimento das idéias, quanto esse almanaque tornou-se todo o nosso sonho" (citado por Grohmann 1958, p. 177). Kandinsky e Franz Marc eram os diretores da publicação, que foi editada por Reinhard Piper com o apoio financeiro do colecionador berlinense Bernhard Koehler. Kandinsky recorrera a um leque muito amplo de colaboradores; nem todos os artigos previstos puderam figurar no volume e a publicação de alguns deles foi adiada para um segundo número, que na verdade não chegou a sair: os primeiros projetos incluíam assim os nomes de Alexandre Mercereau, Pechstein e Briussov... No volume publicado figuravam 19 textos, de Franz Marc, David Burliuk, Delacroix (breve citação), August Macke, Arnol Schönberg, M. Kusmin, Roger Allard ("Os sinais de renovação na pintura", texto traduzido do francês e que se encontrará, retraduzido para o francês, em E. Fry, *Le Cubisme*, Bruxelas, 1968, pp. 70-73), Goethe (citação), Thomas von Hartmann, Erwin von Busse, Leonid Sabanieiev, N. Kulbin, W. Rozanov (citação) e, enfim, Kandinsky, cuja participação era a mais importante: um curto trecho em memória do artista Eugen Kahler (1882-1911) e os três textos aqui incluídos, dois ensaios e uma composição para cena. Sem entrar numa análise detalhada do volume (que teve uma repercussão considerável nos meios artísticos), dois pontos devem ser sublinhados: o importante lugar concedido à música e aos músicos, por um lado (textos de Schönberg, Hartmann, Kulbin, Sabanieiev — sobre o *Prometeu* de Scriabin —, reprodução das partituras de três *lieder* de Berg, Schönberg e Webern), e à iconografia, por outro (mais de 150 documentos, nos quais pela primeira vez obras de arte primitiva ou exótica e desenhos de crianças ou da imagística popular eram postos no mesmo plano que as obras-primas clássicas ou as produções contemporâneas de todas as vanguardas européias). Para maior precisão sobre a história e a composição do Almanaque, ver a excelente reedição de Klaus Lankheit nas edições Piper em Munique, 1965 (farta documentação); em francês, enquanto se aguarda a tradução completa que se impõe, pode-se consultar, além do livro de Grohmann, o artigo rápido e sumário de J. Y. Bosseur (*L'Almanach du Blaue Reiter* em *L'année 1913*, Paris, 1971, tomo II, pp. 956-966).

114. *Sobre a questão da forma* (Über die Formfrage), 16º dos 20 textos do Almanaque, onde ocupa as páginas 74 a 100 (reed. 1965, pp. 132-186). O artigo é pontuado, mais que "ilustrado", por reproduções de pinturas votivas e pinturas sobre vidro bávaras, desenhos de crianças e de amadores, motivos egípcios e japoneses, obras anônimas da Idade Média e obras de Henri Rousseau, Arnold Schönberg, Henri Matisse (*A Música*), Franz Marc, Alfred Kubin, Gabrielle Münter, Oskar Kokoschka. No prefácio da segunda edição de *Do espiritual*, datado de abril de 1912, Kandinsky declarava que esse artigo devia "ser considerado como um fragmento característico da evolução ulterior de minhas idéias ou, antes, como um complemento desse livro". Com efeito, ele lhe retoma amiúde o tom e as teorias, do mesmo modo que anuncia mais de uma passagem de *Olhar*: ver, por ex., na última parte, a

menção de uma "ponta de charuto em cima da mesa (p. 160, cf. *Olhar*, p. 74) ou ainda o final, colocado, como em *Olhar*, sob o signo de Cristo.

115. Eugen von Kahler (1882-1911), pintor, desenhista e poeta nascido e falecido em Praga; fez seus estudos de arte em Munique de 1901 a 1905 na escola de Knirr e na Academia sob a direção de Franz von Stuck (os mestres de Paul Klee e, no caso de Stuck, de Kandinsky). Após uma estada em Paris em 1906-1907, fez uma primeira exposição na Galeria Tannhauser em Munique. Já convidado para a segunda exposição da N. K. V. em setembro de 1910, acabava de figurar na primeira exposição do *Blaue Reiter* em dezembro de 1911 quando faleceu, em 13 de dezembro. No Almanaque, Kandinsky fazia-lhe um caloroso elogio fúnebre (pp. 53-55, reed. pp. 103-105) ilustrado pela reprodução de duas de suas obras: *No circo* e *Jardim do amor* (este último atualmente na Städtische Galerie de Munique, a exemplo de outro desenho de Kahler).

116. Kandinsky devia estudar mais longamente as pinturas de Schönberg em artigo de uma coletânea coletiva dedicada ao compositor e publicada por Piper no decurso do mesmo ano de 1912 (o ano da composição de *Pierrot lunaire*, op. 21): *Die Bilder* em *Arnold Schönberg*, Munique, 1912, pp. 59-64. Entre os demais autores, amigos ou alunos do músico citam-se: Anton Webern e Alban Berg, cujas partituras eram igualmente reproduzidas no Almanaque (encontrar-se-á a tradução francesa da homenagem de Berg, cujo tom se aproxima do de Kandinsky, na coletânea de seus escritos publicada por Henri Pousseur, Mônaco, 1957, pp. 26-27). Sobre as pinturas de Schönberg, ver o catálogo da exposição *Dipinti e disegni di Arnold Schönberg* no 27.º Maggio Fiorentino, Florença, 1964 (com a tradução italiana do artigo de Kandinsky); duas delas, datadas de 1910, figuram nas coleções da Städtische Galerie de Munique. O Almanaque reproduz dois quadros: uma *Visão*, cabeça pertencente à série de 1910 (p. 80, reed. p. 144) e um *Auto-retrato*, de 1911, assaz surpreendente, já que o compositor representou-se de pé, mas de costas (p. 85, reed. p. 158; o quadro continuou sendo propriedade de Schönberg); é a ele que Kandinsky faz alusão aqui. As duas obras tinham figurado na primeira exposição do *Blaue Reiter*.

117. Esta nota não foi traduzida no tomo II dos *Écrits complets* (1970). A obra do crítico e colecionador Wilhelm Uhde (1874-1947) foi publicada em 1911, um ano após a morte de Rousseau (2 de setembro de 1910): era o primeiro livro consagrado ao pintor; juntamente com a exposição retrospectiva dos Independentes, ele assinalava o começo de sua glória póstuma. Uhde foi um dos primeiros compradores de Picasso, Braque e Rousseau; foi ele quem "inventou" os outros ingênuos: Séraphine de Senlis (em 1912), Bombois e Vivin (em 1922). Tão logo o recebera, Piper enviara o livro de Uhde a Kandinsky, mas ele próprio não ousava responder à sugestão de Delaunay de dar a lume uma edição alemã do mesmo (esta foi publicada por Alfred Flechtheim em Düsseldorf em 1914). Kandinsky, que já mencionava Rousseau em sua carta-programa para o Almanaque escrita a Marc em 19 de junho de 1911, logo solicitou os clichês a Uhde e ele próprio adquiriu *A Rua* (O Galinheiro) junto aos sucessores de Rousseau, por intermédio de Delaunay. Marc, igualmente entusiasmado pelo livro de Uhde, copiou o auto-retrato de Rousseau numa pintura sobre vidro que ofereceu a Kandinsky e que se encontra hoje na Städtische Galerie de Munique (cf. K. Lankheit, *Franz Marc, Katalog der Werke*, Colônia, 1970, n.º 873, e, do mesmo autor, *Die Geschichte des Almanachs*, na reedição de 1965 do Almanaque do *Blaue Reiter*, pp. 291-292).

118. A admiração de Kandinsky pelo Douanier Rousseau remonta à sua estada em Paris, em 1906-1907. Possuía ele em sua coleção um quadro de Rousseau que

conservou até o fim da vida (cf. nota anterior). Rousseau figurava na primeira exposição do *Blaue Reiter* em Munique, em dezembro de 1911, com duas paisagens. No Almanaque publicado em maio de 1912, era de longe o artista mais bem representado, com sete reproduções: o *Retrato da Srta. M.*, 1896 (p. 76, reed. p. 138, que figura na coleção Picasso), *O Galinheiro, paisagem com galinhas brancas*, c. 1908 (p. 81, reed. p. 146, um dos dois quadros que figuraram na exposição do *Blaue Reiter*, col. Kandinsky), *Malakoff, os postes telegráficos*, 1908 (p. 83, reed. p. 156), *Vista de fortificações*, 1909 (p. 87, reed. p. 160), *Rousseau com a lâmpada*, c. 1899 (p. 94, reed. p. 170, coleção Picasso), *A Farra*, 1905 (p. 95, reed. p. 171), *Retrato da mulher do artista* (antes da p. 101, reed. p. 185, coleção Picasso), (datas diferentes são às vezes atribuídas a essas obras; ver, em último lugar: Dora Vallier, *Tout l'oeuvre peint de Henri Rousseau*, Paris, 1970). Além disso, o quadro pertencente a Kandinsky, *O Galinheiro*, foi reproduzido na folha de anúncio do Almanaque (reed. 1965, p. 320) e todas as outras reproduções figuravam nas páginas do artigo de Kandinsky: prova de um interesse pessoal todo particular. Na segunda edição de *Do espiritual*, Kandinsky aduziu uma nota à célebre passagem do fim do capítulo VII, na qual evocava os caminhos da pintura do futuro e em especial os do realismo, moderado ou "puro", remetendo ao seu artigo do Almanaque: "Partindo da obra de Henri Rousseau, mostro ali que o realismo futuro é em nossa época não só equivalente, mas idêntico à abstração, que é o realismo do visionário" (reed. 1969, p. 163). Cf. também nota 134.

119. O Cubismo, e Picasso em particular, já tinha sido objeto de comentários e análises em *Do espiritual* (cf. Introdução, p. 39 e nota 100): "Picasso busca, com a ajuda de relações numéricas, atingir o 'construtivo'. Em suas últimas obras (1911) ele consegue à força de lógica destruir os elementos 'materiais', não por dissolução, mas por uma espécie de fragmentação das partes isoladas e pela dispersão construtiva dessas partes na tela" (final do capítulo III). Picasso fora convidado para a segunda exposição da N. K. V. em setembro de 1910 e para a segunda do *Blaue Reiter* em fevereiro de 1912. Sua *Mulher com violão*, de 1911 (Zervos, n.º 237), fora reproduzida no Almanaque (após a p. 4, reed. p. 26).

120. As duas obras foram reproduzidas no Almanaque (*A dança* a p. 38, reed. p. 81, e *A música* após a p. 82, reed. p. 149). Encomendara-as S. I. Chtchukin, um dos mais importantes colecionadores moscovitas, para a escadaria de seu palácio, onde elas figuravam desde novembro de 1911 (cf. Matisse, *Écrits et propos sur l'art*, Paris, Hermann, 1972, pp. 118-119); encontram-se atualmente no Museu de Arte Ocidental de Moscou; pôde-se vê-las em Paris por ocasião da Exposição do Centenário, em 1970. Matisse já era objeto de comentários no fim do capítulo III de *Do espiritual*, onde era comparado, no que concerne à cor, a Picasso no tocante à forma: "Embora algumas de suas telas transbordem de uma vida intensa, efeito da necessidade interior sob cuja coação o pintor as criou, outras telas, ao contrário, não devem senão a uma excitação e a um estímulo todo exterior a vida que as anima" (reed. 1971, p. 70). Matisse declinara da oferta de escrever um artigo no Almanaque (K. Lankheit, *op. cit.*, p. 262).

121. Reproduzido no Almanaque após a p. 90 (reed. 1965, p. 165): obra de 1911, hoje no Museu Guggenheim de Nova York (cf. K. Lankheit, *Franz Marc, Katalog der Werke*, Colônia, 1970, n.º 150, e obras correlatas: n.º 425, 426 e 427).

122. Reproduzida no Almanaque, p. 98 (reed. 1965, p. 179): obra de 1911, atualmente na Städtische Galerie de Munique (*Stilleben mit Hl. Georg*, reproduzida em cores no catálogo da galeria dedicado ao Cavaleiro Azul: *Der Blaue Reiter*, Munique, 1966, fig. 89).

123. *A abundância* (após a p. 70, reed. p. 127) e *Paisagem lacustre* (p. 37, reed. p. 79); o primeiro quadro está hoje no Gemeentemuseum de Haia, o segundo encontrava-se em Moscou. *A abundância* havia sido um dos quadros mais notórios da grande exposição dos cubistas na Sala 41 do Salão dos Independentes em 1911. Le Fauconnier figurara na N. K. V. em 1909 e um texto seu aparecera no catálogo da segunda exposição, em setembro de 1910. Kandinsky lhe solicitara igualmente para encontrar um autor capaz de escrever um artigo sobre a música francesa (Lankheit, *op. cit.*, p. 260).

124. *Da composição cênica* (Über Bühnenkomposition), 18º e antepenúltimo texto do Almanaque, no qual ele precede *A sonoridade amarela* (Der gelbe Klang, "ein Bühnenkomposition"), a tentativa de "composição cênica" de Kandinsky: os dois textos são pois indissociáveis, e o segundo pretende ser uma aplicação dos princípios expostos no primeiro, se bem que tenha sido escrito anteriormente (1909, segundo Grohmann). *Da composição cênica*, escrito no final de 1911, tende essencialmente a mostrar que não existe até então nenhuma obra cênica (musical, dramática ou coreográfica) que proceda "do interior". Todas, ao contrário, resultam de um procedimento meramente exterior, sem unidade intrínseca entre drama, música e dança no caso da ópera, por exemplo, onde todos os elementos são artificialmente justapostos. Em oposição a essas obras, *A sonoridade amarela* é uma tentativa de "composição interior" onde todos os elementos (música, movimento, texto, luz, cenário, etc.) têm uma unidade interna orgânica e onde a criação estética procede do interior. Longe de estar, como parece à primeira vista, um pouco à margem da produção de Kandinsky, esses textos ilustram portanto os aspectos fundamentais de suas teorias: o da necessidade interior; e a aplicação que delas se faz aqui não passa de uma simples "mudança de instrumento", segundo a expressão que o próprio Kandinsky emprega a propósito de seus poemas. Aliás, ele criou outras "composições cênicas", até agora inéditas: *Preto e branco* e *Sonoridade verde*, escritas em russo na mesma época de *A sonoridade amarela* (Grohmann 1958, p. 98) e *Violeta*, escrita em alemão em 1911 (reprodução de um fragmento do manuscrito em Grohmann 1958, p. 55, e trecho, datado de 1914, na revista do Bauhaus em 1927). Ao abordar o problema da composição cênica, Kandinsky deve antes de mais nada afrontar o "caso Wagner" e sua ambição de obra de arte total (*Gesamtkunstwerk*: é o que ele faz não sem parcialidade, como se poderá verificar, mas é interessante constatar que essa tomada de posição vai de encontro à admiração por Wagner professada alguns meses mais tarde em *Olhar* (p. 78). Essa contradição será resolvida em 1918 na versão russa de *Olhar*, onde uma nota severa virá abolir os elogios entusiastas do texto (*ibib.*): não é por acaso que essa correção precede de alguns meses a publicação de uma tradução russa do ensaio teórico *Da composição cênica* (em *Iskusstvo*, 1919, n.º 1, pp. 39-49)! Kandinsky, está visto, não é nem o primeiro nem o único nessa data a apoiar-se no exemplo de Wagner para expor uma nova concepção da arte cênica. Para nos atermos apenas a dois nomes célebres, V. Meyerhold na Rússia e E. G. Graig em toda a Europa haviam exposto e aplicado análises semelhantes. Do primeiro, ver em particular *Premiers essais d'un théâtre stylisé — Tristan et Isolde de Wagner* (1909, a propósito de uma encenação no teatro Maria em São Petersburgo) na coletânea apresentada por Nina Gourfinkel, *V. Meyerhold, Le théâtre théâtral*, Paris, 1963 (em especial p. 39 e pp. 73-77); do segundo, que estuda as teorias de Wagner desde 1898, ver antes de tudo seu livro *A arte do teatro*, publicado em alemão em 1905 e logo traduzido para várias línguas, entre elas o russo, em 1906. Uma das fórmulas mais célebres desta última obra, que resulta igualmente do exame crítico das propostas wagnerianas, parece anunciar com bastante exatidão o que Kandinsky haverá de expor pouco depois em *Do espiritual* (cap. VII) e no artigo do Almanaque: a arte do

teatro não é "nem a interpretação dos atores, nem a encenação, nem a dança; é formada pelos elementos que as compõem: pelo gesto, que é a alma da interpretação; pelas palavras, que são o corpo da peça; pelas linhas e cores, que são a própria existência do cenário; pelo ritmo, que é a essência da dança" (cf. Denis Bablet, *Edward Gordon Craig*, Paris, 1962, p. 100; e, para maiores especificações sobre a situação histórica do ensaio de Kandinsky, o excelente enfoque do mesmo autor: *La plastique scénique* em *L'anne 1913, Paris, 1971*, tomo I, pp. 789-822, assim como a coletânea coletiva publicada sob a direção de Henning Rischbieter, *Bühne und bildende Kunst in XX Jahrhundert, Maler und Bildbauer arbteiten für das Theater*, Velber bei Hannover, 1968). Na Alemanha, o ensaio e a peça de Kandinsky são muito avançados para a época: elas antecedem de muitos anos as primeiras encenações, se não os textos expressionistas (cf. Horst Denkler, *Drama des Expressionismus*, Munique, 1967). Todavia, e mais ainda que com uma obra como *Mörder Hoffnung der Frauen* (Assassino, esperança das mulheres) de Kokoschka, que associa estreitamente o drama e a pintura (publicado em 1910 em *Der Sturm*), uma comparação se impõe com Arnold Schönberg, cujas pesquisas se voltam, nesse mesmo momento, para a renovação total da arte cênica. A obra capital é aqui *Die glückliche Hand* (A mão feliz), na qual Schönberg trabalha de 1909 a 1913 e que só será criada em 1924 em Viena (op. 18): "drama com música", e não mais "monodrama lírico", como a obra precedente *Erwartung* (op. 17, 1909). Não é possível proceder aqui a uma comparação minuciosa, mas é bem evidente que a composição de Schönberg, que o músico Egon Wellesz definia como uma "pantomima essencialmente psicológica", está extremamente próxima, sob todos os aspectos, e em particular no tocante aos efeitos de cores e luzes, de *A sonoridade amarela*, conquanto seja dramaticamente mais estruturada (cf. as obras sobre Schönberg de H. H. Stuckenschmidt, R. Leibowitz e J. Rufer e a gravação com comentários e análise detalhada de R. Craft, discos CBS). É característico que no momento em que cogitou de encenar ou filmar sua obra Schönberg tenha pensado em Kandinsky para toda a parte plástica: cenários, guarda-roupa, mas também iluminação e mesmo coloração do filme (cf. a carta a Emil Hertzka escrita provavelmente no outono de 1913, em *Arnold Schönberg, ausgewälte Briefe*, editado por Erwin Stein, Mogúncia, 1958, trad. ingl. Londres, 1964; Schönberg menciona também os nomes de Kokoschka e Roller).

Na Rússia, a "proposta cênica" de Kandinsky é muito menos isolada: antes que a Scriabin, é preciso referir-se aqui às duas realizações mais importantes, um ano depois, em dezembro de 1913 em Petersburgo: a tragédia *Vladimir Maiakóvski*, do poeta Maiakóvski, e sobretudo *Vitória sobre o Sol*, "ópera" de Krutchonykh, música de Matiuchin e cenário de Malevitch. De acordo com as descrições bastante precisas que dela nos restaram, esta última obra estava igualmente muito próxima, ao nível do espírito, ao menos da concepção cênica de Kandinsky (cf. antes de tudo Angelo Maria Ripellino, *Maïakovski et le théâtre russe d'avant-garde*, 1959, trad. fr. Paris, 1965, com bibliografia, e entre os testemunhos acessíveis em francês, o de B. Livchits, em *L'archer à un oeil et demi*, trad. fr., Paris, 1971, pp. 181-183). Nessas duas obras, contudo, o texto, mesmo deslocado, tem um papel importante. *A sonoridade amarela* não foi representada, mas Hugo Ball, amigo de Kandinsky, cogitara da obra para o seu *Theater der neuen Kunst* de Zurique, em 1914: "Munique hospedara na época um artista que por sua simples presença conferia a essa cidade uma supremacia de modernismo sobre todas as outras cidades alemãs: Wassily Kandinsky (...) quando, em março de 1914, eu estudava o projeto de um novo teatro, estava persuadido de que precisávamos de um teatro experimental para além das preocupações cotidianas (...) Basta reanimar os recônditos, as cores, as palavras e os tons do nosso subsconsciente, de maneira que eles engulam o cotidiano com suas misérias" (*Diário de Hugo Ball*, citado por Hans Richter, *Dada, art et anti-art*, trad. fr., Bruxelas, 1965, pp. 31-32).

Uma tradução francesa de trechos de ambos, muito fragmentária e aproximada, apareceu no número especial, aliás muito interessante, de *Aujourd'hui, art et architecture, Cinquante ans de recherches dans le spectacle*, organizado por Jacques Poliéri (maio de 1958, n.º 17, pp. 34-37). Este último é que havia de proceder, juntamente com Richard Mortensen, à primeira tentativa de encenação da composição de Kandinsky (cf. também K. Lankheit, *op. cit.*, pp. 294-295, que, de acordo com notas inéditas de Thomas von Harthmann, já citadas por Grohmann, indica terem sido a partitura e a encenação preparadas para uma execução em Moscou, após 1917; outro projeto fracassou, em Berlim, em 1922). A obra foi igualmente representada em Nova York em 1972, quando da Exposição Kandinsky do Guggenheim Museum pelo grupo Zone sob a direção de Harris e Ros Barron.

Somente em 1928, em Dessau, pôde Kandinsky aplicar seus princípios relativos à composição cênica na realização de um espetáculo sobre os *Quadros de uma exposição* de Mussorgsky. Vários textos haviam precedido essa realização, em particular *Sobre a síntese de cena abstrata* (Über die abstrakte Bühnensynthese), em *Bauhaus*, n.º 3, 1927, que se refere a *A sonoridade amarela* (Grohmann 1958, p. 174).

125. Deve-se ler efetivamente "é", e não "tem", como se poderia esperar. Respeitamos igualmente o estilo desigual, as frases complexas, as numerosas repetições e a terminologia toda particular desse texto demonstrativo.

126. *Vorgang*: a palavra retorna em seguida freqüentemente, para designar o aspecto "exterior" (*Aüsser*) "daquilo que faz avançar" a ação: traduzimos então por "acontecimento".

127. Fantasia: imaginação inventiva.

128. *Prometeu de Scriabin*, pp. 57-68 (reed. 1965, pp. 107-124). Última obra importante, para orquestra, do compositor russo (1872-1915). *Prometeu ou o Poema do Fogo*, op. 60, foi composto em 1910-1911 e apresentado em Moscou em março de 1911. A partitura, muito avançada harmonicamente, comporta em princípio projeções coloridas que foram comparadas às iluminações, tão importantes, de *A sonoridade amarela* de Kandinsky (um apanhado rápido mas preciso encontra-se em H. H. Stuckenschmidt, *La musique du XXe siècle*, trad. fr. Paris, 1968, pp. 16-20). Em seu artigo, o compositor e musicólogo russo Leonid Sabanieiv (nascido em 1881), que devia publicar um estudo sobre Scriabin em 1916 em Moscou apresentava a obra estudando particularmente o sistema harmônico (ver, a este respeito, o artigo de I. Vichnegradsky, *L'énigme de la musique moderne*, na *Revue d'Esthétique*, tomo II, fasc. I, p. 67, janeiro-março de 1949): a apresentação dessas *mystiche Klänge* (Sonoridades místicas) não podia deixar de interessar vivamente a Kandinsky, que esperava que esse artigo causasse "funda impressão", como ele escrevia a Marc em dezembro de 1911 (carta citada por L. Lankheit, *op. cit.*, p. 333). Segundo a Sra. Nina Kandinsky, Kandinsky e sua mulher assistiram na Rússia a uma apresentação de *Prometeu* acompanhada das projeções luminosas. Na penúltima parte do capítulo VII de *Do espiritual*, que contém em germe as idéias aqui desenvolvidas, Kandinsky julgara a experiência de Scriabin "demasiado sumária" (reed. 1971, p. 161).

129. A aproximação dos três nomes é significativa, assim como a escolha, entre os russos contemporâneos, de L. N. Andreiev (1871-1919) e de sua *Vida do homem* (1907): "Grandiloqüente e oco, ele busca a profundidade e o mistério, mas seus contos e seus dramas simbólicos de sucesso assemelham-se ao Grand Guignol filosófico" (C. Wilczkowski, em *Encyclopédie de la Pléiade*, 1957). A peça de Ibsen data de 1881.

130. O manifesto é citado em francês por Kandinsky. Francisco-Balila Pratella publicara em 11 de junho de 1911 o *Manifesto dei musicisti futuristi* e em 29 de março *La musica futurista, manifesto tecnico*. A idéia de que o próprio compositor devia escrever o seu libreto era um dos pontos importantes do primeiro texto; mas Pratella preconizava o verso livre. Por essa época ele fizera representar duas óperas cujo libreto era efetivamente de sua autoria: *Lilia*, em 1905, e *La Sina d'Vargoün* (cf. Marianne W. Martin, *Futurist Art and Theory, 1909-1915*, Oxford, 1968, p. 48), e G. Lista, *Futurisme, Documents, Manifestes, Proclamations*, Paris, 1973.

131. Thomas von Hartmann (1883 ou 1886-1956). Compositor, pianista e pintor nascido em Moscou, mantinha relações assíduas com os pintores da N. K. V. e, depois, do *Blauer Reiter*, na Alemanha de 1912, publicara um artigo, *Sobre a anarquia na música* (para maiores detalhes, cf. K. Lankheit, *op. cit.*, pp. 294 e 332, com bibliografia).

APÊNDICE

132. Como ele próprio lembra em *Olhar* (p. 79), Kandinsky escreveu poemas desde a adolescência. Sua principal coletânea, *Klänge* (Sonoridades), foi publicada em Munique por Piper no mesmo ano que *Olhar*. O livro continha 38 poemas em prosa escritos de 1908 a 1913, acompanhados de 12 xilogravuras em cores e 43 em preto e branco. A tiragem foi limitada a 300 exemplares e uma cláusula especificava que não deveria haver reedição; eis por que a coletânea, que efetivamente nunca foi reeditada de forma integral, é hoje de difícil acesso. Kandinsky explicou-se sobre a gênese desses poemas e as condições da publicação do livro em nota publicada em *XXe siècle*, em 1938 (n.º 3, republicada no número 27, 1966, p. 17): "Só depois de longos anos é que escrevi de quando em quando 'poemas em prosa' e por vezes até 'versos'. O que para mim é uma 'mudança de instrumento' — a paleta posta de lado, em seu lugar a máquina de escrever. Digo 'instrumento' porque a força que me impele ao trabalho é sempre a mesma, isto é, uma 'pressão interior'. E é ela que me pede para mudar freqüentemente de instrumento. Ah, lembro-me muito bem: quando comecei a 'fazer poesia', sabia que me tornaria 'suspeito' como pintor. Antigamente, olhava-se o pintor 'de través' quando ele escrevia — ainda que se tratasse de cartas. Quase queriam que ele comesse, não com garfo, mas com um pincel..." Segue-se um desenvolvimento sobre a abolição de tais distinções nos tempos modernos e a passagem progressiva do "analítico" para a "síntese", de que *Klänge* é um exemplo: "Era um pequeno exemplo de trabalho sintético. Escrevi os poemas e 'adornei-os' com numerosas gravuras em madeira em cor e em preto e branco. Meu editor era bastante cético, mas ainda assim teve a coragem de fazer uma edição de luxo: tipos especiais, papel da Holanda feito à mão, transparente, uma encadernação cara impressa a ouro, etc. [...] Nessas gravuras, como em tudo o mais — gravuras e poemas —, encontram-se os traços de meu desenvolvimento do 'figurativo' ao 'abstrato' ('concreto' em minha terminologia — mais exato e mais expressivo que o costumeiro, pelo menos em minha opinião)..."

A primeira frase desse texto alude aos poemas posteriores a *Klänge*, muitos dos quais datam precisamente dos anos 1937-1938 e estão escritos ora em alemão, ora em francês. Encontrar-se-ão alguns deles na excelente antologia de Carola Giedion-Welcker, *Poètes à l'écart, Anthologie der Abseitigen*, Bern-Bümplitz, 1946 (4 poemas de 1937), assim como em diversos livros, revistas e catálogos, entre os quais: *Wassily Kandinsky*, apresentado por Max Bill, Paris, 1951 (poemas de 1936 a 1938), Michel Seuphor, *L'art abstrait*, Paris, 1949, Hans Platschek, *Dichtung moderner Ma-*

ler, Wiesbaden, 1956, e nas revistas *Plastique*, n.º 4, 1939 (poemas de 1937), e *Transation*, n.º 27, 1938... Quatro poemas extraídos de *Klänge* foram igualmente traduzidos para o francês e publicados numa edição de luxo publicada em Genebra em 1968: "Aventura", "Por quê?", "Primavera", "Giz e Fuligem" (V. Kandinsky, *Poèmes illustrés de bois gravés originaux*, tiragem de 100 exemplares, prefácio de Jean Cassou). A maioria dos comentadores ressaltou a ousadia desses poemas "alógicos", que sob vários aspectos anunciam o Dadá, ou o que Hans Arp chama de "poesia concreta" (*Kandinsky le poète*, em *W. Kandinsky*, apresentado por Max Bill, Paris, 1951, pp. 89-90). Cabe mencionar, a propósito, as leituras que deles se fizeram, particularmente em 1917, no *Cabaret Voltaire*, fundado por Hugo Ball em Zurique a 1.º de fevereiro de 1916, um dos mais importantes locais de nascimento do movimento Dadá (cf. Hans Richter, *Dada ed anti-art*, 1965, trad. fr. Bruxelas, 1966). O sarau Dadá que Tristan Tzara organizou em Zurique a 9 de abril de 1919 é, neste particular, característico. Tzara fez "uma conferência seriíssima sobre a estrutura elementar da arte abstrata [...] Em seguida Suzanne Perottet dançou ao som de composições de Schönberg, Satie e outros. A máscara negra de Janco que ela usava passou despercebida. Em compensação, os poemas de Huelsenbeck e Kandinsky, recitados por Käthe Wulff, provocaram interrupções e risos de uma parte do público" (H. Richter, *op. cit.*, p. 76). *Sehen* (Ver), aliás, foi publicado no número 1 e único da revista *Cabaret Voltaire* em junho de 1916 (ver igualmente as publicações em *Dada* de dezembro de 1917 e maio de 1919). Dois anos depois ele devia figurar no início da versão russa de *Olhar* (cf. nota 2, p. 179). Cabe aqui chamar a atenção para o destino russo desses textos, quatro dos quais tinham sido escritos e publicados em russo, antes da edição alemã. Sobre esse importante ponto, cf. Introdução, p. 21 e notas 65 e 66, p. 22. Roman Jakobson não abordou o exemplo de Kandinsky em seu artigo *Sur l'art verbal des poètes peintres, Blake, Rousseau et Klee*, 1970, trad. fr. em *Questions de Poétique*, Paris, 1973, pp. 378-400.

133. As poucas cartas ou fragmentos de cartas que figuram aqui não podem evidentemente bastar para dar uma idéia da correspondência de Kandinsky durante os anos 1912-1922. Têm apenas o valor de testemunho.

134. A carta a Franz Marc é uma das mais importantes de quantas foram trocadas a propósito da preparação do almanaque do *Blaue Reiter* e, aqui, do segundo volume de que por um momento se cogitou. Klaus Lankheit citou abundantemente essa correspondência no estudo que acompanha a reedição de 1965 (*Der Blaue Reiter*, Munique, 1965, pp. 253-301); ele teve a cortesia de enviar-nos a cópia dessa carta, que traduzimos, numa versão que, no entanto, se revelou diferente do fragmento já publicado e que pode, por conseguinte, estar sujeita a ligeiras revisões na segunda parte do texto.

No estado atual de nossos conhecimentos, não é possível esclarecer todas as alusões contidas na carta. Erwin von Busse (nascido em 1885) publicara um artigo sobre Delaunay no primeiro número do Almanaque e por essa época entabulara relações com o pintor; em 1914 tornou-se doutor em filosofia na Universidade de Berna, com uma tese sobre a pintura italiana. Berbard Koehler, o colecionador de Berlim, assegurava financeiramente as publicações de Piper para o *Blaue Reiter* (cf. p. 109-10 e nota 110). Larionov teria proposto um texto sobre o *Irradiacionismo*, cujo manifesto teórico ele publicara em Moscou em 1913. Sobre Wofskehl, cf. nota 2.

A menção do "kitsch", "arte" do mau gosto sentimental germânico, antecipa singularmente os pontos de referência do surrealismo ou mesmo de movimentos bem posteriores. A pradaria de outubro (*Oktoberwiese*) pode ser uma alusão à festa da cerveja (*Oktoberfest*), que se realiza todos os anos na Theresenwiese, em Munique. O final da carta alude sem dúvida ao *sincronismo*, lançado em Munique por uma exposição dos pintores Mac Donald Wright e Morgan Russel (cujo manifesto devia aparecer em outubro), ao *orfismo* preconizado por Apollinaire em seu importante artigo sobre *La peinture moderne* publicado em *Der Sturm* em fevereiro (e no qual ele incluía tanto Delaunay quanto Léger, Marie Laurencin, Picabia, os futuristas italianos, Marc, Macke e... Kandinsky) e ao grupo dos *Patéticos*, constituído em Berlim por Ludwig Meidner, Richard Janthur e Jakob Steinhardt, e exposto na galeria *Der Sturm* de 2 a 15 de novembro de 1912 (cf. B. S. Myers, *Les expressionistes allemands*, trad. fr. Paris, 1967, pp. 58-59).

Goltz era o livreiro e diretor da Galeria de Munique, onde se realizara a segunda exposição do *Blaue Reiter* em fevereiro de 1912 e a retrospectiva Kandinsky no fim do mesmo ano.

135. Os fragmentos de cartas endereçadas a Arthur Jérôme Eddy foram publicados por este em seu livro *Cubists and Post-Impressionism*, editado em Londres e Chicago em 1914-1915. Aqui eles são traduzidos de acordo com essa versão inglesa, com a ajuda de nosso amigo Michel Dupont, assistente da Universidade de Amiens, a quem expressamos nossos melhores agradecimentos. A. L. Eddy era um colecionador de Chicago que foi um dos primeiros e mais importantes compradores de Kandinsky. A lista das reproduções, com indicação do nome dos colecionadores, publicada por Kandinsky no álbum de *Der Sturm* em 1913 é muito reveladora a este respeito: nessa época Eddy possuía a *Improvisação 30, Canhões*, de 1913, a que se alude na primeira carta, *Encontro Marcado n.º 2*, de 1902, *Festa dos carneiros*, têmpera de 1904, *Quadro com tróica*, de 1911, e *Improvisação 29*, de 1912. Seu livro constitui, por outro lado, um dos melhores estudos até então publicados sobre o conjunto das vanguardas européias. Kandinsky é apresentado como "o homem mais radical não só de Munique como de todo o movimento da arte moderna". Suas cartas são citadas no capítulo VII, *Le nouvel art à Munich*, nas páginas 125-126, 131-132 e 135-137. A data exata delas não é especificada. Contemporâneas da redação de *Olhar*, elas completam esse texto e particularmente os comentários de quadros que o acompanham. Encontrar-se-á a reprodução em cores de *Improvisação 30, Canhões* (hoje no Art Institute de Chicago) em várias obras, entre elas Grohmann 1958, p. 133.

136. *Consciosity* (neologismo).

137. *Storm and stress*, que traduz provavelmente a expressão alemã *Sturm und Drang*.

138. Só pode tratar-se de *Do espiritual*, traduzido pela primeira vez em inglês em 1914 (por M. T. H. Sadler, editado em Londres e Boston), mas a frase se aplicaria melhor a *Olhar* (traduzido pela primeira vez em 1945).

139. Esses dois fragmentos de cartas foram publicados por José Pierre em seu livro *Le Futurisme et le Dadaïsme*, Lausanne-Paris, 1967, do qual tomamos emprestada esta tradução, de acordo com o catálogo da exposição *Der Sturm*, Berlim, Nationalgalerie, 1961 (Arquivos Der Sturm). Walden expusera e publicara os futuristas italianos em sua galeria e em sua revista. Na primavera de 1912, Marinetti pedia-lhe que fizesse chegar a Kandinsky um exemplar do manifesto recém-publicado (cf. *Archivi del Futurismo*, por M. Drudi Gambillo e T. Fiori, Roma, 1958, p. 235). A primeira carta alude ao manifesto *La peinture des sons, bruits et odeurs*, redigido por Carlo Carrà e datado de Milão, 11 de agosto de 1913 (trad. em José Pierre, *op. cit.*, p. 105),

a segunda aos *Solavancos do fiacre* (Sobbaldi di carrozza) do mesmo Carrà, quadro adquirido em Berlim por Borchardt, revendido aos Rothschild dos Estados Unidos e doado por estes ao Museu de Arte Moderna de Nova York, onde se encontra atualmente (cf. *L'opera completa di Carrà*, catálogo por Massimo Carrà, Milão, 1970, n.º 23). A inundação dos museus era preconizada no primeiro Manifesto do Futurismo de Marinetti, publicado inicialmente em *Le Figaro* de 20 de fevereiro de 1909: "Desviai os cursos dos canais para inundar os jazigos dos museus!... Oh, que nadem à deriva telas gloriosas" (reproduzido em José Pierre, *op. cit.*, p. 99). Esse célebre ataque contra os museus deve ser comparado, e oposto, às violentas críticas de Kandinsky no capítulo I de *Do espiritual*: na Rússia, Kandinsky iria ocupar-se da reorganização, e não da destruição, dos museus. Cf. também Introdução, nota 41 e nota 72.

140. Essas três cartas a Paul Klee foram publicadas no número especial da revista *XXe siècle* em dezembro de 1966, juntamente com outras cinco cartas posteriores a 1922. Seu tom mais familiar se explica pelos laços de amizade, que remontam a 1911 (cf. Introdução, p. 25, e nota 4). Elas esclarecem a "tonalidade" de dois momentos dramáticos para Kandinsky: a partida em 1914 e o regresso em 1921 (cf. Introdução e Cronologia).

141. Esse importante testemunho foi publicado pela primeira vez na *Revue de l'Art*, n.º 5, 1969, pp. 71-72. É a estenografia de uma entrevista concedida por Kandinsky a 10 de julho de 1921, alguns meses antes de sua partida da Rússia, quando sua situação se tornava cada vez mais difícil (cf. Introdução, pp. 25-26).
As palavras ausentes ou abreviadas pela estenografia foram restabelecidas.

142. Primeira tradução inglesa por M. T. H. Sadler, publicada em Londres e Boston em 1914.

143. Esta indicação junta-se à que será dada mais tarde numa carta a Hilla Rebay de 16 de janeiro de 1937 (*Wassily Kandinsky Memorial*, 1945, p. 98). Ela aludiria à *Improvisação 20*, de 1911 (catálogo Kandinsky n.º 138, Grohmann, p. 332), segundo Kenneth Lindsay em *Art News*, setembro de 1959, p. 30; em Moscou, Museu de Arte Moderna Ocidental).

144. Projeto para um serviço da manufatura de porcelana de Petrogrado, 1919, segundo Grohmann, mas cuja data talvez deva ser retificada para 1921, segundo as indicações fornecidas mais abaixo por Kandinsky; fotografia de uma xícara em Grohmann 1958, p. 28, fig. 30. As linhas precedentes fazem alusão ao grupo dos produtivistas liderado por Tátlin, que acabava de opor-se vigorosamente ao programa de organização do Inkhuk apresentado por Kandinsky (cf. Introdução, p. 25).

145. Nadiejda Konstantinova Krupskaia (1869-1939), mulher de Lênin, era, na expressão de Lunatcharski, "a alma do narkompros" (Comissariado para a Instrução Pública, do qual dependia a seção de Belas-Artes). Sobre seu importante papel durante esse período, cf. Sheila Fitzpatrick, *The Commissariat of Enlightenment, Soviet Organisation of Education and the Arts under Lunacharsky, october 1917-1921*, Cambridge 1970, *passim*.

146. Provavelmente os *Elementos de base da pintura* (Osnovnyie elementy jivopisi), manuscrito inédito de 1921, conservado na Galeria Tretiakov de Moscou (segundo V. Marcadé, 1971, p. 371; conferência pronunciada durante o verão de 1921, segundo T. Andersen, 1966).

Bibliografia

Textos publicados neste volume

Olhar sobre o passado

Kandinsky 1901-1913, Verlag Der Sturm, Berlim, 1913.

"Álbum" Kandinsky: contém uma foto de Kandinsky, o poema de Albert Verwey "A Kandinsky", 67 páginas de reproduções e XXXI páginas de texto, onde se encontram sucessivamente *Rückblicke* (Olhar sobre o passado), pp. III a XXIX, em seguida 3 *Notizen* (notas), pp. XXXIII a XLI: *Composição 4, Composição 6* e *Das Bild mit Weissem Rand* (Quadro com orla branca).

As reproduções foram selecionadas e classificadas por Kandinsky, que também indicou a situação das obras quando não mais estava de posse delas, assim como datas e títulos que às vezes diferem dos de seu próprio catálogo (publicado em Grohmann 1958, pp. 329-345). Por essas diferentes razões, pareceu útil fornecer a lista sumária dessas ilustrações remetendo, entre parênteses, aos números do catálogo de Grohmann (as identificações incertas, notadamente para as têmperas, são indicadas por um ?):

Primeira seção (1913): *Composição 6* (n.º 172), *Improvisação 31* (n.º 164), *Pequenas alegrias*, col. Beffie, Amsterdam (n.º 174), *Quadro com forma branca*, col. H. Walden, Berlim (n.º 166), *Improvisação 30*, col. A. J. Eddy, Chicago (n.º 161), *Paisagem com mancha vermelha 2* (n.º 169), *Paisagem com chuva*, col. particular, Munique (n.º 167), *Improvisação 33, Tema: Oriente*, col. van Assendelft, Gouda (n.º 170), *Paisagem com mancha vermelha*, col. Wolfskehl, Munique (n.º 168), *Quadro com orla branca*, col. Kluxen (n.º 173).

Segunda seção (1901-1912): *Eclusa*, 1901 (n.º 15a), *A velha cidade*, 1902 (n.º 12)*, *Ar Claro*, 1912 (n.º 13), *Praça do Mercado*, 1902, col. Hagelstan-

---

* A foto reproduzida no álbum parece, de fato, confirmar a hipótese emitida por K. Lindsay em 1959, segundo a qual *A velha cidade* reproduzido por Grohmann (fig. 3, p. 349), exposta várias vezes depois da guerra e publicada na maioria das obras recentes sobre Kandinsky, não é o quadro de 1902 catalogado por Kandinsky sob o n.º 12, mas um esboço preparatório. Há em todo caso diferenças bem nítidas entre o quadro que é apresentado atualmente (sem nunca mencionar as reservas de Lindsay) e a foto do álbum de 1913. Cf. também nota 17.

ge, Colônia (não catal., supl. Grohmann, p. 345), *Encontro marcado*, 1902, col. Eddy, Chicago (nº 17), *Casal a cavalo*, 1903 (nº 20?), 5 gravuras em madeira de 1903, *Domingo*, 1904 (nº 27), *Cidadezinha antiga*, 1903, e *Rosas*, 1905 (têmperas sobre papelão, Grohmann, p. 344, nº 31, e p. 345, nº 100), *Anoitecer*, 1904 (? têmpera) e *Holanda* (2 têmperas, Grohmann nº 67 e 68, p. 344), *Túnis*, 1904 (3 têmperas, Grohmann nº 71, 90, 96?), *Fête de Muton* (sic), 1904, col. Eddy, Chicago (têmpera, nº 88, p. 344), *Os espectadores*, 1905 (têmpera, nº 99, p. 345) e *Veneza*, 1906 (têmpera, nº 47, p. 344?), *Província*, 1906 (têmpera, nº 118, p. 345?) e *A chegada dos mercadores*, 1905, col. particular, Berlim (nº 40), *Enterro*, 1907 (têmpera, nº 120, p. 345) e *Nuvem branca*, 1903 (têmpera, nº 27, p. 344), *Canto do Volga*, 1906 (têmpera, supl. Grohmann, p. 347), *Patinação*, 1906 (têmpera, nº 114, p. 345), *Tróica*, 1906 (nº 45), *Hora matinal*, 1906 (nº 48?), *Pânico*, 1907 (nº 49), *Rebate*, 1907 (nº 14), *Vida variegada*, 1907 (nº 46), *Montanha azul*, 1908 (nº 84), *Improvisação 2, Marcha fúnebre*, 1909 (nº 77), *As crinolinas*, 1909 (nº 64), *Improvisação 3*, 1909, col. Kluxen (nº 78), *Improvisação 5*, 1910 (nº 94), *Pintura sobre vidro*, 1910 (Supl. Grohmann, p. 348, fig. 665, p. 404), *Improvisação 7, Tempestade*, 1910 (nº 97), *Improvisação 1*, 1910 (nº 99), *Composição 1*, 1910 (nº 92), *Grupo em crinolinas*, 1910, col. Beffie, Amsterdam (nº 89), *Improvisação 9*, 1910, col. Stadler, Zurique (nº 100), *Composição 2*, 1910 (nº 98), *Paisagem com chaminé de fábrica*, 1910 (nº 105), *Passeio de barco*, 1910 (nº 106), *Improvisação 10*, 1910 (nº 101), *Improvisação 11*, 1910 (nº 102), *Improvisação 13*, 1910 (nº 109), *Improvisação 16*, 1910 (nº 113), *Impressão 2*, 1911, col. Koehler, Berlim (nº 114), *Quadro com tróica*, 1911, col. Eddy, Chicago (nº 120), *Improvisação 18*, 1911 (nº 126), *Lírica*, 1911 (nº 118), *Pintura sobre vidro*, 1911 (Supl. Grohmann, p. 348, fig. 663, p. 404), *Impressão 4*, 1911 (nº 141)*, *Inverno 2*, 1911 (nº 122), *Composição 5*, 1911 (nº 144), *Improvisação 29*, 1911, col. Eddy, Chicago (nº 160), *Paisagem com dois choupos*, 1912 (nº 155), *Quadro com mancha preta*, 1912 (nº 153), *Outono 2*, 1912 (nº 156), *Improvisação 27, Jardim de amor*, 1912, col. Stieglitz, Nova York (nº 149).

V. V. Kandinsky, *Tekst Khudojnika*, Moscou, 1918.

Kandinsky, *Texto do artista*, 25 reproduções de quadros de 1902 a 1917, 4 vinhetas, Moscou, 1918, Edições do Departamento de Artes Decorativas do Comissariado do Povo para a Cultura. No frontispício do texto o subtítulo "*Stupiêni*" (Graus, Etapas).

As ilustrações não são as mesmas da edição alemã. O poema de A. Verwey foi substituído pelo poema "Ver", "extraído de *Klänge*, 1913", em sua tradução russa. Os comentários de quadros que acompanhavam o texto de 1913 foram suprimidos.

Lista das reproduções (entre parênteses a referência do catálogo Grohmann):

---

* nº 141: no catálogo Kandinsky (Grohmann p. 332) este quadro tornou-se *Impressão 5*. Ele também figura sob o título *Impressão 4* na edição original de *Do espiritual na arte*, mas com a data de 1910.

A velha cidade 1902 (nº 12), *Improvisação 2*, 1902, col. Stenhammer, Estocolmo (nº 77), *A época das crinolinas*, 1910, col. Beffie, Amsterdam (nº 89), *Improvisação 9*, 1910, col. Stadler, Zurique (nº 100), *Composição 2*, 1910 (nº 98), *Impressão 2, Moscou*, 1911, col. Koehler, Berlim (nº 114), *Lírica*, 1911, col. particular, Berlim (nº 118), *Improvisação 24*, 1912, Museu de Aix-la-Chapelle (nº 146), *Improvisação 27*, 1912, col. Stieglitz, Nova York (nº 149), *Improvisação 29*, 1911, col. Eddy, Chicago (nº 160, datado de 1912), *Composição 5*, 1911, col. Muller, Soleure, Suíça (nº 144), *Mancha negra*, 1912, Museu da Cultura Artística, Moscou (nº 153), *Paisagem sob a chuva*, 1913, col. Braune, Munique (nº 167), *Quadro com forma branca*, 1913, col. Walden, Berlim (nº 166), *Quadro com orla branca*, 1913, col. Kluxen, Alemanha (nº 173), *Improvisação 33*, 1913, col. van Assendelft (nº 170), *Pequenas alegrias*, 1913, col. Beffie, Amsterdam (nº 174), *Improvisação sonhadora*, 1913, col. particular, Berlim (nº 187), *Traços negros*, 1913 (nº 189), *Composição 7*, 1913 (nº 186), *Quadro claro*, 1913 (nº 188), *Aquarela "a uma só voz"*, 1916 (não catal., não repr. em Grohmann ?), *Aquarela*, 1916 (Grohmann, fig. 703, p. 408, "Simples"), água-forte de 1916, *Crepúsculo*, 1917 (nº 213), *Claridade*, 1917 (nº 215), *Escuro*, 1917 (nº 211), *Desenho*, 1918, e uma vinheta na página de frente do poema *Ver* (cf. nota 2 do texto).

Traduções e reedições:
Retrospects by W. Kandinsky, em *Kandinsky*, editado por Hilla Rebay, Nova York, Museum of Non-Objective Painting, 1945 (versão de 1913).
Text artista, autobiography by W. Kandinsky, em *Wassily Kandinsky Memorial*, Museum of Non-Objective Painting, Nova York, 1945, pp. 49-73 (versão de 1918; a tradução é freqüentemente muito inexata e próxima da paráfrase).
Regard sur le passé, Paris, Drouin, 1946, tradução de Gabrielle Buffet-Picabia (versão de 1913, tradução constante e gravemente errônea, inutilizável).
Regard sur le passé, em *Derrière le Miroir*, Paris, nº 42 (novembro-dezembro, 1951), trechos da tradução de 1946.
Rückblicke, Baden-Baden, Klein, 1955, introdução de Ludwig Grote (versão de 1913; edição não-anotada).
Sguardi sul passato, Veneza, Ed. del Cavallino, 1962.
Reminiscences, em *Modern Artist on Art*, editado por Robert L. Herbert, Prentice Hall, New Jersey, 1964, pp. 20-44.
Tilbageblick, Copenhague, R. Fischer, 1964.
Regard sur le passé, tradução de Gabrielle Buffet-Picabia, Paris, Belfond, 1971 (tiragem de luxo, 120 exemplares, da tradução de 1946: ver acima).

Der Blauer Reiter

Der Blaue Reiter (O Cavaleiro Azul), Munique, Piper, 1912, hrsg. von Wassily Kandinsky und Franz Marc, 131 p. (tiragem de 200 exemplares). Contém, de Kandinsky:

— *Eugen Kahler* (pp. 53-55).

— *Über die Formfrage* (Sobre a questão da forma) (pp. 74-100).

— *Über Bühnenkomposition* (Da composição cênica) (pp. 103-113).

— *Der gelbe Klang* (A sonoridade amarela) (pp. 115-131). Para o conteúdo do resto do volume, cf. nota 113, p. 210.

Der Blaue Reiter, Munique, Piper, 1914, 2ª edição. Contém um prefácio suplementar de Kandinsky e Franz Marc.

O Stsenitocheskoi kompositsii, versão russa de *Über Bühnenkomposition*, publicada em *Iskusstvo*, 1919, n.º 1, pp. 39-49.

Traduções e reedições:

Der Blauer Reiter, Munique, Piper, 1965, reedição integral preparada e comentada por Klaus Lankheit (farto material documentário e citação de inéditos).

Formens Problem, tradução dinamarquesa de *Über die Formfrage*, publicada inicialmente em H. Bertram, *Kandinsky*, Copenhague, Wivels, 1946, reed. ilustrada e apresentada por Poul Vad, Copenhague, Gyldendals, 1965.

Il Cavaliere Azzurro, Bari, De Donato, 1967.

Über die Formfrage e *Über Bühnenkomposition* figuram na coletânea coletiva editada por Max Bill em 1955; o primeiro texto foi traduzido em francês no tomo II dos *Écrits complets*, Paris, 1970; o segundo o foi parcialmente (e muito aproximadamente), assim como um breve fragmento de *A sonoridade amarela*, em *Aujourd'hui, art et architecture*, maio de 1958, n.º 17, pp. 34-37. Tradução inglesa de *A sonoridade amarela* em *Voices of German Expressionism*, New Jersey, 1970.

Apêndice

Poemas:

Klänge (Sonoridades), Munique, Piper, 1913 (tiragem limitada a 300 exemplares). Nenhuma reedição, em virtude notadamente das cláusulas do contrato original.

Várias reedições e traduções parciais, do mesmo modo que para os poemas posteriores: ver neste volume nota 140.

Cartas:

Uma edição geral da correspondência está em preparação. Várias cartas ou fragmentos de cartas foram publicadas isoladamente: cf. nota 141.
As cartas a A. J. Eddy foram publicadas por este em seu livro *Cubists and Post-Impressionism*, Londres, Chicago, 1914-1915, pp. 125-136.

Entrevista por Ch. A. Julien:

Publicada pela primeira vez na *Revue de l'Art*, n.º 5, 1969, pp. 71-72, Paris, Flammarion.

OUTROS TEXTOS DO PERÍODO 1912-1922

Über das Geistige in der Kunst, insbesondere in der Malerei (Do espiritual na arte e na pintura em particular), Munique, Piper, 1912.
Impresso em dezembro, divulgado em janeiro, reedição aumentada, com um novo prefácio, em abril, nova edição no outono.
Trechos publicados em *Der Sturm*, n.º 106, abril de 1912, pp. 11-13 (capítulo VI).

Traduções e reedições:

em alemão:

Über das Geistige in der Kunst, 4.ª edição, Bern-Bümpliz, Benteli, 1952, introdução de Max Bill.

em russo:

Publicação do texto lido em dezembro de 1911 no Congresso Pan-Russo dos Artistas de São Petersburgo, nos *Trabalhos do Congresso Pan-Russo dos Artistas de Petrogrado*, dezembro de 1911-janeiro de 1912, Petrogrado, 1914, tomo I, pp. 47-76.

em inglês:

The Art of Spiritual Harmony, Londres e Boston, Constable, 1914 (tradução e prefácio de Michael T. Sadler).
On the Spiritual in Art, edited by Hilla Rebay, Nova York, 1946.
Concerning the Spiritual in Art, and Painting in Particular, Nova York, 1947 (tradução Sadler, revista; contém também 8 poemas de 1912-1937 e breves estudos), reeditado em 1970.

em francês:

Du Spirituel dans l'Art et dans la peinture en particulier, tradução M. de Man (Pierre Volboudt), Paris, Drouin, 1949 (tiragem de 300 exemplares), Éditions de Beaune, 1954 (com posfácio de Charles Estienne), 3ª edição em 1963, reed. Denoël-Gonthier, 1971 (prefácio de Philippe Sers; vários erros, reedição menos segura que a precedente).

outras edições:

Japonesa, Tóquio, 1924 e 1958; italiana, Roma, 1940, e Bari, 1968; espanhola, Buenos Aires, 1956; sueca, Estocolmo, 1970.

Arnold Schönberg, Die Bilder em *Arnold Schönberg*, Munique, Piper, 1912, pp. 59-64.

Prefácios aos catálogos de suas exposições coletivas, *Kandinsky Kollektiv Ausstellung 1902-1912*, Berlim, *Der Sturm*, e Munique, Galeria Goltz (cf., neste volume, nota 34 p. 187).

Om Konstnärem (Sobre o artista), Estocolmo, Gummesons Konsthandels Förlag, 1916, reproduzido no catálogo da Exposição Kandinsky, Moderna Museet, Estocolmo, 1965, e em *Ark*, n? 9, pp. 199-205 (cf. neste volume, nota 98, p. 207).

Konsten utan ämne, em *Konst*, n? 5, Estocolmo, 1916, p. 9*.

O totchkiê, O linii (Do ponto, da linha), em *Iskusstvo*, n? 3 e 4 (fevereiro de 1919). Tradução em dinamarquês na revista *Signum*, n? 3, Copenhague, 1962, pp. 37-40.

Selbstcharakteristik, em *Das Kunstblatt*, Postdam, 1919, n? 6, pp. 172-174**).

O vielikoi utopii (Da grande utopia) em *Khudojestvennaia jizn* (A vida artística), boletim do Departamento de Arte do Narkompros, Moscou, 1919, 1920, n? 3, pp. 2-4.

Muziei jivopisnoi kultury (O museu da cultura pictórica), no mesmo boletim, 1919-1920, n? 2, pp. 18-20.

Relatórios sobre os contatos estabelecidos com os artistas alemães em 1918-1919 no mesmo boletim, n? 3, 1919-1920, pp. 16-18 (artigo assinado K.)***.

Programa para o Instituto da Cultura Artística (Inkhuk), 1920. Traduzido em inglês em *Wassily Kandinsky Memorial*, Nova York, 1945, pp. 75-86; breve fragmento traduzido em italiano em Vieri Quilici, *L'architet-*

---

* Este artigo não é assinalado por Grohmann. Em compensação, não encontramos aquele cuja publicação em *Konst*, n? 1-2, 1912, ele indica.

** No catálogo da exposição retrospectiva de 1963, Kenneth L. Lindsay indica, sem precisar melhor, um artigo não assinalado por Grohmann, publicado na forma de carta num jornal alemão: *Kunstfrühling in Russland*, datado de 22 de fevereiro de 1919.

*** Neste artigo e outros textos traduzidos ou inspirados por Kandinsky são assinalados por Troels Andersen, *Some Unpublished Letters by Kandinsky*, em *Artes II*, Copenhague, 1966, pp. 90-110.

tura del costruttivismo, Bari, 1969, pp. 485-486 (esse texto teórico é o mais importante de quantos Kandinsky redigiu entre *Do espiritual*, publicado em 1912, e *Ponto-Linha-Plano*, publicado em 1926).

Julgamento sobre Le Fauconnier, publicado no catálogo *Le Fauconnier*, Paris, Galeria Joseph Billiet, 1921.

Ein neuer Naturalismus? (Um novo naturalismo?), em *Das Kunstblatt*, n.º 9, setembro de 1922, Postdam, pp. 384-387. Traduzido em francês em *Écrits complets*, tomo II, 1970, pp. 283-285.

OUTROS TEXTOS

Os demais escritos de Kandinsky são muito numerosos. Sua publicação em revistas ou catálogos de difícil acesso torna problemático seu recenseamento. Encontrar-se-á, em princípio, o texto integral na edição dos *Écrits complets* mencionada no início desta bibliografia. Uma lista extensa, mas incompleta, foi estabelecida por Bernard Karpel para a monografia de W. Grohmann (1958, pp. 413-424). Indicamos aqui apenas os títulos principais.

Antes de 1912

O nakazaniakh po recheniiam volostnykh sudov Moskovski Gubernii (A propósito das punições segundo as decisões dos tribunais cantonais da província de Moscou), em *Trabalhos da seção etnográfica da Sociedade Imperial dos Amadores das Ciências Naturais da Antropologia e da Etnografia*, tomo LXI, livro X, Moscou, 1889.

Pismó iz Miunkhena (Carta de Munique), em *Mir Iskusstva* (O Mundo da Arte), 1902, n.º 1, pp. 96-98.

Pismá iz Miunkhena (Cartas de Munique), em *Apolo*, São Petersburgo, 1909, n.º 1, pp. 17-20 (outubro), 1910, n.º 4, pp. 28-30 (janeiro), 1910, n.º 7, pp. 12-15 (abril), 1910, n.º 8, pp. 4-7 (naio-junho), 1910, n.º 11, pp. 13-17 (outubro). Reimpresso em *Zwiebelturm*, n.º 5, Regensburg, 1950, pp. 24-44.

Sodierjanie i forma (O conteúdo e a forma), no catálogo do 2.º Salão Internacional de Vladimir Izdebski, Odessa, 1910-1911. Parcialmente traduzido em Camilla Gray, *The great experiment: Russian Art 1863-1922*, Londres, 1962. (O texto é muito próximo de *Malerei als reine Kunst*, publicado em *Der Sturm* em 1913: ver acima.) Reimpresso em H. Walden, *Expressionismus*, 1918. No mesmo catálogo, tradução, por Kandinsky, de um texto de Schönberg sobre as oitavas e as quintas paralelas.

Prefácios aos catálogos da segunda exposição da N. K. V., Munique, 1910 (citado em Grohmann 1958, p. 64) e da primeira exposição do *Blaue Reiter* na Galeria Tannhauser, Munique, 1911.

Im Kampf um die Kunst (Em luta pela arte), Munique, Piper, 1911, pp. 73-75, breve contribuição de Kandinsky para essa coletânea coletiva, escrita em resposta ao "Protesto dos Artistas Alemães".

Entre os inéditos: *Preto e branco* e *Sonoridade verde*, peças escritas em russo em 1909, e *Violeta*, peça escrita em alemão em 1911 (publicação parcial em *Bauhaus*, n? 3, 1927).

Após 1922

Die Grundelemente der Form (Os elementos fundamentais da forma), *Farbkurs und Seminar* (Curso e seminário sobre a cor) e *Über die abstrakte Bühnensynthese*, em *Bauhaus* (revista da Bauhaus), Weimar-Munique, 1923. Os dois primeiros textos estão traduzidos em francês nos *Écrits complets*, tomo II, Paris, 1970, pp. 289-290 e 293-296.

Abstrakte Kunst (Arte abstrata), em *Der Cicerone*, n? 17, 1925, pp. 638-647. Traduzido em francês nos *Écrits complets*, tomo II, pp. 307-315.

Der Wert des theoretischen Unterrichts in der Malerei (O valor do ensino teórico na pintura), em *Bauhaus*, dezembro de 1926.

Punkt und linie zu Fläche: Beitrag zur Analyse der malerischen elemente, Bauhausbücher, n? 9, Munique, Langen, 1926. 2.ª edição 1928. Reed. Bern-Bumplitz, Benteli, 1955 e 1959 (introdução de Max Bill).

Várias traduções francesas, parcial (1928) ou completa (1962), das quais cabe citar a última: *Point-Ligne-Plan*, por Suzanne e Jean Leppien, em *Écrits complets*, 1970, tomo II, pp. 47-216, e, à parte, Denoël, Paris, 1972. Tradução em inglês (1947), italiano (1968) e espanhol (1971).

Analyse des éléments premiers de la peinture em *Cahiers de Belgique*, maio de 1928, pp. 126-132, republicado em *Écrits complets*, tomo II, pp. 319-325.

Der Blaue Reiter: Rückblick, em *Das Kunstblatt*, fevereiro de 1930, pp. 57-60, publicado novamente em *Der Blaue Reiter*, Galeria Curt Valentin, Nova York, 1954, e em *Städtische Galerie im Lenbachhaus München, Sammlungskatalog I, Der Blaue Reiter*, Munique, 1966, pp. 138-142.

Réflexions sur l'art abstrait, em *Cahiers d'art*, n? 7-8, 1931, pp. 350-353, republicado em *Écrits complets*, tomo II, pp. 329-335.

Paul Klee, em *Bauhaus*, n? 3, dezembro de 1931, traduzido em francês em *Klee et Kandinsky, une confrontation*, Paris, Berggruen, 1959.

Abstrakte Malerei (Pintura abstrata), em *Kronick van hedenaage kunst en kultuur*, abril de 1935, Amsterdam, pp. 167-172; traduzido em francês em *Écrits complets*, tomo II, pp. 349-357.

Resposta a uma enquete: *L'art d'aujourd'hui est plus vivant que jamais*, em *Cahiers d'art*, n? 1-4, pp. 53-54, republicado em *Écrits complets*, tomo II, pp. 349-357.

Toile vide, em *Cahiers d'art*, 1935, n? 5-6, republicado em *Écrits complets*, tomo II, pp. 361-365.

Franz Marc em *Cahiers d'art*, 1936, n? 8-10, pp. 273-275.

Tilegnelze af Kunst (Iniciação à Arte), Copenhague, 1937, traduzido em alemão na coletânea coletiva editada por Max Bill em 1955.

Art concret, em *XXe siècle*, n.º 1, março de 1938, pp. 9-16, republicado em *Écrits complets*, tomo II, pp. 369-373.

Mes gravures sur bois, em *XXe siècle*, n.º 3, julho-setembro 1938, pp. 19-31; publicado novamente em *XXe siècle*, n.º 27, dezembro de 1966, p. 17.

La valeur d'une oeuvre concrète, em *XXe siècle*, n.º 5-6 e n.º 7-8, 1938, republicado em *Écrits complets*, tomo II, pp. 377-388. Traduzido em inglês, 1949, e italiano, 1950.

Textos críticos*

A bibliografia referente à vida e à obra de Kandinsky é muito abundante: uma dezena de títulos por ano, em média. Entre estes, porém, numerosos artigos e livros de vulgarização ou catálogos de exposição que nada trazem de novo. Em vez de dar aqui listas completas, que seriam de parca utilidade, preferimos, pois, proceder a uma seleção crítica. Poder-se-á completá-la com o auxílio da bibliografia estabelecida por Bernard Karpel para a monografia de W. Grohmann (pp. 413-424) e, após 1958, com o *Répertoire d'art et d'archéologie*, publicado anualmente em Paris pelo CNRS, sob a direção do Comitê Francês de História da Arte. Indicamos as obras mais úteis por sua contribuição documentária (**) ou por suas interpretações (*) e algumas vezes, mas raramente, por ambas (***).

O livro básico continua sendo, apesar das críticas justificadas que por vezes lhe são dirigidas, o monumental trabalho de:

*** GROHMANN (Will), *Vassily Kandinsky, sua vida, sua obra*, Colônia, Nova York, Paris, Milão, 1958, que contém, em particular, o catálogo das obras levantado pelo próprio Kandinsky. É indispensável completá-lo pela resenha que dela forneceu:

** Lindsay (Kenneth C.), *Wassily Kandinsky, life and work by Will Grohmann, review*, em *Art Bulletin*, Nova York, vol. 41, dezembro de 1959, pp. 348-350, que precisa pontos importantes.

A partir daí a bibliografia pode dividir-se em dois grupos: as obras que antecedem o livro de Grohmann, cujas contribuições essenciais foram por este amplamente utilizadas, e as que se lhe seguem, das quais daremos um inventário mais pormenorizado.

Antes de 1958

1920

*** ZEHDER (Hugo), *Wassily Kandinsky*, Dresden, Kaemmerer, 1920 (primeira obra a utilizar abundantemente a versão russa de *Olhar*).

---

* Os nomes dos autores de livros figuram em maiúsculas, diferenciando-os, assim, dos autores de artigos ou catálogos.

Umanskij (Konstantin), *Russland IV: Kandinsky's Rolle im russischen Kunstleben*, em *Der Ararat*, II, maio-junho, pp. 28-30.

1924
Grohmann (Will), *Wassily Kandinsky*, em *Der Cicerone*, n.º 19, setembro de 1924, pp. 887-898 (reeditado em seguida em volume em Leipzig, Klinkhardt und Biermann, 1924).

1926
Kandinsky, Jubiläums ausstellung zum 60 Geburtstag, Dresden, Galeria Arnold (catálogo e exposição com textos de Paul Klee, W. Grohmann, F. Halle, K. Dreier; o texto de Klee foi traduzido em *Klee et Kandinsky, une confrontation*, Paris, Bergruen, 1959).

1928
Kandinsky-Jubiläumsausstellung, Frankfurter Kunstverein, Frankfurt (catálogo de exposição, com texto de Kandinsky).

1930
GROHMANN (Will), *Kandinsky*, Paris, *Cahiers d'art* (com textos de C. Zervos, M. Raynal, E. Tériade, T. Däubler, F. Halle, K. Dreier, Clapp, Flouquet).
Kandinsky, exposição, Paris, Galerie de France, março de 1930 (com textos de E. Tériade, C. Zervos, F. Halle, M. Raynal).

1933
** *Kandinsky, Sélection n.º 14*, Antuérpia (textos de W. Grohmann, F. Morlion, G. Marlier, homenagens de C. Zervos, W. Baumeister, M. Seuphor, A. Sartoris, J. W. E. Buys, Diego Rivera, A. de Ridder, E. L. Cary, G. E. Scheyer; catálogo da obra gravada (1902-1932) e desenhada (1910-1932) de Kandinsky, redigido com sua colaboração).

1935
Homage to Kandinsky and other contemporary pioneers of non-objective painting, Nova York, Museum of Non-Objective Painting, 1935 (várias reedições).

1944
Wassily Kandinsky 1866-1944, Nova York, Museum of Non-Objective Painting (catálogo de exposição; cartas de Kandinsky e notas por Hilla Rebay).

1945
** REBAY (Hilla), ed. *Wassily Kandinsky Memorial*, Nova York, 1945 (farta documentação).
Zervos (Christian), *Vassily Kandinsky 1866-1944*, em *Cahiers d'art*, 1945-1946, pp. 114-127.

Abstrakt/Konkret, n.º 10, *Bulletin de la galerie des Eaux Vives*, Zurique (textos de Kandinsky, homenagens de Max Bill, Michel Seuphor, Léo Leuppi).

1946
BERTRAM (H.), *Kandinsky*, Copenhague, Wivels (contém a tradução de *Über die Formfrage*).
SOLIER (René de), *Kandinsky*, Paris, Existences.

1947
DEBRUNNER (Hugo), *Wir entdecken Kandinsky*, Zurique, Origo.
W. Kandinsky, retrospective, Amsterdam, Stedelijk Museum, Basiléia, Kunsthalle.

1949
BILL (Max), *Zehn Farbenlichtdrucke nach Aquarellen und Gouachen*, Basiléia, Holbein.

1950
ESTIENNE (Charles), *Kandinsky*, Paris, ed. de Beaune (plaqueta, vários erros).
** *Omaggio a Kandinsky, Forma 2*, n.º 1, Roma (textos de Kandinsky e artigos de M. Bill, E. Prampolini, K. Lindsay, Ch. Estienne, N. Kandinsky, Vordemberge-Gildewart, H. Rebay, etc.).
Kandinsky, exposição retrospectiva na Bienal de Veneza (catálogo e artigos em *La Biennale*, Veneza, janeiro-fevereiro de 1951).
Gioedion-Welcker (Carola), *Kandinsky Malerei als Ausdruck eines geistigen Universalismus*, em *Werk* n.º 4, pp. 117-123.

1951
** BILL (Max) (sob a direção de), *Wassily Kandinsky*, Boston e Paris (textos de Jean Arp, Charles Estienne, Carola Giedion-Welcker, Will Grohmann, Ludwig Grote, Nina Kandinsky, Alberto Magnelli; as informações biográficas e bibliográficas devem ser verificadas com o auxílio do livro de Grohmann e das obras posteriores).
*** LINDSAY (Kenneth C.), *An Examination of the Fundamental Theories of Wassily Kandinsky*, Madison, Wisconsin (tese não-editada; farta documentação, utilizada nos artigos posteriores do autor).

1952
Lindsay (Kenneth C.), *Kandinsky's method and contemporary criticism*, em *Magazine of Art*, dezembro, pp. 355-361.
W. Kandinsky, retrospectiva, Boston, Institute of Contemporary Art, Nova York, San Francisco, Cleveland, Minneapolis, Miami.

1953
*** Lindsay (Kenneth C.), *Genesis and meaning of the cover design for the first Blaue Reiter exhibition catalog*, em *Art Bulletin*, março, pp. 47-52.
W. Kandinsky, retrospectiva, Munique, Berlim, Hamburgo, Nuremberg, Stuttgart, Ulm, Wiesbaden, Mannheim.

1954
** *W. Kandinsky, Oeuvre gravé*, Paris, Galeria Berggruen (prefácio de W. Grohmann).

1955
*** BRISCH (Klaus), *Wassily Kandinsky*, Bonn, Universidade de Bonn, "Untersuchung zur Entstehung der gegenstandslosen Malerei an seinem Werke von 1900-1921" (tese não-editada).
* Henniger (Gerd), *Die Anflösung des Gegenständlichen und for Funktionswander der malerischen Elemente im Werkew Kandinskys 1908-1914*, em *Edwin Redslob zum 70 Geburstag: eine Festgabe*, Berlim, Blaschker, pp. 347-356.
W. Kandinsky, retrospectiva, Berna, Kunsthalle.
W. Kandinsky, période dramatique 1910-1920, Paris, Maeght (catálogo de exposição).
GROHMANN (Will), *Kandinsky: Farben und Klänge*, Baden-Baden, Klein (2 plaquetas).

1956
Lindsay (Kenneth C.), *Kandinsky in 1914 New York*, em *Art News*, Nova York, vol. 55, n.º 3 (maio), pp. 32-33.

1957
Selz (Peter), *The aesthetic theories of Wassily Kandinsky and their relationship to the origin of non-objective painting*, em *The Art Bulletin*, vol. 39, n.º 2, junho, pp. 127-136.
Eitner (Lorenz), *Kandinsky in Munich*, em *The Burlington Magazine*, tomo 99, junho, pp. 193-199 (análise das obras da doação G. Münter).
W. Kandinsky, quadros do Guggenheim Museum (exposição itinerante: Londres, Bruxelas, Paris, Lyon, Oslo, Roma).
** EICHNER (Johannes), *Kandinsky und Gabriele Münter, von Ursprüngen moderner Kunst*, Munique, Bruckmann, 1957 (com vários documentos inéditos).

1958
100 obras de Kandinsky, Colônia, Wallraf Richartz Museum (catálogo de exposição).

Após 1958

1959
READ (Herbert), *Kandinsky*, Londres, Faber and Faber, 1959.
W. *Kandinsky, aquarelles et gouaches*, Nantes, Museu de Belas-Artes (doação Gildas Fardel).
Klee-Kandinsky, une confrontation, Paris, Galeria Berggruen (tradução da carta de homenagem de Klee, escrita emn 1926, e de um texto retrospectivo de Kandinsky escrito em 1931).
Lindsay (Kenneth C.), *Will Russia unfreeze her first modern master?*, em *Art News*, tomo 58 (1959-1960), n.º 5, pp. 28-31 e 52.
Page (A. F.), *An early Kandinsky*, em *Bulletin of the Detroit Institute of Arts*, tomo 38 (1958-1959), pp. 27-29 (análise de uma obra de 1913).

1960
Chastel (André), *Kandinsky ou le voeu intérieur*, em *Derrière le Miroir*, n.º 118, Paris, Maeght.
AUST (Günter), *Kandinsky*, Deutsche Buchgemeinschaft, Berlim.
BRION (Marcel), *W. Kandinsky*, Paris, Somogy (trad. ingl., Londres, 1961).
CASSOU (Jean), *Interférences, aquarelles et dessins*, Paris, Delpire.
Kimball (M.), *Kandinsky and Rudolf Steiner*, em *Arts*, Nova York, março.
* KORN (Rudolf), *Kandinsky und die Theorie der abstrakten Malerei*, Berlim (tese defendida em 1958, primeiro estudo marxista extenso, publicado na Alemanha Oriental).
GEDDO (Angelo), *Commento a Kandinsky (su lo spirituale neell'arte)*, Bérgamo, San Marco.
* Hess (Walter), *Die grosse Abstraktion und die grosse Realistik, Zwei von Kandinsky definierte Möglichkeiten moderner Bildstruktur*, em *Jahrbuch für Aesthetische allgemeine Kunstwissenschaft*, tomo 5 (1960), pp. 7-32.

1961
ETTLINGER (L. D.), *Kandinsky's "At Rest"*, Londres, Oxford University Press (análise do quadro que traz esse título; plaqueta).
Röthel (Hans-Konrad), *Kandinsky: Improvisation Klamm, Vorstufen einer Deutung*, em *Festschrift Eberhard Haufstaengl*, Munique, pp. 186-192.

1962
RIEDL (Peter Anselm), *W. Kandinsky, Kleine Welten*, Stuttgart, Philipp Reclam Jr. (plaqueta).
Lindsay (Kenneth C.), *Graphic Art in Kandinsky's oeuvre*, em *Prints 12*, 235.

1963
VOLBOUDT (Pierre), *Kandinsky 1896-1921* e *1922-1944*, Paris, Hazan (plaquetas).

Chastel (André), *Kandinsky et la France*, em *Médecine de France*, Paris, n.º 148, pp. 41-42.
** W. *Kandinsky*, retrospectiva, Paris, Musée d'Art moderne (igualmente apresentada em Nova York em 1962, Haia e Basiléia em 1963; textos de K. Lindsay, H. K. Röthel, J. Cassou, W. Grohmann, Nina Kandinsky e diversas traduções).
** Roters (Eberhard), *Wassily Kandinsky und die Gestalt des Blauen Reiters*, em *Jahrbuch der Berliner Museen*, tomo V, pp. 201-220.
Robbins (Daniel), *Wassily Kandinsky: Abstraction and Image*, em *The Art Journal*, primavera de 1963, vol. 22, n.º 3, pp. 145-147 (a propósito da exposição de Nova York).

1964
LASSAIGNE (Jacques), *Kandinsky*, Genebra, Skira (com bibliografia).
DOELMAN (C.), *Kandinsky*, Verviers (plaqueta).
Ettlinger (L. D.), *Kandinsky*, em *L'oeil*, n.º 114 (junho), pp. 10-17 e 50.

1965
** *Kandinsky*, Estocolmo, Moderna Museet (abril-maio) (documentação precisa sobre as estadas de Kandinsky na Suécia e reprodução de seu texto *Om Konstnärem*, publicado em Estocolmo em 1916).

1966
** Andersen (Troels), *Some Unpublished letters by Kandinsky*, em *Artes II*, Copenhague, pp. 90-110 (publicação de documentos e importante atualização sobre as atividades de Kandinsky na Rússia de 1904 a 1921).
Kandinsky, centenaire 1866-1944, Saint Paul de Vence, Fundação Maeght (exposição).
*** *Centenaire de Wassily Kandinsky 1866-1944*, em *XXᵉ siècle*, n.º 27 (dezembro) (número especial, documentos, depoimentos e estudos).
Russel (Jonh), *A Manifold Moses, some notes on Schönberg and Kandinsky*, em *Apollo*, vol. 84, n.º 57, pp. 388-389 (paralelo sumário).
** Ringbom (Sixten), *Art in the epoch of the great spiritual, occult elements in the early theory of abstract painting*, em *Journal of the Warburg and Courtauld Institute*, tomo 54 (1966), pp. 386-418 (Kandinsky e a teosofia).
GROHMANN (Will), *Wassily Kandinsky, Eine Begegnung aus dem Jahre 1924*, Berlim, Friedenhauer (plaqueta).

1967
Whitford (Frank), *Some notes on Kandinsky's development towards non-figurative art*, em *Studio International*, tomo 173, n.º 885, pp. 12-17.
Washton (Rose Carol), *Kandinsky's paintings on glass* em *Artforum*, fevereiro de 1967.
Artigo anônimo, *Wassily Kandinsky and the origins of non-objective painting*, em *Minneapolis Institute Art Bulletin*, tomo 56 (1967), pp. 29-35 (a propósito de uma obra de 1910).

1968
   VOLPI ORLANDINI (Marisa), *Kandinsky dall'art nouveau alla psicologia della forma*, Roma, Lerici.
   RÖTHEL (Hans-Konrad), *Kandinsky and his friends*, Londres, 1968 (plaqueta).
   WHITFORD (Franck), *Kandinsky*, trad. fr., Paris, O.D.E.G.E.
   ** WASHTON (Rose Carol), *Wassily Kandinsky 1909-1913: Painting and Theory*, Yale University (tese não-publicada, resumida em *Dissertation Abstract International*, nov. 1969, vol. 30, n.º 5, 1935 A).

1969
   *** OVERY (Paul), *Kandinsky, the Language of the Eye*, Londres, Elek (a mais importante monografia desde o livro de Grohmann; estudo essencialmente estético), trad. al., Colônia, 1969.
   Dube (Wolf-Dieter), *Zur "Träumerischen Improvisation" von Kandinsky*, em *Pantheon*, tomo 27, VI (novembro-dezembro), pp. 486-488 (Estudo do quadro).
   Tomas (Vincent), *Kandinsky's theory of painting*, em *British Journal of Aesthetics*, tomo 9 (1969), pp. 19-37.

1970
   VOLPI ORLANDINI (Marisa), *Kandinsky e il Blaue Reiter*, Milão.
   Wassily Kandinsky, Gemälde 1900-1944, Staatliche Kunsthalle Baden-Baden, julho-setembro (190 números, todos reproduzidos).
   ** RÖTHEL (Hans-Konrad), *Kandinsky, Das graphische Werk*, Colônia, DuMont Schauberg (trabalho fundamental).
   BOVI (Arturo), *Wassily Kandinsky*, Florença, Sansoni.
   * Damus (Martin), *Ideologie, Kritische Anmerkungen zur abstrakten Kunst und ihrer Intèrpretation am beispiel Kandinsky*, em *Kunstwerk Zwischen Wissenschaftliche Weltanschaunng*, pp. 48-75.

1971
   KUTHY (Sandor), *W. Kandinsky, Aquarelle und Gouachen*, Berna, Kunstmuseum.
   Williams (Robert C.), *Concerning the German spiritual in Russian art: Vasili Kandinskii*, em *Journal of european Studies*, tomo 1, pp. 325-336.

1972
   Washton (Rose Carol), *Kandinsky and abstraction*, em *Artforum*, junho, pp. 42-49.
   Hommage de Paris à Kandinsky, Paris, Museu de Arte Moderna da Cidade de Paris, junho-julho (72 números; numerosas citações de *Olhar* na tradução de 1946).
   Kandinsky at the Guggenheim Museum, Nova York, Londres, Lund Humphries (reprodução da totalidade da coleção de Nova York).
   Kandinsky, aquarelles et dessins, Paris, Berggruen (contém textos de Th. Däubler, Paul Klee, Diego Rivera, Zervos, Mirò, Arp e a tradução do texto de Franz Marc publicado em 1913 em *Der Sturm*).

Kandinsky, Carnet de Desssin 1941, Paris, Karl Flinker.
W. Kandinsky, Charleroi, Palais des Beaux-Arts (catálogo de exposição).
Kandinsky, Aquarelle und Zeichnungen, Basiléia, junho-julho 1972 (contém algumas citações de textos inéditos de 1904 e 1911).

1973
Bouillon (Jean-Paul), *"La matière disparait": note sur l'idéalisme de Kandinsky*, em *Documents III*, St. Étienne.

Obras gerais e diversas

1914
EDDY (Arthur J.), *Cubists and Post-Impressionism*, Chicago, Londres, 1914-1915 (contém em particular as cartas de Kandinsky aqui publicadas, pp. 161 ss.), reed. 1919.

1916
BAHR (Hermann), *Expressionismus*, Munique, Delphin (trad. ingl. Londres, 1925).
DÄUBLER (Theodor), *Der Neue Standpunkt*, Dresden, Hellerauer (reed. Dresden, 1957).

1917
WALDEN (Herwarth), *Einblick in Kunst: Expressionismus, Futurismus, Kubismus*, Berlim, Der Sturm.
Walden (Herwarth), *Das Kunstprogramm des Kommissariats für Volksaufklärung*, em *Das Kunstblatt*, n.º 3 (setembro), pp. 91-93.

1918
WALDEN (Herwarth), *Expressionismus: Die Kunstwende*, Berlim, *Der Sturm* (contém textos de Kandinsky).

1920
MARC (Franz), *Briefe, Aufzeichnungen und Aphorismen*, 2 vol., Berlim, Cassirer.
UMANSKIJ (Konstantin), *Neue Kunst in Russland 1914-1919*, Postdam, Kiepenheuer.

1922
Erste Russische Kunstausstellung, Berlim, Galeria van Diemen, com resenhas em *Das Kunstblatt*, n.º 11 (novembro) (D. Sterenberg: *Die Künstlerische Situation in Russland*, e P. Westheim, *Die Austellung der Russen*).

1926
EINSTEIN (Carl), *Die Kunst des 20 Jahrhunderts*, Berlim, Propyläen (reed. 1928-1931).

1936
BARR (Alfred H. Jr.), *Cubism and Abstract Art*, Nova York, Museum of Modern Art (reeditado em 1966).
SCHARDT (Alois J.), *Franz Marc*, Berlim, Rembrandt Verlag.

1937
Schapiro (Meyer), *Nature of Abstract Art* em *Marxist Quarterly*, vol. 1, janeiro-março.

1949
SEUPHOR (Michel), *L'art abstrait, ses origines, ses premiers maîtres*, Paris, Maeght (reed. 1950 e 1971; contém textos de Kandinsky).
Lankheit (Klaus), *Zur Geschichte des Blauen Reiters*, em *Der Cicerone*, 1949, n.º 3 (ver igualmente, do mesmo autor, *Die Geschichte des Almanachs* em *Der Blaue Reiter*, reed., Munique, Piper, 1965).
Der Blaue Reiter, Munique, Haus der Kunst, setembro-outubro (catálogo de exposição, com textos de Kandinsky).

1950
SCHÖNBERG (Arnold), *Style and Idea*, Nova York, Philosophical Library (contém em particular a tradução inglesa do texto publicado no Almanaque do *Cavaleiro Azul* em 1912).
Der Blaue Reiter 1908-1914, Basiléia, Kunsthalle, primavera (com textos de Kandinsky).

1953
VRIESEN (Gustav), *August Macke*, Stuttgart, W. Kolhammer Verlag.

1954
HAFTMANN (Werner), *Malerei im 20. Jahrhundert*, Munique, Prestl, 1954-1955, reed. aumentada 1961 (em inglês), 1965 (em alemão e inglês).
WALDEN (Nell) e SCHREYER (Lothar), *Der Sturm. Ein Erinnerungsbuch an Herwarth Walden und die Künstler aus dem Sturmkreis*, Baden-Baden, Klein.
ROGNONI (Luigi), *Espressionismo e dodecafonia*, Turim, Einaudi.
Der Blaue Reiter, Nova York, Galeria Curt Valentin (com texto de Kandinsky).

1955
WEILER (Clemens), *Alexej von Jawlensky*, Wiesbaden, Limes Verlag.
Francastel (Pierre), *L'expérience figurative et le temps*, em *XXe siècle*, n.º 5, junho, pp. 41-48.

1956
SCHREYER (Lothar), *Erinnerungen an Sturm und Bauhaus*, Munique, Langen und Müller.

1957
DELAUNAY (Robert), *Du Cubisme à l'art abstrait*, documentos inéditos publicados por P. Francastel e seguidos de um catálogo por G. Habasque, Paris, SEVPEN.
SELZ (Peter), *German Expressionist Painting*, University of California Press, Berkerley and Los Angeles (farta documentação).
KLEE (Paul), *Tagebücher 1898-1918*, Colônia, DuMont Schauberg (trad. fr., Paris, Grasset, 1959).
MYERS (Bernard), *The Expressionist Generation*, Nova York, Praeger; Londres, Thames and Hudson; Colônia, DuMont Schauberg (trad. fr. *Les Expressionistes allemands, une génération en révolte*, Paris, 1967) (farta documentação, bibliografia crítica extensa).
Lutzeler (Heinrich), *Bedeutung und Grenze abstrakter Malerei*, em *Jahrbuch für Aesthetische allgemeine Kunstwissenschaft*, tomo III (1955-1957), pp. 1-35.

1958
Liebmann (Kurt), *Des reaktionäre Wesen der "absoluten Malerei"*, em *Bildende Kunst*, n.º 10, pp. 673-676 (exemplo de crítica dogmática da pintura abstrata, de Kandinsky em particular, segundo os critérios do "marxismo vulgar").
Wichmann (Siegfried), *München 1869-1914, Aufbruch zur modernen Kunst*, em *Kunst*, tomo 56 (1957-1958), pp. 444-450 (A evolução de Munique, cidade da arte, através de suas exposições).
SCHÖNBERG (Arnold), *Briefe*, Ausgewählt und hrsg. von Erwin Stein, Mogúncia (trad. ingl. Londres, 1964).

1959
BUCHHEIM (Lothar-Günther), *Der Blaue Reiter und die Neue Künstlervereinigung München*, Feldafing, Buchheim Verlag.
WEILER (Clemens), *Alexej von Jawlensky*, Colônia, DuMont Schauberg.

1960
APOLLINAIRE, *Chroniques d'Art*, Paris, Gallimard.
The Blue Rider group, Londres, Tate Gallery, e Edimburgo (prefácio de H. K. Röthel).
WEREFKIN (Marianne von), *Briefe an einem Unbekannten*, editado por Clemens Weiler, Colônia.
Read (Herbert), *Social significance of abstract art*, em *Quadrum*, Bruxelas, n.º 9, pp. 5-17.
GEHLEN (Arnold), *Zeit-Bilder, Zur Soziologie und Aesthetik der modernen Malerei*, Frankfurt, Athenäum Verlag.
LANKHEIT (Klaus), *Franz Marc im Urteil seiner Zeit* (Eintführung und erläuternde Texte von K. L.), Colônia.
Elliott (Eugene Clinton), *Some recent conceptions of color theory*, em *Journal of Aesthetics*, tomo 18 (1959-1960), pp. 494-503.

1961

Fingesten (Peter), *Spirituality, mysticism and non-objective art*, em *Art Journal*, tomo 21 (1961-1962), pp. 2-6.

Der Blaue Reiter und sein Kreis, Österreichische Galerie, Viena e Linz.

Mojniagun (S. E.), *Abstraktsionnism razruchenie estetiki* (A arte abstrata como destruição da estética), Moscou.

Aust (Günther), *Die Ausstellung des Sonderbundes 1912 in Köln*, em *Wallraf Richartz Jahrbuch*, tomo 23 (1961), pp. 275-292.

1962

GRAY (Camilla), *The Great Experiment: Russian Art 1863-1932*, Nova York, Londres (reeditado em 1971 sob o título *The Russian Experiment in Art 1863-1922*; trad. fr. *L'avant-garde russe dans l'art modern 1863-1922*, Paris, La Cité des Arts).

1963

Lankheit (Klaus), *Bibel Illustrationen des Blauen Reiters*, em *Anzeiger des Germanischen Nationalmuseums* (Ludwig Grote zum 70 Geburtstag), Nuremberg, 1963, pp. 199 ss.

1964

MACKE (August) und MARC (Franz), *Briefwechsel*, Colônia.

Dipinti e Disegni di Arnold Schönberg, XXVII Maggio Fiorentino, Florença, 1964 (catálogo de exposição; contém, em particular, a tradução italiana do texto de Kandinsky sobre os quadros de Schönberg, publicado na coletânea coletiva de 1912).

1966

Der Blaue Reiter, Städtische Galerie im Lenbachhaus München, Sammlungskatalog I (prefácio de H. K. Röthel; catálogo das coleções, incluindo a importante doação de G. Münter; numerosos documentos citados, em particular, integralmente, o texto de Kandinsky: *Der Blaue Reiter, Rückblicke*, publicado em 1930), reed. em 1970 e adaptação inglesa 1971, *The Blue Rider*, Londres, Washington, Nova York, Praeger.

1967

VALLIER (Dora), *L'art abstrait*, Paris, Livre de Poche.

ANDERSEN (Troëls), *Modern Russisk Kunst, 1910-1930*, Copenhague.

1969

QUILICI (Vieri), *L'architettura del costruttivismo*, Bari, 1969 (antologia de textos traduzidos em italiano; contém, em particular, um breve fragmento do programa de Kandinsky para o *Inkhuk*, pp. 485-486).

1970

Kuspit (Donald B.), *Utopian protest in early abstract art*, em *Art Journal*, tomo 29 (1969-1970), pp. 430-436.

WILLET (John), *L'expressionnisme dans les arts, 1900-1968*, trad. fr., Paris, Hachette.
Mikhailov (A.), *Nezyblemye principy* (Os princípios imutáveis), em *Tvortchestvo*, tomo 14 (1970), n.º 6, pp. 5-6 e 22-23 (idealismo subjetivo, de Kandinsky em particular, contra materialismo dialético).

1971
Il Cavaliere Azzurro (Der Blaue Reiter), catálogo da Exposição de Turim, Galeria Cívica de Arte Moderna.
MARCADÉ (Valentine), *Le renouveau de l'art pictural russe 1863-1914*, Lausanne (contém a tradução de alguns documentos russos referentes a Kandinsky).
L'ANNÉE 1913, Paris, Klincksieck, 2 vols. (reunião de artigos; cronologias, bibliografias; estudos de importância e valor muito desiguais).
SEUPHOR (Michel), *L'art abstrait 1910-1018 e 1918-1938*, 2 vols., Paris, Maeght (1971-1972) (reed. do livro de 1949).

1972
L'architecture et l'avant-garde artistique en URSS de 1917 à 1934, em *VH 101*, n.º 7-8, primavera-verão (coletânea de artigos, os dois primeiros referentes à situação na Rússia nos anos 1920-1922).

1973
Bouillon (Jean-Paul), *Le Cubisme et l'avant-garde russe*, em *Le Cubisme*, Saint-Étienne, pp. 153-223.

EPARMA
Impresso nas oficinas da
EDITORA PARMA LTDA.
Telefone: (011) 912-7822
Av. Antonio Bardella, 280
Guarulhos - São Paulo - Brasil
Com filmes fornecidos pelo editor